# Bien calculer les doses,

## un environnement d'apprentissage multimédia

## Pour comprendre :

- des démonstrations vidéo ;
- des animations ;
- des outils interactifs.

## Pour pratiquer :

- des exercices GeoGebra avec données aléatoires ;
- des activités interactives.

## Pour réviser :

- six situations cliniques interactives ;
- des liens vers les objectifs à revoir en cas de difficulté.

# 4 raisons d'utiliser
# Bien calculer les doses

**1** Un manuel, un cahier et un guide d'étude interactif structurés par objectifs

Cette nouvelle approche mise sur l'organisation de la théorie par objectifs d'apprentissage. Ceux-ci sont repris dans le manuel, dans le cahier d'exercices ainsi que dans le guide d'étude interactif. Grâce aux objectifs, vous pourrez mesurer vos progrès facilement et apprendre à votre rythme.

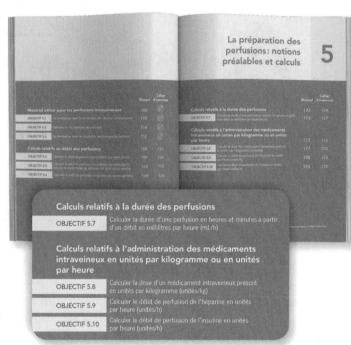

**2** Une grande quantité d'exercices et de mises en situation

Dans le cahier, vous trouverez 200 exercices identifiés selon trois niveaux de difficulté. Dans le guide d'étude interactif, vous découvrirez des exercices avec données aléatoires et rétroaction automatique, pour bien vous préparer aux stages.

OBJECTIF 6.3    Convertir en livres et en onces le poids en grammes ou en kilogrammes du nouveau-né ou de l'enfant, et inversement

**F**    **F 6.1**   Convertissez les poids suivants en kilogrammes.

A. Amélie pèse 33 livres. _____ kg

B. Laurence pèse 60 livres. _____ kg

C. Olivier pèse 18 livres. _____ kg

**M**    **M 6.2**   Convertissez les poids suivants en livres et en onces.

A. Charlotte pèse 3,677 kg à la naissance. _____ lb _____ oz

B. Alexandre pèse 4,057 kg à la naissance. _____ lb _____ oz

**D**    **D 6.3**   Trouvez le poids en kilogrammes.

A. Florence pèse 18 lb 4 oz. _____ kg

B. Étienne pèse 23 lb 9 oz. _____ kg

# 3 Une séquence d'apprentissage et une démarche propres à la pratique des soins infirmiers

Pour passer plus facilement de la théorie à la pratique, la démarche de préparation des médicaments en 5 étapes est reprise dans le manuel, le cahier et le guide d'étude interactif.

**Étape 1** Collecter les données

**Étape 2** Analyser les données

**Étape 3** Planifier la préparation

**Étape 4** Calculer la dose

**Étape 5** Vérifier le résultat obtenu

# 4 Un guide d'étude interactif axé sur votre réussite

Accessible sur ordinateur, tablette et cellulaire, le guide présente des démonstrations interactives et des animations GeoGebra qui vous aident à mieux comprendre la matière. Des activités et des situations cliniques stimulantes vous permettent de vous exercer et de mieux réussir vos examens.

# Vous en voulez plus ?

L'**aide-mémoire** vous accompagne durant tous vos stages.

# Cahier d'exercices

Julie Diotte
Monique Guimond
Véronique Laniel
Diane Martin

## Bien calculer les doses
### Une démarche sécuritaire

Pearson
ERPI

**Développement éditorial**
Karine Bastin

**Gestion de projet**
Sylvain Bournival

**Révision linguistique**
Jean-Pierre Regnault

**Correction d'épreuves**
Lucie Bernard

**Recherche iconographique et libération de droits**
Marie-Joëlle Charron et Rachel Irwin

**Direction artistique**
Hélène Cousineau

**Gestion des réalisations graphiques**
Estelle Cuillerier

**Conception graphique**
Carla da Silva Flor

**Mise en page**
Marquis Interscript

**Développement du guide d'étude interactif**
Geneviève-Anaïs Proulx

© ÉDITIONS DU RENOUVEAU PÉDAGOGIQUE INC. (ERPI), 2020
Membre du groupe Pearson Education depuis 1989

1611, boulevard Crémazie Est, 10e étage
Montréal (Québec)  H2M 2P2
Canada
Téléphone : 514 334-2690
Télécopieur : 514 334-4720
information@pearsonerpi.com
pearsonerpi.com

Dépôt légal – Bibliothèque et Archives nationales du Québec, 2020
Dépôt légal – Bibliothèque et Archives Canada, 2020

Imprimé au Canada

ISBN 978-2-7661-0155-9          1234567890     SO     23 22 21 20
(82026761)                      6101559 ABCD          SM9

# TABLE DES MATIÈRES

**CHAPITRE 1**

## Notions préalables au calcul des doses de médicaments ............................. 2

**Testez vos connaissances** .................................... 4

**Nombres entiers et nombres décimaux** ........................... 6

OBJECTIF 1.2    Arrondir des nombres décimaux ...................... 6

OBJECTIF 1.3    Additionner et soustraire des nombres décimaux .................... 6

OBJECTIF 1.4    Multiplier des nombres entiers et des nombres décimaux .............. 8

OBJECTIF 1.5    Diviser des nombres entiers et des nombres décimaux ................ 9

**Fractions** ..................................... 11

OBJECTIF 1.6    Expliquer la notion de fraction ...................... 11

OBJECTIF 1.7    Réduire des fractions ...................... 11

OBJECTIF 1.8    Multiplier des fractions ...................... 12

OBJECTIF 1.9    Additionner et soustraire des fractions .................... 13

OBJECTIF 1.10   Diviser des fractions ...................... 14

**Rapports et proportions** ...................... 15

OBJECTIF 1.11   Déterminer la valeur de l'inconnue (x) ...................... 15

**Systèmes de mesure** ...................... 16

OBJECTIF 1.12   Se rappeler les notions du système international d'unités (SI) .......... 16

**Conversions diverses** ...................... 17

OBJECTIF 1.14   Convertir une fraction en un nombre décimal ...................... 17

OBJECTIF 1.15   Convertir une fraction ou un nombre décimal en pourcentage ........... 19

OBJECTIF 1.16   Convertir des unités du système impérial, domestique ou apothicaire
en unités du SI ...................... 19

OBJECTIF 1.17   Convertir des heures décimales en minutes ou en heures et minutes ...... 20

**CHAPITRE 2**

## Les informations concernant les médicaments et leur administration ...................... 22

**Interprétation des informations concernant les médicaments** ...... 24

OBJECTIF 2.5    Distinguer le nom générique du nom commercial .................... 24

OBJECTIF 2.7    Repérer les renseignements pertinents sur l'étiquette ou le contenant
d'un médicament. ...................... 25

**Ordonnances et feuille d'administration des médicaments (FADM)** .......................................... 27

OBJECTIF 2.9   Distinguer une ordonnance individuelle d'une ordonnance collective ...... 27

OBJECTIF 2.10   Décoder une ordonnance individuelle ............................ 28

OBJECTIF 2.11   Utiliser les abréviations courantes en pharmacothérapie .............. 30

OBJECTIF 2.12   Décrire les informations contenues dans la feuille d'administration des médicaments (FADM) ..................................... 31

**Maîtriser les situations cliniques** ..................................... 33

CHAPITRE 3

# La préparation des médicaments destinés à la voie orale ........................................... 41

**Médicaments destinés à la voie orale** ............................ 42

OBJECTIF 3.1   Utiliser le matériel approprié pour administrer des médicaments par voie orale .......................................... 42

**Démarche pour préparer de façon sécuritaire une dose de médicament** .......................................... 45

OBJECTIF 3.4   Utiliser une démarche pour préparer de façon sécuritaire un médicament solide pris par voie orale ..................................... 45

OBJECTIF 3.5   Utiliser une démarche pour préparer de façon sécuritaire un médicament liquide pris par voie orale........................... 52

**Maîtriser les situations cliniques** .................................... 58

CHAPITRE 4

# La préparation des médicaments destinés aux voies parentérales ................................. 64

**Matériel destiné à l'administration des médicaments par voie parentérale** ............................................. 66

OBJECTIF 4.4   Prélever une quantité de liquide donnée dans une seringue ............. 66

**Calcul des doses unitaires de médicaments injectables** ............. 73

OBJECTIF 4.6   Calculer la dose requise en utilisant la méthode de la formule ........... 73

OBJECTIF 4.7   Calculer la dose requise en utilisant la méthode du rapport-proportion .... 79

OBJECTIF 4.8   Appliquer une démarche sécuritaire pour préparer une dose de médicament injectable ..................................... 84

**Compatibilité des médicaments injectables** ........................ 89

OBJECTIF 4.10   Lire un tableau de compatibilité dans une situation clinique............. 89

**Reconstitution et dilution des préparations injectables**............. 96

OBJECTIF 4.12    Reconstituer des préparations injectables selon les directives .......... 96

OBJECTIF 4.13    Calculer la dose à administrer après la reconstitution
de la préparation injectable ...................................... 99

**Administration de l'insuline par voie sous-cutanée** ................ 104

OBJECTIF 4.15    Distinguer les catégories d'insulines.......................... 104

OBJECTIF 4.17    Préparer une dose d'insuline sous-cutanée ...................... 107

**Maîtriser les situations cliniques** ................................ 111

## CHAPITRE 5

# La préparation des perfusions : notions préalables et calculs ......................... 122

**Calculs relatifs au débit des perfusions** ........................... 124

OBJECTIF 5.4    Calculer le débit de perfusion en millilitres par heure (mL/h) ........... 124

OBJECTIF 5.5    Calculer le débit de perfusion en millilitres par heure (mL/h) lorsque
la durée totale de perfusion est prescrite en minutes ................. 125

OBJECTIF 5.6    Calculer le débit de perfusion en gouttes par minute (gtt/min) .......... 126

**Calculs relatifs à la durée des perfusions** ........................ 129

OBJECTIF 5.7    Calculer la durée d'une perfusion en heures et minutes à partir d'un débit
en millilitres par heure (mL/h) ................................... 129

**Calculs relatifs à l'administration des médicaments intraveineux
en unités par kilogramme ou en unités par heure** ................. 132

OBJECTIF 5.8    Calculer la dose d'un médicament intraveineux prescrit en unités
par kilogramme (unités/kg) ...................................... 132

OBJECTIF 5.9    Calculer le débit de perfusion de l'héparine en unités par heure
(unités/h)..................................................... 133

OBJECTIF 5.10    Calculer le débit de perfusion de l'insuline en unités par heure
(unités/h)..................................................... 135

**Maîtriser les situations cliniques** ................................ 136

## CHAPITRE 6

# La préparation et l'administration des médicaments pour la clientèle pédiatrique ....... 144

**Situations nécessitant des calculs**................................ 146

OBJECTIF 6.3    Convertir en livres et en onces le poids en grammes ou en kilogrammes
du nouveau-né ou de l'enfant, et inversement ...................... 146

OBJECTIF 6.4   Calculer en pourcentage la perte de poids du nouveau-né ou de l'enfant . . .   147
OBJECTIF 6.5   Calculer les besoins hydriques d'entretien en fonction
du poids de l'enfant . . . . . . . . . . . . . . . . . . . . . . . . . . . . . . . . . . .   148

## Vérifications préalables à la préparation d'un médicament . . . . . . . .   150

OBJECTIF 6.6   Vérifier la fenêtre ou la dose thérapeutique d'un médicament
selon le poids de l'enfant . . . . . . . . . . . . . . . . . . . . . . . . . . . . . . .   150
OBJECTIF 6.7   Vérifier si la dose prescrite respecte la dose quotidienne maximale
recommandée . . . . . . . . . . . . . . . . . . . . . . . . . . . . . . . . . . . . . .   153
OBJECTIF 6.8   Vérifier la fenêtre ou la dose thérapeutique d'un médicament
selon la surface corporelle de l'enfant . . . . . . . . . . . . . . . . . . . . . . .   155

## Calcul des doses unitaires de médicaments destinés
## à la voie orale . . . . . . . . . . . . . . . . . . . . . . . . . . . . . . . . . . . . . . . .   159

OBJECTIF 6.9   Calculer la dose de médicament sous forme solide ou liquide à préparer
pour une administration par voie orale . . . . . . . . . . . . . . . . . . . . . . .   159

## Calcul des doses unitaires de médicaments destinés
## à la voie parentérale . . . . . . . . . . . . . . . . . . . . . . . . . . . . . . . . . . . .   165

OBJECTIF 6.10   Calculer la dose d'un médicament à préparer pour une administration
par voie intraveineuse . . . . . . . . . . . . . . . . . . . . . . . . . . . . . . . . .   165

## Maîtriser les situations cliniques . . . . . . . . . . . . . . . . . . . . . . . . . . . .   168

CHAPITRE 7

# La préparation des médicaments
# dans un contexte de soins aux personnes
# en phase critique . . . . . . . . . . . . . . . . . . . . . . . . . . . . . . . . . . . . . .   178

## Calcul du débit de perfusion en millilitres par heure (mL/h) . . . . . . . .   180

OBJECTIF 7.1   Calculer le débit de perfusion en millilitres par heure (mL/h) à partir
d'une ordonnance en milligrammes par heure (mg/h) ou en grammes
par heure (g/h) . . . . . . . . . . . . . . . . . . . . . . . . . . . . . . . . . . . . . .   180
OBJECTIF 7.2   Calculer le débit de perfusion en millilitres par heure (mL/h) à partir
d'une ordonnance en microgrammes par minute (mcg/min) ou
en milligrammes par minute (mg/min) . . . . . . . . . . . . . . . . . . . . . . .   182
OBJECTIF 7.3   Calculer la dose en microgrammes par minute (mcg/min)
ou en milligrammes par minute (mg/min) à partir d'un débit
de perfusion en millilitres par heure (mL/h) . . . . . . . . . . . . . . . . . . .   184
OBJECTIF 7.4   Calculer le débit de perfusion en millilitres par heure (mL/h)
à partir d'une ordonnance en microgrammes par kilogramme
par minute (mcg/kg/min) ou en milligrammes par kilogramme
par minute (mg/kg/min) . . . . . . . . . . . . . . . . . . . . . . . . . . . . . . . .   186

OBJECTIF 7.5     Calculer la dose en microgrammes par kilogramme par minute
(mcg/kg/min) ou en milligrammes par kilogramme par minute
(mg/kg/min) à partir d'un débit de perfusion en millilitres
par heure (mL/h) . . . . . . . . . . . . . . . . . . . . . . . . . . . . . . . . . . . . . . . . . 188

**Transfusion des produits sanguins** . . . . . . . . . . . . . . . . . . . . . . . . . . . . . . 190
OBJECTIF 7.6     Calculer le volume transfusé en fonction du temps de perfusion . . . . . . . . 190
OBJECTIF 7.7     Calculer l'heure prévue de la fin de la transfusion . . . . . . . . . . . . . . . . . . 192

**Alimentation parentérale totale (APT)** . . . . . . . . . . . . . . . . . . . . . . . . . . . 195
OBJECTIF 7.8     Calculer le débit total des perfusions dans le but d'ajuster le débit
du soluté . . . . . . . . . . . . . . . . . . . . . . . . . . . . . . . . . . . . . . . . . . . . . . . . . . . 195
OBJECTIF 7.9     Calculer la quantité d'une substance donnée dans une solution
intraveineuse afin d'établir des équivalences . . . . . . . . . . . . . . . . . . . . . . 197

**Sédation palliative continue** . . . . . . . . . . . . . . . . . . . . . . . . . . . . . . . . . . . 198
OBJECTIF 7.11     Calculer la sédation palliative à partir d'une dose horaire . . . . . . . . . . . . . 198
OBJECTIF 7.12     Calculer la dose de médicament correspondant au vide d'air . . . . . . . . . . . 200
OBJECTIF 7.13     Calculer le volume de diluant nécessaire à la préparation de la perfusion
dans un contexte de sédation palliative . . . . . . . . . . . . . . . . . . . . . . . 203

**Maîtriser les situations cliniques** . . . . . . . . . . . . . . . . . . . . . . . . . . . . . . . . 205


**Solutions des exercices** . . . . . . . . . . . . . . . . . . . . . . . . . . . . . . . 217
**Sources des photographies
et des illustrations** . . . . . . . . . . . . . . . . . . . . . . . . . . . . . . . . . . . . 389

|  |  | Manuel | Cahier d'exercices |
|---|---|---|---|
| **Nombres entiers et nombres décimaux** |  | 04 | 06 |
| OBJECTIF 1.1 | Distinguer les nombres entiers des nombres décimaux | 04 | |
| OBJECTIF 1.2 | Arrondir des nombres décimaux | 06 | 06 |
| OBJECTIF 1.3 | Additionner et soustraire des nombres décimaux | 06 | 06 |
| OBJECTIF 1.4 | Multiplier des nombres entiers et des nombres décimaux | 07 | 08 |
| OBJECTIF 1.5 | Diviser des nombres entiers et des nombres décimaux | 10 | 09 |
| **Fractions** |  | 14 | 11 |
| OBJECTIF 1.6 | Expliquer la notion de fraction | 14 | 11 |
| OBJECTIF 1.7 | Réduire des fractions | 16 | 11 |
| OBJECTIF 1.8 | Multiplier des fractions | 17 | 12 |
| OBJECTIF 1.9 | Additionner et soustraire des fractions | 19 | 13 |
| OBJECTIF 1.10 | Diviser des fractions | 21 | 14 |

# Notions préalables au calcul des doses de médicaments

# 1

| | Manuel | Cahier d'exercices |
|---|---|---|
| **Rapports et proportions** | 21 | 15 |
| OBJECTIF 1.11    Déterminer la valeur de l'inconnue (x) | 22 | 15 |
| **Systèmes de mesure** | 23 | 16 |
| OBJECTIF 1.12    Se rappeler les notions du système international d'unités (SI) | 23 | 16 |
| OBJECTIF 1.13    Se familiariser avec d'autres systèmes de mesure | 25 |  |
| **Conversions diverses** | 25 | 17 |
| OBJECTIF 1.14    Convertir une fraction en un nombre décimal | 26 | 17 |
| OBJECTIF 1.15    Convertir une fraction ou un nombre décimal en pourcentage | 26 | 19 |
| OBJECTIF 1.16    Convertir des unités du système impérial, domestique ou apothicaire en unités du SI | 27 | 19 |
| OBJECTIF 1.17    Convertir des heures décimales en minutes ou en heures et minutes | 28 | 20 |

 Certains objectifs sans portée pratique n'ont pas d'exercices correspondants ; ils ne figurent donc pas dans le cahier d'exercices.

# Testez vos connaissances

Effectuez les calculs de cette section. Vérifiez vos réponses à l'aide du corrigé. Si votre résultat se situe entre 16/20 et 20/20, félicitations ! Vous n'avez pas besoin de revoir le chapitre 1. Si votre résultat est inférieur à 16/20, vous êtes fortement encouragés à lire ce chapitre pour réviser les notions et à effectuer les exercices qui vous permettront de vérifier vos habiletés.

Pour bien évaluer votre capacité à effectuer les opérations de calcul, faites vos calculs à la main et non à l'aide de la calculatrice. Par contre, vous pourrez l'utiliser pour vérifier vos résultats. Rappelez-vous que lors de vos prestations de soins, vous n'aurez pas toujours une calculatrice à votre disposition et que vous devrez calculer à la main.

**1.1** Effectuez les calculs et réduisez la réponse à sa plus simple expression.

**A.** $6\dfrac{7}{8} \div \dfrac{4}{5}$          Calculs :

**B.** $\dfrac{5}{6} + \dfrac{7}{8} + \dfrac{1}{4}$          Calculs :

**C.** $\dfrac{7}{9} \times \dfrac{3}{5}$          Calculs :

**D.** $0,5 - 0,14$          Calculs :

**E.** $2,86 \times 0,45$          Calculs :

**F.** 10,64 ÷ 4,2     **Calculs :**

..................................................................................................

**G.** Arrondissez au dixième les valeurs **Calculs :**
suivantes : 3,94 ; 5,67.

..................................................................................................

**H.** Convertissez 0,365 sous forme **Calculs :**
de pourcentage.

..................................................................................................

**I.** Convertissez $\dfrac{11}{13}$ en nombre décimal. **Calculs :**

..................................................................................................

**J.** Calculez la valeur de $x$ : $\dfrac{24}{32} = \dfrac{x}{12}$. **Calculs :**

..................................................................................................

**1.2** Convertissez chaque quantité dans l'unité indiquée.

**A.** 2000 mg = _____ g   **F.** 1,5 kg = _____ g

**B.** 2,75 L = _____ mL   **G.** 12 oz = _____ mL

**C.** 1450 mcg = _____ mg  **H.** 4 c. à thé = _____ mL

**D.** 2 onces = _____ mL   **I.** 5 c. à table = _____ mL

**E.** 450 mL = _____ L   **J.** 3,465 kg = _____ livres

# Nombres entiers et nombres décimaux

Arrondir des nombres décimaux

**1.3** Dans chacune des séries suivantes, repérez le nombre décimal dont la valeur est la plus élevée et arrondissez-le au dixième.

**A.** 0,125      0,251      0,025      _____

**B.** 0,53      0,05      0,15      _____

**C.** 0,01      0,001      0,11      _____

**D.** 1,465      1,654      1,546      _____

**E.** 2,053      2,452      2,564      _____

**Ressources en ligne**
Vous éprouvez des difficultés avec l'objectif 1.2 ? Rendez-vous en ligne pour vous exercer davantage.

---

**OBJECTIF 1.3** Additionner et soustraire des nombres décimaux

**1.4** Additionnez et soustrayez les nombres décimaux suivants.

**A.** 0,67 + 1,82                  **Calculs :**

**B.** 5,48 − 2,78          **Calculs :**

**C.** 3,45 − 3,23          **Calculs :**

**D.** 27,88 + 78,6         **Calculs :**

**E.** 0,951 − 0,788        **Calculs :**

**F.** 8,99 + 10,678        **Calculs :**

**G.** 1,896 + 0,522        **Calculs :**

**H.** 12,567 − 8,453

**Calculs :**

· · · · · · · · · · · · · · · · · · · · · · · · · · · · · · · · · · · · · · · · · · · · · · · · · · · · · · · · · · · · · · · · · · · · · · · · · · · · · · · · · · · · · · · · · · · · · · · · · · · · · · · · · · · · · · ·

**I.** 2,148 + 5,657

**Calculs :**

· · · · · · · · · · · · · · · · · · · · · · · · · · · · · · · · · · · · · · · · · · · · · · · · · · · · · · · · · · · · · · · · · · · · · · · · · · · · · · · · · · · · · · · · · · · · · · · · · · · · · · · · · · · · · · ·

**J.** 2,03 + 0,678 + 1,508

**Calculs :**

· · · · · · · · · · · · · · · · · · · · · · · · · · · · · · · · · · · · · · · · · · · · · · · · · · · · · · · · · · · · · · · · · · · · · · · · · · · · · · · · · · · · · · · · · · · · · · · · · · · · · · · · · · · · · · ·

**Ressources en ligne**
Vous éprouvez des difficultés avec l'objectif 1.3 ? Rendez-vous en ligne pour vous exercer davantage.

**OBJECTIF 1.4**   Multiplier des nombres entiers et des nombres décimaux

**1.5**   Multipliez les nombres entiers et les nombres décimaux ci-dessous.

**A.** 2,8 × 4,6

**Calculs :**

· · · · · · · · · · · · · · · · · · · · · · · · · · · · · · · · · · · · · · · · · · · · · · · · · · · · · · · · · · · · · · · · · · · · · · · · · · · · · · · · · · · · · · · · · · · · · · · · · · · · · · · · · · · · · · ·

**B.** 8 × 1,6

**Calculs :**

· · · · · · · · · · · · · · · · · · · · · · · · · · · · · · · · · · · · · · · · · · · · · · · · · · · · · · · · · · · · · · · · · · · · · · · · · · · · · · · · · · · · · · · · · · · · · · · · · · · · · · · · · · · · · · ·

**C.** $11,3 \times 3,4$            **Calculs :**

..................................................................................

**D.** $3,4 \times 4,2$            **Calculs :**

..................................................................................

**E.** $9,7 \times 0,35$            **Calculs :**

..................................................................................

**F.** $18 \times 1,09$            **Calculs :**

..................................................................................

**Ressources en ligne**
Vous éprouvez des difficultés avec l'objectif 1.4 ? Rendez-vous en ligne pour vous exercer davantage.

**OBJECTIF 1.5**    Diviser des nombres entiers et des nombres décimaux

**1.6** Divisez les nombres entiers et les nombres décimaux ci-dessous.

**A.** $1250 \div 60$            **Calculs :** (Arrondir au dixième.)

..................................................................................

**B.** 78 ÷ 4                          **Calculs :**

..................................................................................................................................................

**C.** 3,64 ÷ 4                      **Calculs :**

..................................................................................................................................................

**D.** 1,59 ÷ 0,3                     **Calculs :**

..................................................................................................................................................

**E.** 0,666 ÷ 0,03                  **Calculs :**

..................................................................................................................................................

**F.** 0,028 ÷ 0,07                  **Calculs :**

..................................................................................................................................................

**G.** 26 ÷ 3,24                    **Calculs :** (Arrondir au centième.)

..................................................................................................................................................

 **Ressources en ligne**
Vous éprouvez des difficultés avec l'objectif 1.5 ? Rendez-vous en ligne pour vous exercer davantage.

# Fractions

Expliquer la notion de fraction et réduire des fractions

**1.7** Indiquez si les deux fractions sont égales (=) ou si l'une est plus petite (<) ou plus grande (>) que l'autre.

**A.** $\dfrac{3}{6}$ ☐ $\dfrac{6}{12}$     **D.** $\dfrac{29}{30}$ ☐ $\dfrac{56}{60}$

**B.** $\dfrac{9}{12}$ ☐ $\dfrac{8}{10}$     **E.** $\dfrac{89}{100}$ ☐ $\dfrac{77}{99}$

**C.** $\dfrac{4}{18}$ ☐ $\dfrac{12}{20}$

**1.8** Réduisez les fractions à leur plus simple expression.

**A.** $\dfrac{9}{27}$     **Calculs :**

**B.** $\dfrac{60}{100}$     **Calculs :**

**C.** $\dfrac{18}{36}$     **Calculs :**

**D.** $\dfrac{30}{48}$     **Calculs :**

**E.** $\dfrac{45}{50}$    **Calculs :**

........................................................................................................

**Ressources en ligne**
Vous éprouvez des difficultés avec les objectifs 1.6 et 1.7 ? Rendez-vous en ligne pour vous exercer davantage.

**OBJECTIF 1.8**    Multiplier des fractions

**1.9**  Multipliez les fractions suivantes.

**A.** $\dfrac{5}{6} \times \dfrac{4}{7}$    **Calculs :**

........................................................................................................

**B.** $\dfrac{5}{9} \times \dfrac{1}{2}$    **Calculs :**

........................................................................................................

**C.** $\dfrac{1}{25} \times \dfrac{9}{10}$    **Calculs :**

........................................................................................................

**D.** $\dfrac{8}{9} \times \dfrac{2}{5}$    **Calculs :**

........................................................................................................

**E.** $5\dfrac{2}{3} \times \dfrac{7}{10}$    **Calculs :**

........................................................................................................

**F.** $3\frac{1}{8} \times 4\frac{1}{2}$  **Calculs:**

..................................................................................................

**Ressources en ligne**
Vous éprouvez des difficultés avec l'objectif 1.8 ? Rendez-vous en ligne pour vous exercer davantage.

---

**OBJECTIF 1.9**   Additionner et soustraire des fractions

**1.10** Additionnez ou soustrayez les fractions suivantes. Donnez la réponse sous forme
de fraction ou de nombre fractionnaire si la fraction est égale ou supérieure à 1.

**A.** $\frac{11}{13} - \frac{7}{13}$  **Calculs:**

..................................................................................................

**B.** $\frac{5}{6} + \frac{1}{4}$  **Calculs:**

..................................................................................................

**C.** $\frac{2}{3} + \frac{7}{8}$  **Calculs:**

..................................................................................................

**D.** $\frac{7}{8} - \frac{1}{3}$  **Calculs:**

..................................................................................................

**E.** $\frac{2}{3} - \frac{2}{5}$  **Calculs:**

..................................................................................................

**Ressources en ligne**
Vous éprouvez des difficultés avec l'objectif 1.9 ? Rendez-vous en ligne pour vous exercer davantage.

**1.11** Divisez les fractions suivantes.

**A.** $\dfrac{4}{5} \div \dfrac{7}{10}$

**Calculs :**

**B.** $\dfrac{8}{9} \div \dfrac{1}{2}$

**Calculs :**

**C.** $6\dfrac{3}{4} \div \dfrac{7}{8}$

**Calculs :**

**D.** $\dfrac{11}{12} \div 3\dfrac{1}{3}$

**Calculs :**

**E.** $\dfrac{13}{17} \div 6\dfrac{1}{3}$

**Calculs :**

**F.** $\dfrac{3}{7} \div 5\dfrac{5}{6}$

**Calculs :**

**Ressources en ligne**
Vous éprouvez des difficultés avec l'objectif 1.10 ? Rendez-vous en ligne pour vous exercer davantage.

# Rapports et proportions

**1.12** Déterminez la valeur de l'inconnue $x$. Donnez votre réponse en écriture décimale. Arrondissez au centième au besoin.

**A.** $\dfrac{10}{20} = \dfrac{x}{5}$          **Calculs :**

**B.** $\dfrac{1}{3} = \dfrac{x}{18}$          **Calculs :**

**C.** $\dfrac{x}{5} = \dfrac{7}{10}$          **Calculs :**

**D.** $\dfrac{x}{6} = \dfrac{3}{4}$          **Calculs :**

**E.** $\dfrac{4}{8} = \dfrac{x}{4}$          **Calculs :**

**F.** $\dfrac{x}{40} = \dfrac{5}{8}$          **Calculs :**

**G.** $\dfrac{2}{3} = \dfrac{x}{18}$　　　　Calculs :

..................................................

**H.** $\dfrac{x}{24} = \dfrac{5}{12}$　　　　Calculs :

..................................................

**I.** $\dfrac{3}{10} = \dfrac{x}{37}$　　　　Calculs :

..................................................

**J.** $\dfrac{x}{25} = \dfrac{7}{52}$　　　　Calculs :

..................................................

**Ressources en ligne**
Vous éprouvez des difficultés avec l'objectif 1.11 ? Rendez-vous en ligne pour vous exercer davantage.

# Systèmes de mesure

**OBJECTIF 1.12**　Se rappeler les notions du système international d'unités (SI)

**1.13** Trouvez les équivalents pour chaque mesure de masse en unités du SI.

**A.** 0,5 g = _____ mg　　　　**F.** 0,008 g = _____ mg

**B.** 4 kg = _____ g　　　　**G.** 0,1 mg = _____ mcg

**C.** 225 mg = _____ g　　　　**H.** 0,02 g = _____ mg

**D.** 1,555 mg = _____ mcg　　　　**I.** 0,153 g = _____ mcg

**E.** 0,125 mg = _____ mcg　　　　**J.** 9 mcg = _____ mg

**1.14** Trouvez les équivalents pour chaque mesure de volume en unités du SI.

**A.** 3000 mL = _____ L

**B.** 150 mL = _____ L

**C.** 4,8 L = _____ mL

**D.** 8000 mL = _____ L

**E.** 100 mL = _____ L

**F.** 2,5 L = _____ mL

**G.** 775 mL = _____ L

**H.** 0,6 L = _____ mL

**I.** 0,15 L = _____ mL

**J.** 0,2 L = _____ mL

**Ressources en ligne**
Vous éprouvez des difficultés avec l'objectif 1.12 ? Rendez-vous en ligne pour vous exercer davantage.

# Conversions diverses

**OBJECTIF 1.14**    Convertir une fraction en un nombre décimal

**1.15** Convertissez les fractions suivantes en nombres décimaux ; arrondissez au centième au besoin.

**A.** $\dfrac{4}{5}$

**Calculs :**

**B.** $\dfrac{6}{7}$

**Calculs :**

**C.** $\dfrac{1}{2}$

**Calculs :**

**D.**  $\dfrac{7}{9}$

Calculs :

**E.**  $3\dfrac{1}{3}$

Calculs :

**F.**  $\dfrac{15}{32}$

Calculs :

**G.**  $\dfrac{46}{68}$

Calculs :

**H.**  $4\dfrac{3}{4}$

Calculs :

**I.**  $6\dfrac{5}{8}$

Calculs :

**J.**  $11\dfrac{9}{10}$

Calculs :

**Ressources en ligne**
Vous éprouvez des difficultés avec l'objectif 1.14 ? Rendez-vous en ligne pour vous exercer davantage.

**1.16** Remplissez le tableau.

| Nombre décimal | Fraction | Pourcentage |
|---|---|---|
| 0,08 | | |
| | $\frac{1}{2}$ | |
| | | 27 % |
| 0,48 | | |
| | $\frac{16}{40}$ | |
| | | 0,037 % |

**Ressources en ligne**
Vous éprouvez des difficultés avec l'objectif 1.15 ? Rendez-vous en ligne pour vous exercer davantage.

**OBJECTIF 1.16**   Convertir des unités du système impérial, domestique ou apothicaire en unités du SI

**1.17** Convertissez les valeurs exprimées en unités du système impérial, domestique ou apothicaire en unités du SI.

**A.** 2 c. à thé = _____ mL

**B.** 6 onces = _____ mL

**C.** 200 livres = _____ kg

**D.** 4 onces = _____ g

**E.** 30 gtt = _____ mL

**F.** $\frac{1}{2}$ livre = _____ g

**G.** 3 c. à soupe = _____ mL  **I.** 9 livres et 3 onces = _____ g

**H.** 5 pieds 3 pouces = _____ cm  **J.** 6 pieds 2 pouces = _____ cm

**Ressources en ligne**
Vous éprouvez des difficultés avec l'objectif 1.16 ? Rendez-vous en ligne pour vous exercer davantage.

---

**OBJECTIF 1.17**   Convertir des heures décimales en minutes ou en heures et minutes

**1.18** Convertissez les heures décimales suivantes en minutes ou en heures et minutes ;
arrondissez à la minute.

**A.** 0,17 h = _____ min     **Calculs :**

**B.** 0,35 h = _____ min     **Calculs :**

**C.** 0,55 h = _____ min     **Calculs :**

**D.** 0,25 h = _____ min     **Calculs :**

**E.** 2,48 h = _____ en heures     **Calculs :**
et minutes

**F.** 1,45 h = _____ min          **Calculs :**

..........................................................................................

**G.** 6,45 h = _____ en heures          **Calculs :**
                          et minutes

..........................................................................................

**H.** 3,78 h = _____ min          **Calculs :**

..........................................................................................

**I.** 5,89 h = _____ min          **Calculs :**

..........................................................................................

**J.** 4,15 h = _____ min          **Calculs :**

..........................................................................................

 **Ressources en ligne**
Vous éprouvez des difficultés avec l'objectif 1.17 ? Rendez-vous en ligne pour vous exercer davantage.

| | | Manuel | Cahier d'exercices |
|---|---|---|---|
| **Rôle de l'infirmière** | | 32 | |
| OBJECTIF 2.1 | Saisir l'importance du rôle de l'infirmière dans l'administration des médicaments | 32 | |
| OBJECTIF 2.2 | Décrire les responsabilités de l'infirmière dans la pharmacothérapie | 33 | |
| OBJECTIF 2.3 | Prévenir les erreurs et en assurer une gestion responsable | 35 | |
| OBJECTIF 2.4 | Faire les vérifications recommandées avant et après l'administration d'un médicament (les 8 bons gestes) | 38 | |
| **Interprétation des informations concernant les médicaments** | | 43 | 24 |
| OBJECTIF 2.5 | Distinguer le nom générique du nom commercial | 43 | 24 |
| OBJECTIF 2.6 | Associer les diverses formes des médicaments aux voies d'administration courantes | 44 | |
| OBJECTIF 2.7 | Repérer les renseignements pertinents sur l'étiquette ou le contenant d'un médicament | 46 | 25 |
| OBJECTIF 2.8 | Reconnaître les différences entre un sachet unidose, un emballage unitaire et un contenant multidose | 54 | |

# Les informations concernant les médicaments et leur administration

# 2

| | Manuel | Cahier d'exercices |
|---|---|---|
| **Ordonnances et feuille d'administration des médicaments (FADM)** | 56 | 27 |
| OBJECTIF 2.9    Distinguer une ordonnance individuelle d'une ordonnance collective | 56 | 27 |
| OBJECTIF 2.10    Décoder une ordonnance individuelle | 57 | 28 |
| OBJECTIF 2.11    Utiliser les abréviations courantes en pharmacothérapie | 61 | 30 |
| OBJECTIF 2.12    Décrire les informations contenues dans la feuille d'administration des médicaments (FADM) | 65 | 31 |

Maîtriser les situations cliniques    p. 33

 Certains objectifs sans portée pratique n'ont pas d'exercices correspondants ; ils ne figurent donc pas dans le cahier d'exercices.

# Atteindre les objectifs

## Interprétation des informations concernant les médicaments

| F | facile | | M | difficulté moyenne | | D | difficile |

---

**OBJECTIF 2.5**  Distinguer le nom générique du nom commercial

F **2.1** À l'aide d'un guide de médicaments, indiquez pour chaque médicament mentionné s'il s'agit du nom générique ou du nom commercial.

**A.** Robinul _____

**B.** Naloxone _____

**C.** Amitriptyline _____

**D.** Entrophen _____

**E.** Moxifloxacine _____

**F.** Naproxène _____

**G.** Indéral _____

**H.** Furosémide _____

**I.** PMS-Pamidronate _____

**J.** Naprosyn _____

---

**Ressources en ligne**
Vous éprouvez des difficultés avec l'objectif 2.5 ? Rendez-vous en ligne pour vous exercer davantage.

F **2.2**    À partir des trois étiquettes des médicaments ci-dessous,
identifiez les renseignements suivants.

**A.**

© Copyright Eli Lilly Canada Inc. Tous droits réservés. Reproduit avec permission.

**1.**  Nom générique : .......................................................................................

**2.**  Nom commercial : .......................................................................................

**3.**  Nom du fabricant : .......................................................................................

**4.**  Teneur du médicament : .......................................................................................

**5.**  Quantité totale de médicament : .......................................................................................

**6.**  Présentation du médicament : .......................................................................................

**7.**  Dose recommandée : .......................................................................................

**8.**  DIN : .......................................................................................

**B.**

DIN 02216965

HIV Protease inhibitor / Antiretroviral

**Invirase®**

Saquinavir mesylate capsules
Gélules de mésylate de saquinavir

**200 mg**

Each capsule contains 200 mg saquinavir, present as saquinavir mesylate. Non-medicinal ingredients (alphabetical order): gelatin, indigotine, iron oxide, lactose, magnesium stearate, microcrystalline cellulose, povidone, sodium starch glycolate, talc, titanium dioxide. **Adult Dosage:** 5 capsules (1000 mg) combined with 1 capsule ritonavir (100 mg), two times daily. INVIRASE should be taken within 2 hours following a meal. Safety and efficacy in children below 16 years have not been established
Product Monograph available on request
Store between 15 and 30°C. Keep in a tightly closed container
**PHARMACIST: PLEASE DISPENSE ALONG WITH CONSUMER INFORMATION**

Inhibiteur de la protéase du VIH / Antirétroviral

Chaque gélule contient 200 mg de saquinavir sous forme de mésylate de saquinavir. Ingrédients non médicinaux (ordre alphabétique) : cellulose microcristalline, gélatine, glycolate sodique d'amidon, indigotine, lactose, oxyde de fer, oxyde de titane, polyvidone, stéarate de magnésium, talc.
**Posologie pour adultes :** 5 gélules (1000 mg) en association avec 1 capsule de ritonavir (100 mg), deux fois par jour. INVIRASE doit être pris dans les 2 heures suivant un repas. L'innocuité et l'efficacité chez les enfants de moins de 16 ans n'ont pas été établies
Monographie fournie sur demande
Conserver dans un contenant bien fermé, entre 15 et 30 °C
**PHARMACIEN : REMETTRE AVEC LES RENSEIGNEMENTS POUR LE CONSOMMATEUR**

10116866 **CA 1111**

EXP

Lot

® Registered Trade-Mark / Marque déposée
℠ Registered Trade-Mark / Marque déposée
Hoffmann-La Roche Limited/Limitée
Mississauga, ON  L5N 6L7

⟨Roche⟩

270 capsules / gélules

© Hoffmann-La Roche, inc. Reproduit avec permission.

**1.** Nom générique :

**2.** Nom commercial :

**3.** Nom du fabricant :

**4.** Teneur du médicament :

**5.** Quantité totale de médicament :

**6.** Présentation du médicament :

**7.** Dose recommandée :

**8.** Consignes de conservation :

**9.** Précautions :

**C.**

Antipsychotic

**DOSAGE:** Initial dose, dose titration, and maximum dose vary widely with each indication and in the elderly.
**Pharmacist:** dispense with the Consumer Information Leaflet.
Product Monograph available upon request.
**Keep out of the reach of children.**
Store at room temperature 15°C-30°C. Protect from light and freezing.
Questions or concerns?
1-800-667-4708

401935

30 mL

DIN 0228**80396**

**APO-RISPERIDONE**

Risperidone Oral Solution USP

Rispéridone
Solution orale USP

**1 mg/mL**
risperidone

**APOTEX INC.** TORONTO CANADA

Antipsychotique

**POSOLOGIE :** La dose initiale, l'ajustement posologique et la dose maximale varient largement selon l'indication et chez les personnes âgées.
**Pharmacien :** remettre avec le feuillet d'information établi à l'intention du consommateur.
La monographie du produit est disponible sur demande.
**Garder hors de la portée des enfants.**
Entreposer à la température ambiante de 15°C à 30°C. Protéger de la lumière et du gel.
Questions ou problèmes?
1-800-667-4708

Apotex Inc.
Toronto
Canada
M9L 1T9

© Apotex. Reproduit avec permission.

**1.** Nom générique :

**2.** Nom commercial :

3. Nom du fabricant : ............................................................................................................

4. Concentration du médicament : ..................................................................................

5. Quantité totale de médicament : ................................................................................

6. Présentation du médicament : ....................................................................................

7. Dose recommandée : ....................................................................................................

8. Consignes de conservation : ........................................................................................

9. Précautions : ..................................................................................................................

10. DIN : ................................................................................................................................

**Ressources en ligne**
Vous éprouvez des difficultés avec l'objectif 2.7 ? Rendez-vous en ligne pour vous exercer davantage.

# Ordonnances et feuille d'administration des médicaments (FADM)

| OBJECTIF 2.9 | Distinguer une ordonnance individuelle d'une ordonnance collective |
|---|---|

F **2.3** À partir de l'ordonnance collective 001-01 de la page 28, répondez aux questions qui suivent en soulignant les informations.

**A.** À qui s'adresse cette ordonnance ?

**B.** Quelles raisons cliniques justifient l'application de l'ordonnance collective ?

**C.** Quelle est la dose d'acétaminophène à administrer à un adulte de 52,5 kg ?

**D.** Quelle est la dose maximale d'acétaminophène à administrer à un adulte par 24 heures ?

**E.** Quelles sont les activités réservées en lien avec cette ordonnance collective ?

ORDONNANCE COLLECTIVE

**INITIER L'ADMINISTRATION DE L'ACÉTAMINOPHÈNE**

Établissement : Centre de santé et de services sociaux

Numéro de l'ordonnance collective : 001-01

Période de validité : 2019-04-01 au 2022-04-01

### Clientèle visée

- Enfants de 5 kg et plus, ainsi que les adultes du CISSS qui présentent des signes et symptômes d'hyperthermie ou de douleur légère à modérée non progressive.

### Activités réservées

- Évaluer la condition physique et mentale d'une personne symptomatique.
- Exercer une surveillance clinique de la condition des personnes dont l'état de santé présente des risques, incluant le monitorage et les ajustements du plan thérapeutique infirmier.
- Administrer et ajuster des médicaments ou d'autres substances, lorsqu'ils font l'objet d'une ordonnance.

### Professionnels autorisés

Les infirmières œuvrant dans les installations du CISSS.

### Indications

Personnes présentant des signes et symptômes suggestifs d'hyperthermie ou de la douleur légère à modérée.

**Hyperthermie**

- Clientèle adulte et enfant de 5 kg et plus :
  - Température buccale ≥ à 38,0 °C
  - Température rectale ≥ à 38,5 °C
- Clientèle gériatrique de plus de 65 ans :
  - Température buccale ou rectale > 37,8 °C
- Clientèle en fin de vie :
  - La fièvre étant fréquente en fin de vie, la mesure de la température corporelle n'est pas requise.

### Intention ou cible thérapeutique

- Soulager l'inconfort occasionné par l'hyperthermie.
- Soulager les symptômes de douleur légère à modérée non progressive.

### Contre-indications

- Allergie médicamenteuse connue à l'acétaminophène.
- Personne sous chimiothérapie ou neutropénique.
- Antécédent ou suspicion de cirrhose, encéphalopathie hépatique ou ascite.
- Intoxication médicamenteuse.
- Hépatite aiguë ou insuffisance hépatique : AST, ALT et/ou bilirubine : plus de 3 fois la valeur normale.
- Dose maximale quotidienne d'acétaminophène atteinte (4 g/24 h chez l'adulte ou 75 mg/kg/24 h chez l'enfant de 43 kg et moins).
- Céphalées intenses accompagnées ou non de vomissements, de troubles de la vision, d'une augmentation de la tension artérielle, d'une diminution du pouls et de signes neurologiques associés.

### Directives

1. Dans tous les cas, évaluer le risque de surdosage à l'acétaminophène :
   - S'assurer qu'il n'y a pas de prise concomitante avec d'autres médicaments qui contiennent de l'acétaminophène, tels que Atasol, Atasol-30, Tramacet, Percocet, Tempra, Robaxacet, etc.
   - Évaluer s'il y a eu prise d'acétaminophène dans les 4 h avant l'application de l'ordonnance collective.
2. Pour la clientèle de plus de 43 kg ou adulte :
   - Administrer acétaminophène 1000 mg PO ou IR aux 6 heures PRN.
   - Maximum 4000 mg/24 h.
3. Pour la clientèle de 43 kg et moins ou pédiatrique :
   - Administrer l'acétaminophène en solution orale 15 mg/kg PO ou en suppositoire par voie IR aux 4 heures PRN.

### Limites ou situations exigeant une consultation médicale obligatoire

Aviser le médecin si les symptômes de fièvre ou de douleur persistent plus de 24 h.

### Rédigé par

Marise Bien-Aimé, conseillère clinique DSI — 2020-01-15

### Approuvé par

Dʳᵉ Carole Turmel, médecin répondante du contenu scientifique — 2020-03-12

Francine Patenaude, directrice des soins infirmiers — 2020-03-12

Dʳ Jean-Pierre Leblanc, président du CMDP — 2020-03-12

---

**Ressources en ligne**
Vous éprouvez des difficultés avec l'objectif 2.9 ? Rendez-vous en ligne pour vous exercer davantage.

---

**OBJECTIF 2.10**   Décoder une ordonnance individuelle

M **2.4**   Indiquez le renseignement manquant des ordonnances qui suivent.

**A.**   Françoise Tremblay
DDN : 1961-07-01
furosémide 40 mg PO
*Dʳᵉ Brigitte Labbé 04 187, 2019-02-09  17 h 30*

**B.** Joseph Santos
DDN : 1953-11-24
morphine 10 mg q 4 h régulier
*Dʳᵉ Paule Lacombe 88 187, 2019-01-30 11 h 30*

**C.** Jeannine Arbour
DDN : 1949-03-16
ramipril PO BID si TA systolique ≥ 120
et TA diastolique ≥ 80
*Sophie Lalonde IPSSA 81 6965, 2019-02-12 9 h 10*

**D.** Paul Martin
DDN : 1958-01-30
ofloxacine gouttes ophtalmiques, 2 gouttes q 4 h régulier
*Dʳ Robert Martineau 76 212, 2018-12-14 15 h 45*

**E.** Xavier Dupont
DDN : 2017-12-28
Motrin 100 mg en suspension toutes les 6 h
si T° ≥ 38,5° rectale
*Francis Gauthier IPSPL 81 6458*

**Ressources en ligne**
Vous éprouvez des difficultés avec l'objectif 2.10 ? Rendez-vous en ligne pour vous exercer davantage.

F | **2.5**    Écrivez la signification des abréviations utilisées lors de la rédaction d'une ordonnance.

**A.** hs _____

**B.** TID _____

**C.** IV _____

**D.** LA _____

**E.** stat _____

**F.** q _____

**G.** ac _____

**H.** DIE _____

**I.** ad _____

**J.** SL _____

F | **2.6**    Écrivez l'abréviation habituellement utilisée pour les termes suivants.

**A.** Deux fois par jour _____

**B.** Milligramme _____

**C.** Intrarectale _____

**D.** Après les repas _____

**E.** À volonté _____

**F.** Avec _____

**G.** Quatre fois par jour _____

**H.** Sans _____

**I.** Chaque 2 heures _____

**J.** Millilitre _____

**Ressources en ligne**
Vous éprouvez des difficultés avec l'objectif 2.11 ? Rendez-vous en ligne pour vous exercer davantage.

Décrire les informations contenues dans la feuille d'administration des médicaments (FADM)

M **2.7** Après avoir consulté la FADM ci-dessous (figure 2.1), répondez aux questions suivantes.

**Figure 2.1** **FADM de M^me Carole Archambault.**

**FADM**

NOM : ARCHAMBAULT Carole
DOSSIER : 689825
CHAMBRE : 475-1
DATE DE NAISSANCE : 1928-03-20
DATE D'ADMISSION : 2019-02-09
**FADM valide du 2019-02-10 à 00 h 00 au 2019-02-10 à 23 h 59**

Poids : 68 kg  SC : 1,73 m²  Allergies : prégabaline, ampicilline
Taille : 162,5 cm  Clcr : 0,52 mL/sec  Intolérances : aucune

| Médicaments | | Nuit (00 h 00-07 h 59) Heure | Initiales | Jour (8 h 00-15 h 59) Heure | Initiales | Soir (16 h 00-23 h 59) Heure | Initiales | Validité |
|---|---|---|---|---|---|---|---|---|
| **DIMENHYDRINATE 50 mg co.** Gravol **1 comprimé(s) = 50 mg** **3 fois par jour** 30 minutes avant les repas | **PO** antiémétique | ~~07 h 00~~ | *CL* | **11 h 00** | | **17 h 00** | | 2019-02-09 12 h 30 2019-04-09 23 h 59 |
| **NAPROXÈNE 500 mg co.** Anaprox **1 comprimé(s) = 500 mg** **2 fois par jour** Si non reçu IR | **PO** AINS | | | (8 h 00) | *MS* | **18 h 00** | | 2019-02-09 12 h 30 2019-04-09 23 h 59 |
| **NAPROXÈNE 500 mg supp.** Anaprox **1 supp. intrarectal = 500 mg** **2 fois par jour** Si non reçu per os | **IR** AINS | | | ~~08 h 00~~ | *MS* | **18 h 00** | | 2019-02-09 12 h 30 2019-04-09 23 h 59 |
| **PANTOPRAZOLE 40 mg co.** Pantoloc **1 comprimé(s) = 40 mg** **2 fois par jour** 30 minutes avant les repas Ne pas écraser et ne pas croquer | **PO** antiulcéreux | ~~07 h 00~~ | *CL* | | | **17 h 00** | | 2019-02-09 12 h 30 2019-04-09 23 h 59 |
| **VENLAFAXINE 37,5 mg caps XR** Effexor XR **1 capsule(s) = 37,5 mg** **2 fois par jour** Ne pas écraser et ne pas croquer | **PO** antidépresseur | | | ~~08 h 00~~ | *MS* | **18 h 00** | | 2019-02-09 12 h 30 2019-04-09 23 h 59 |

| N | | J | | S | | |
|---|---|---|---|---|---|---|
| *Caroline Lamarre inf.* | *CL* | *Mariette Souci inf.* | *MS* | | | |
| | | | | | | |
| Profil vérifié et conforme | *CL* | | | | | |

| ◯ Non donné (justifier) | A Personne absente | V Vomissement | J À jeun Voir note d'obs. | AA Auto-administration | NS Non servi |
|---|---|---|---|---|---|
| ╱ Rx administré | N Nausée | R Refuse | M* Manquant et note d'obs. requise | CT Congé temporaire | ∅ Aucune unité d'insuline |

**A.** Quelle(s) allergie(s) la personne présente-t-elle ?

**B.** Quel médicament est administré TID ?

**C.** Quel médicament se présente sous forme de capsule ?

**D.** Quelle est la dose de dimenhydrinate administrée TID ?

**E.** Quelle est la quantité totale de naproxène en milligrammes (mg) administrée quotidiennement ?

**F.** L'heure d'administration du naproxène à 8 h 00 a été encerclée. Expliquez pourquoi.

**G.** Dans le nom commercial Effexor XR, que signifient les lettres XR ?

**H.** Quelle infirmière a administré le médicament pantoprazole ?

**I.** Pourquoi ne doit-on pas écraser ou couper la capsule de venlafaxine ?

**J.** À quelle heure faut-il administrer la prochaine dose de Gravol ?

**Ressources en ligne**
Vous éprouvez des difficultés avec l'objectif 2.12 ? Rendez-vous en ligne pour vous exercer davantage.

# Maîtriser les situations cliniques

M **2.8** À partir des informations disponibles dans la FADM ci-dessous (**figure 2.2**), répondez aux questions qui suivent.

**Figure 2.2** FADM de M^me Germaine Desrosiers.

**FADM**

NOM : DESROSIERS Germaine
DOSSIER : 689825
CHAMBRE : 475-1
DATE DE NAISSANCE : 1938-08-29
DATE D'ADMISSION : 2019-04-01
**FADM valide du 2019-04-06 à 00 h 00 au 2019-04-06 à 23 h 59**

Poids : 56 kg    SC : 1,56 m²    Allergies : aucune
Taille : 157,5 cm    Clcr : 0,47 mL/sec    Intolérances : AINS

| Médicaments | | Nuit (00 h 00-07 h 59) Heure | Initiales | Jour (8 h 00-15 h 59) Heure | Initiales | Soir (16 h 00-23 h 59) Heure | Initiales | Validité |
|---|---|---|---|---|---|---|---|---|
| **CLOPIDOGREL 75 mg co.** PO<br>Plavix Antiplaquettaire<br><u>**1 comprimé(s) = 75 mg**</u><br>**1 fois par jour** | | | | **08 h 00** | | | | 2019-04-01 8 h 15<br><br>2019-06-01 23 h 59 |
| **SULFATE FERREUX 300 mg co.** PO<br>FeSO₄ antianémique<br><u>**1 comprimé(s) = 300 mg**</u><br>**3 fois par jour**<br>Espacer d'une heure la prise de lait et d'antiacides | | ~~07 h 00~~ | *SL* | **11 h 00** | | **17 h 00** | | 2019-04-01 8 h 15<br><br>2019-06-01 23 h 59 |
| **LEVOTHYROXINE 0,075 mg co.** PO<br>Synthroïd hormone thyroïdienne<br><u>**1 comprimé(s) = 0,075 mg**</u><br>**1 fois par jour** | | ~~07 h 00~~ | *SL* | | | | | 2019-04-01 8 h 15<br><br>2019-06-01 23 h 59 |
| **AZITHROMYCINE** PO<br>Teva-Azithromycin anti-infectieux<br><u>**1 comprimé(s) = 500 mg**</u><br>**1 fois par jour au jour 1, le 06 puis cesser** | | | | **09 h 00** | | | | 2019-04-05 18 h 30<br><br>2019-04-06 23 h 59 |
| **AZITHROMYCINE** PO<br>Teva-Azithromycin anti-infectieux<br><u>**1 comprimé(s) = 250 mg**</u><br>**1 fois par jour du jour 2 à 5, à partir du 07 puis cesser** | | **Pas d'administration ce jour** | | | | | | 2019-04-07 00 h 00<br><br>2019-04-10 23 h 59 |

| N | | J | | | S | | |
|---|---|---|---|---|---|---|---|
| *Sophie Lagacé inf.* | *SL* | | | | | | |
| | | | | | | | |
| | | | | | | | |
| Profil vérifié et conforme | *SL* | | | | | | |

| ◯<br>Non donné (justifier) | A<br>Personne absente | V<br>Vomissement | J<br>À jeun<br>Voir note d'obs. | AA<br>Auto-administration | NS<br>Non servi |
|---|---|---|---|---|---|
| ╱<br>Rx administré | N<br>Nausée | R<br>Refuse | M*<br>Manquant et note<br>d'obs. requise | CT<br>Congé temporaire | ∅<br>Aucune unité<br>d'insuline |

Mme Germaine Desrosiers est présentement hospitalisée pour une pneumonie au lobe inférieur du poumon droit. Son état respiratoire s'améliore et, après 5 jours d'antibiotiques administrés par voie intraveineuse, le médecin décide de modifier l'antibiothérapie IV pour la remplacer par une antibiothérapie PO. Les antécédents suivants sont notés au dossier : accident vasculaire cérébral (AVC), anémie ferriprive, hypothyroïdie. Vous êtes l'infirmière qui prend soin de Mme Desrosiers et vous commencez votre journée de travail à 7 h 30.

**A.** Quelles sont les 6 vérifications (bons gestes) à faire **avant** d'administrer la médication de 8 h ?

**B.** Indiquez les données obtenues lors de ces vérifications.

Au moment d'administrer la médication, Mme Desrosiers refuse de la prendre. Elle a d'importantes nausées, à un point tel qu'elle craint de vomir si elle avale quoi que ce soit. Après avoir effectué votre évaluation, vous consultez le dossier et la FADM de Mme Desrosiers et vous décidez de contacter le médecin traitant afin de lui faire part de vos observations et d'obtenir une ordonnance pour administrer un **antiémétique**. Quelques minutes plus tard, le Dr Trudel se rend au chevet de la personne et après son évaluation, il inscrit au dossier l'ordonnance suivante :

*prochlorpérazine 10 mg STAT*
*Répéter X 1 si non soulagée*
*Dr François Trudel, 2019-02-10 8 h 10*

**C.** Pouvez-vous administrer ce médicament? Justifiez votre réponse.

_____

_____

_____

> Quelques jours plus tard, vous constatez que M^me Desrosiers n'est pas allée à la selle depuis 3 jours. Vous appliquez l'ordonnance collective # 031 _Initier le traitement de la constipation_. Vos interventions s'avèrent efficaces et en se basant sur les résultats notés au dossier clinique de la personne, le médecin rédige l'ordonnance qui suit:
>
> _docusate de sodium 200 mg PO HS PRN_
> _D^r François Trudel, 2019-02-14 11 h 20_

**D.** Donnez la signification des 4 abréviations utilisées dans l'ordonnance qui précède.

_____    _____

_____    _____

**E.** Ajoutez la nouvelle ordonnance de docusate de sodium à la FADM de M^me Desrosiers.

| Médicaments | Nuit (00 h 00-07 h 59) Heure  Initiales | Jour (8 h 00-15 h 59) Heure  Initiales | Soir (16 h 00-23 h 59) Heure  Initiales | Validité |
|---|---|---|---|---|
| Médicament : _____ |  |  |  |  |
| Dose : _____ |  |  |  |  |
| Voie : _____ |  |  |  |  |
| Intervalle : _____ |  |  |  |  |

**F.** En consultant la FADM de M^me Desrosiers, vous constatez qu'elle reçoit une dose d'un anti-infectieux, l'azithromycine, pour une durée de 5 jours. La dose administrée au jour 1 est le double de celle administrée au jour 2 à 5. Qu'est-ce qui selon vous peut justifier cette variation dans la dose? Utilisez un guide de médicament afin d'orienter vos recherches.

_____

_____

_____

**Figure 2.3** **FADM de M. Claude Prégent.**

**FADM**

NOM : PRÉGENT Claude
DOSSIER : 679132
CHAMBRE : 236-1
DATE DE NAISSANCE : 1956-12-04
DATE D'ADMISSION : 2019-04-01
**FADM valide du 2019-04-06 à 00 h 00 au 2019-04-06 à 23 h 59**

Poids : 102,7 kg  SC : 2,20 m²  Allergies : Sulfamide
Taille : 177,8 cm  Clcr : 0,25 mL/sec  Intolérances : Morphine

| Médicaments | Nuit (00 h 00-07 h 59) Heure | Nuit Initiales | Jour (8 h 00-15 h 59) Heure | Jour Initiales | Soir (16 h 00-23 h 59) Heure | Soir Initiales | Validité |
|---|---|---|---|---|---|---|---|
| **ROSUVASTATINE 20 mg co.**  **PO** Crestor  hypolipémiant **1 comprimé(s) = 20 mg** **1 fois par jour** | | | | | **22 h 00** | | 2019-04-01 8 h 15 / 2019-06-01 23 h 59 |
| **METFORMINE 850 mg**  **PO** Glucophage  antihyperglycémiant **1 comprimé(s) = 850 mg** **3 fois par jour** Avec les repas | | | **08 h 00** **12 h 00** | | **18 h 00** | | 2019-04-01 8 h 15 / 2019-06-01 23 h 59 |
| **INSULINE ASPART 100 unités/mL sol. inj. 10 mL** Novorapid  **SC** **Selon résultat de glycémie** **Au déjeuner, dîner et souper** Administrer juste avant le repas | | | **08 h 00** **12 h 00** | | **18 h 00** | | 2019-04-01 8 h 15 / 2019-06-01 23 h 59 |
| **MORPHINE 10 mg/mL sol. inj. 1 mL**  **SC** Morphine  analgésique opioïde **3,5 mg = 0,35 mL sous-cutané** **aux 4 heures si douleur** | **prn** | | **prn** | | **prn** | | 2019-04-05 8 h 30 / 2019-04-19 23 h 59 |
| **ACÉBUTOLOL 200 mg co.**  **PO** Sectral  antihypertenseur/antiangineux **1 comprimé(s) = 200 mg** **2 fois par jour** | | | **08 h 00** | | **18 h 00** | | 2019-04-07 11 h 00 / 2019-06-07 23 h 59 |

| N | | J | | S | | |
|---|---|---|---|---|---|---|
| Larissa Côté | LC | | | | | |
| | | | | | | |
| | | | | | | |
| Profil vérifié et conforme | LC | | | | | |

| ⬭ Non donné (justifier) | A Personne absente | V Vomissement | J À jeun Voir note d'obs. | AA Auto-administration | NS Non servi |
|---|---|---|---|---|---|
| ⁄ Rx administré | N Nausée | R Refuse | M* Manquant et note d'obs. requise | CT Congé temporaire | Ø Aucune unité d'insuline |

**A.** À partir de la FADM de la **figure 2.3**, trouvez les informations suivantes.

1. Quel médicament est administré HS ? _____

2. Quel médicament est administré BID ? _____

3. Quel médicament doit être administré ac ? _____

4. Quelle est la dose quotidienne d'acébutolol administrée ? _____

5. Quelle est l'indication thérapeutique de la morphine ? _____

> Larissa assure les soins de nuit et se rend au chevet de M. Prégent au début de son quart de travail. M. Prégent ne dort pas, incommodé par une douleur au pied droit à 5/10 sous forme de brûlure. L'infirmière vérifie la FADM de M. Prégent et constate qu'il y a une ordonnance de morphine pour soulager la douleur. Elle prépare une dose de 3,5 mg et se rend à son chevet. Au moment de recevoir l'analgésique, M. Prégent lui mentionne qu'il est étonné de recevoir ce médicament. Après avoir vérifié l'identité de la personne et confirmé les informations à partir du bracelet au poignet de la personne, Larissa administre le médicament et enregistre la dose administrée à la FADM de la personne. Au retour de sa pause, l'aide-infirmière-chef avise Larissa que M. Prégent n'aurait pas dû recevoir la morphine et qu'un rapport d'incident-accident a été rempli.

**B.** Quelles sont les vérifications minimales (2) que Larissa aurait dû faire avant d'administrer la morphine qui aurait permis d'éviter cette erreur d'administration ?

_____

_____

_____

_____

_____

_____

_____

**C.** Larissa s'inquiète des conséquences possibles de cette erreur sur la relation de confiance qu'elle a établie avec M. Prégent. Puisque ce dernier a présenté très peu de réactions indésirables dans les heures qui ont suivi l'administration de la morphine, elle se dit qu'elle n'est pas tenue de l'aviser. A-t-elle raison? Justifiez votre réponse.

_____

_____

_____

_____

_____

_____

_____

_____

_____

**D.** À 7 h 30, Jonathan, infirmier, prend la relève de Larissa et prépare la médication de 8 h. Lorsqu'il remet le comprimé de metformine (Glucophage) à M. Prégent, celui-ci lui demande de le couper en deux puisqu'il trouve le comprimé trop gros pour être avalé entier. Jonathan peut-il couper le comprimé en deux? Justifiez votre réponse.

_____

_____

_____

_____

_____

_____

_____

_____

_____

À 14 h 15, M. Prégent revient à sa chambre après une séance de physiothérapie. Il est très souffrant et la douleur à sa jambe atteint un niveau de 8/10. Jonathan vérifie la FADM et planifie l'administration de l'analgésique prescrit plus tôt ce matin.

| HYDROMORPHONE 2 mg/mL sol. inj. 1 mL SC | | | | 2019-04-06 |
|---|---|---|---|---|
| Dilaudid                  analgésique opioïde | prn | prn | prn | 18 h 30 |
| **0,5 mg = 0,25 mL sous-cutané** | | | | 2019-04-20 |
| **aux 4 heures si douleur** | | | | 23 h 59 |

Au moment de prendre la médication dans l'armoire destinée aux narcotiques et autres substances contrôlées, Jonathan constate qu'il ne reste plus d'hydromorphone d'une concentration de 2 mg/mL. Il hésite à utiliser de l'hydromorphone d'une autre concentration, mais M. Prégent est très souffrant et, en bon infirmier consciencieux, il souhaite soulager rapidement la personne.

**E.** L'infirmier peut-il utiliser une concentration différente du médicament de celle indiquée sur la FADM ?

**Ressources en ligne**
Évaluez votre connaissance et votre maîtrise du contenu de ce chapitre grâce à des exercices supplémentaires de difficulté progressive. Cette révision de l'ensemble des notions est une excellente préparation à un examen.

# La préparation des médicaments destinés à la voie orale

# 3

| | Manuel | Cahier d'exercices |
|---|---|---|
| **Médicaments destinés à la voie orale** | 68 | 42 |
| OBJECTIF 3.1 — Utiliser le matériel approprié pour administrer des médicaments par voie orale | 68 | 42 |
| OBJECTIF 3.2 — Se familiariser avec les différentes formes de médicaments administrés par voie orale | 72 |  |
| **Démarche pour préparer de façon sécuritaire une dose de médicament** | 75 | 45 |
| OBJECTIF 3.3 — Utiliser une démarche pour préparer de façon sécuritaire une dose de médicament | 76 |  |
| OBJECTIF 3.4 — Utiliser une démarche pour préparer de façon sécuritaire un médicament solide pris par voie orale | 78 | 45 |
| OBJECTIF 3.5 — Utiliser une démarche pour préparer de façon sécuritaire un médicament liquide pris par voie orale | 81 | 52 |

## Maîtriser les situations cliniques p. 58

 Certains objectifs sans portée pratique n'ont pas d'exercices correspondants ; ils ne figurent donc pas dans le cahier d'exercices.

# Atteindre les objectifs

## Médicaments destinés à la voie orale

Utiliser le matériel approprié pour administrer des médicaments par voie orale

F **3.1** Sur chaque gobelet, indiquez par un trait la mesure correspondant à la dose prescrite.

**A.** 10 mL

**B.** 16 mL

**C.** 4 c. à thé

**D.** 1 c. à soupe

**E.** $\frac{3}{4}$ once

**F.** $\frac{1}{4}$ once

**F** **3.2** Sur chaque seringue de 3 mL, indiquez par un trait la quantité à administrer.
Au besoin, arrondissez adéquatement.

**A.** 1,4 mL

**B.** 0,9 mL

**C.** 2,33 mL

**D.** 1,65 mL

**E.** 2,752 mL

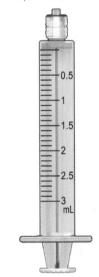

**F.** 1,258 mL

La préparation des médicaments destinés à la voie orale    **43**

**3.3** Sur chaque seringue de 1 mL, indiquez par un trait la quantité à administrer. Arrondissez adéquatement au centième, si nécessaire.

**A.** 0,15 mL

**B.** 0,76 mL

**C.** 0,47 mL

**D.** 0,823 mL

**E.** 0,325 mL

**F.** 0,278 mL

F **3.4** Parmi les trois instruments désignés par les lettres A, B ou C, lequel devriez-vous utiliser pour mesurer adéquatement chacune des quantités de médicaments indiquées ci-dessous ?

**A.** Gobelet gradué

**B.** Seringue à tuberculine de 1 mL

**C.** Seringue de 3 mL

**A.** _____ 2 c. à soupe

**B.** _____ $\frac{1}{2}$ c. à thé

**C.** _____ 1 mL

**D.** _____ 4 mL

**E.** _____ 2,29 mL

**F.** _____ $\frac{3}{4}$ oz

**G.** _____ 0,5 mL

**H.** _____ 6 c. à thé

**I.** _____ 0,667 mL

**J.** _____ 60 mL

**K.** _____ 1,25 mL

**L.** _____ 20 mL

**M.** _____ 0,825 mL

**N.** _____ 2,12 mL

**Ressources en ligne**
Vous éprouvez des difficultés avec l'objectif 3.1 ? Rendez-vous en ligne pour vous exercer davantage.

# Démarche pour préparer de façon sécuritaire une dose de médicament

**OBJECTIF 3.4** | Utiliser une démarche pour préparer de façon sécuritaire un médicament solide pris par voie orale

F **3.5** Déterminez le nombre de comprimés ou de capsules à préparer pour administrer une dose exacte en utilisant la méthode de la formule.

**A. Médicament prescrit :** cefprozil (Apo-Cefprozil) 375 mg PO BID
**Médicament disponible :**

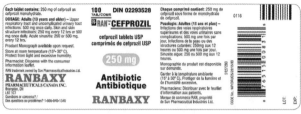

**Calculs :**

**B. Médicament prescrit :** phénytoïne (Apo-phénytoïne) 200 mg PO TID
**Médicament disponible :**

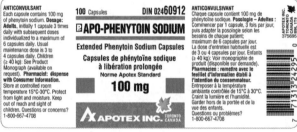

**Calculs :**

**C. Médicament prescrit :** métoprolol (Apo-Metoprolol) 25 mg PO BID
**Médicament disponible :**

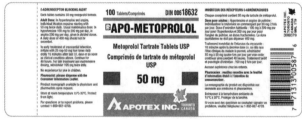

**Calculs :**

**D. Médicament prescrit :** chlorure de potassium 30 mmol PO DIE
**Médicament disponible :**

© Schering. Reproduit avec permission.

**Calculs :**

**E. Médicament prescrit :** prednisone (Apo-Prednisone) 12,5 mg PO DIE
**Médicament disponible :**

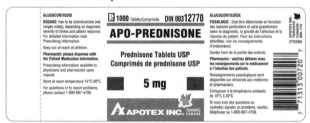

© Apotex. Reproduit avec permission.

**Calculs :**

**F. Médicament prescrit :** clonazépam (Sandoz Clonazépam) 0,5 mg PO BID
**Médicament disponible :**

© Sandoz. Reproduit avec permission.

**Calculs :**

**G.** **Médicament prescrit :** furosémide (Apo-Furosémide) 120 mg PO DIE
   **Médicament disponible :**

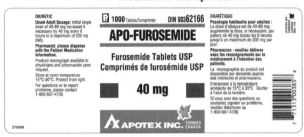

Calculs :

**H.** **Médicament prescrit :** lévothyroxine (Synthroid) 0,15 mg PO DIE
   **Médicament disponible :**

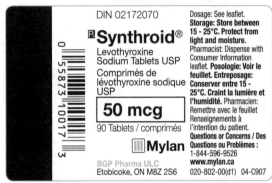

Calculs :

**I.** **Médicament prescrit :** Epival (Apo-Divalproex) 0,5 g PO BID
   **Médicament disponible :**

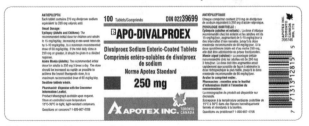

Calculs :

**J.** **Médicament prescrit :** saquinavir (Invirase) 1 g PO BID
**Médicament disponible :**

**Calculs :**

© Hoffmann-La Roche Inc. Reproduit avec permission.

---

F **3.6** Déterminez le nombre de comprimés ou de capsules à préparer pour administrer une dose exacte en utilisant la méthode du rapport-proportion.

**A.** **Médicament prescrit :** hydromorphone 3 mg PO q 4 h PRN
**Médicament disponible :**

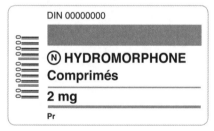

**Calculs :**

---

**B.** **Médicament prescrit :** fluoxétine (Prozac) 40 mg PO DIE
**Médicament disponible :**

**Calculs :**

© Copyright Eli Lilly Canada Inc. Tous droits réservés. Reproduit avec permission.

---

**C.** **Médicament prescrit :** atomoxétine (Strattera) 40 mg PO BID

**Médicament disponible :**

**Calculs :**

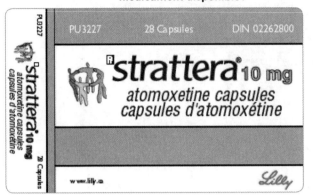

---

**D.** **Médicament prescrit :** diazépam (Apo-Diazépam) 5 mg PO HS

**Médicament disponible :**

**Calculs :**

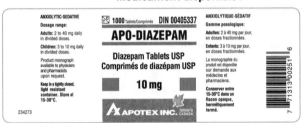

---

**E.** **Médicament prescrit :** warfarine (Apo-Warfarin) 12,5 mg PO DIE

**Médicament disponible :**

**Calculs :**

**F.** **Médicament prescrit :** mycophénolate mofétil (CellCept) 1 g PO BID
**Médicament disponible :**

**Calculs :**

© Hoffmann-La Roche. Reproduit avec permission.

**G.** **Médicament prescrit :** rispéridone (Apo-Rispéridone) 750 mcg PO BID
**Médicament disponible :**

**Calculs :**

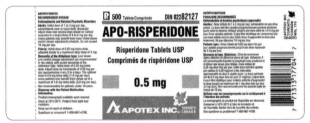

© Apotex. Reproduit avec permission.

**H.** **Médicament prescrit :** ibuprofène (Apo-Ibuprofen) 0,6 g PO TID
**Médicament disponible :**

**Calculs :**

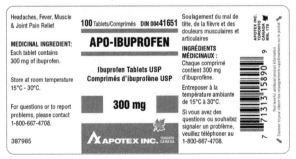

© Apotex. Reproduit avec permission.

**I.** **Médicament prescrit :** rispéridone (Apo-rispéridone) 2 mg PO DIE
**Médicament disponible :**

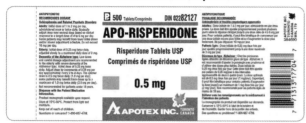

Calculs :

© Apotex. Reproduit avec permission.

---

**J.** **Médicament prescrit :** lévothyroxine (Synthroid) 0,125 mg PO DIE
**Médicament disponible :**

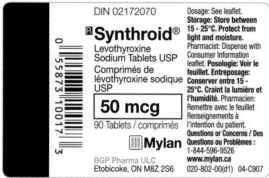

Calculs :

© Mylan N.V. Tous droits réservés. Synthroid ® is a registered trademark
of Mylan Healthcare GmbH. Licensed use by BGP Pharma ULC, a Mylan company.

---

**Ressources en ligne**
Vous éprouvez des difficultés avec l'objectif 3.4 ? Rendez-vous en ligne pour vous exercer davantage.

---

**OBJECTIF 3.5** | Utiliser une démarche pour préparer de façon sécuritaire un médicament liquide pris par voie orale

M 3.7 Déterminez le volume en millilitres à préparer pour administrer une dose exacte en utilisant la méthode de la formule.

A. **Médicament prescrit :**
Morphine 30 mg PO q 6 h
**Médicament disponible :** morphine
(Ratio-Morphine) à 10 mg/mL

**Calculs :**

B. **Médicament prescrit :**
Naprosyn 500 mg PO BID
**Médicament disponible :** naproxène
(Naprosyn) à 125 mg/5mL

**Calculs :**

C. **Médicament prescrit :**
Zantac 300 mg PO HS
**Médicament disponible :** ranitidine
(Zantac) (ranitidine) à 15 mg/mL

**Calculs :**

D. **Médicament prescrit :**
Prednisone 20 mg PO DIE
**Médicament disponible :**
prednisolone (Prednisone)
à 5 mg/5 mL

**Calculs :**

E. **Médicament prescrit :**
Maxeran 40 mg PO q 6 h PRN
**Médicament disponible :**
métoclopramide (Maxeran)
à 5 mg/5 mL

**Calculs :**

**F.**  **Médicament prescrit :**
Mycostatin 600 000 unités PO TID
**Médicament disponible :** nystatine
(Mycostatin) à 100 000 unités/mL

**Calculs :**

**G.**  **Médicament prescrit :**
Zofran 8 mg PO TID
**Médicament disponible :**
ondansétron (Zofran) à 4 mg/5 mL

**Calculs :**

**H.**  **Médicament prescrit :**
Motrin 0,4 g PO q 6 h PRN
**Médicament disponible :**
ibuprofène (Motrin) à 100 mg/2,5 mL

**Calculs :**

**I.**  **Médicament prescrit :**
Lanoxin 125 mcg PO DIE
**Médicament disponible :**
digoxine (Lanoxin) à 0,05 mg/mL

**Calculs :**

**J.**  **Médicament prescrit :**
Trileptal 0,6 g PO BID
**Médicament disponible :**
carbazépine (Trileptal)
à 300 mg/5 mL

**Calculs :**

F   **3.8**   Déterminez le nombre de millilitres à préparer pour administrer une dose
exacte en utilisant la méthode du rapport-proportion.

**A. Médicament prescrit :** Acétaminophène liquide 500 mg PO QID
**Médicament disponible :**

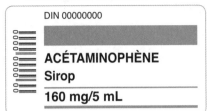

**Calculs :**

**B. Médicament prescrit :** Apo-Ranitidine 150 mg PO BID
**Médicament disponible :**

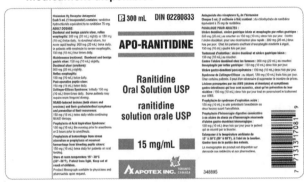

© Apotex. Reproduit avec permission.

**Calculs :**

**C. Médicament prescrit :** Dilantin en suspension 300 mg PO BID
**Médicament disponible :**

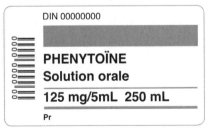

**Calculs :**

**D. Médicament prescrit :** Hydromorphone 2 mg PO stat
**Médicament disponible :**

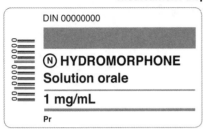

**Calculs :**

---

**E. Médicament prescrit :** Naprosyn 250 mg PO TID
**Médicament disponible :**

**Calculs :**

© Medexus Pharmaceuticals Inc. Reproduit avec permission.

---

**F. Médicament prescrit :** Amoxicilline 775 mg PO TID
**Médicament disponible :**

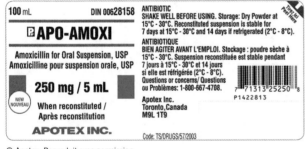

**Calculs :**

© Apotex. Reproduit avec permission.

**G. Médicament prescrit :** Apo-fluoxétine 30 mg PO BID
   **Médicament disponible :**

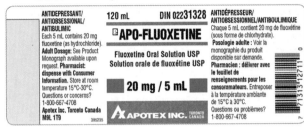

**Calculs :**

© Apotex. Reproduit avec permission.

**H. Médicament prescrit :** acide valproïque 375 mg PO BID
   **Médicament disponible :**

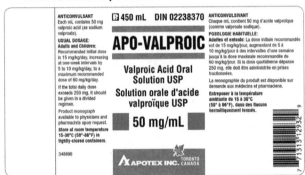

**Calculs :**

© Apotex. Reproduit avec permission.

**I. Médicament prescrit :** Hydroxyzine en suspension 25 mg PO QID
   **Médicament disponible :**

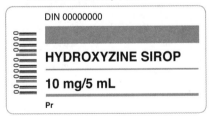

**Calculs :**

**J.  Médicament prescrit :** fluoxétine (Apo-fluoxétine) en suspension 30 mg PO DIE
**Médicament disponible :**

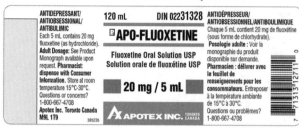

© Apotex. Reproduit avec permission.

**Calculs :**

**Ressources en ligne**
Vous éprouvez des difficultés avec l'objectif 3.5 ? Rendez-vous en ligne pour vous exercer davantage.

# Maîtriser les situations cliniques

Utilisez la situation clinique suivante pour faire les exercices 3.9 et 3.10.

**Situation clinique (exercices 3.9 et 3.10)**

Megan est infirmière à l'unité de cardiologie et elle doit administrer la médication à M^me Claire Bérubé. Cette dernière est hospitalisée pour une fibrillation auriculaire. Le cardiologue a prescrit de la warfarine (Coumadin) PO à administrer 1 fois par jour, à 18 h 00 et selon la séquence suivante : 6 mg-6 mg-5 mg. Selon la FADM, la personne a reçu 5 mg PO la veille à 17 h 50.

À l'unité de soins, Megan dispose de comprimés de 2 mg et 4 mg.

F  **3.9**  Déterminez la dose à administrer à M^me Bérubé.

F **3.10** Déterminez le nombre de comprimés à préparer, ainsi que la teneur de chacun, pour que Megan administre une dose exacte.

Utilisez la situation clinique suivante pour faire les exercices 3.11 à 3.14.

**Situation clinique (exercices 3.11 à 3.14)**

L'infirmier doit administrer de l'hydromorphone (Dilaudid) à M. Paul Gervais, hospitalisé à l'unité des soins palliatifs, afin de soulager sa douleur causée par un cancer du pancréas. L'ordonnance se lit comme suit : 0,5 mg PO q 1-2 heures PRN. Le médicament est servi en solution orale dont la concentration est de 5 mg/5 mL. Cette présentation est préférable dans le cas de M. Gervais en raison de sa grande difficulté à avaler des comprimés.

F **3.11** Calculez le nombre de millilitres à préparer afin d'administrer une dose exacte d'hydromorphone en utilisant la méthode de la formule.

**3.12** Calculez le nombre de millilitres à préparer en utilisant la méthode du rapport-proportion

**3.13** Déterminez quel instrument est le plus approprié pour administrer la dose d'hydromorphone à M. Gervais.

Le gobelet gradué ? | La seringue à tuberculine ? | La seringue de 3 mL ?

Justifiez votre choix :

F **3.14** Indiquez par un trait la quantité à administrer sur l'instrument choisi à la question précédente.

Utilisez la situation clinique et l'ordonnance qui suivent pour faire les exercices 3.15 à 3.17.

> **Situation clinique (exercices 3.15 à 3.17)**
>
> M^me Kim Nguyen doit recevoir de la digoxine (Lanoxin) afin de régulariser son rythme cardiaque. L'infirmière dispose de comprimés de 0,0625 mg, 0,125 mg et 0,25 mg. Une solution orale de digoxine d'une concentration de 0,05 mg/mL est également disponible.

| MÉDICAMENTS | | | *Nguyen Kim* 81 ans | *DDN : 1938-04-01* | | |
|---|---|---|---|---|---|---|
| POIDS : _____ kg     137,5 lb | | | TAILLE : _____ cm     5 pi 3 po | | | |
| ALLERGIE SUSPECTÉE : | | | ALLERGIE CONFIRMÉE : | | | |
| | | | | | | |
| | | | | | | |
| GROSSESSE : _____ / Semaines grossesse | | | ☐ Biberon | | ☐ Allaitement maternel | |
| NOM | DOSE | VOIE | FRÉQUENCE | DURÉE | S. INF. | |
| *Lanoxin* | *6mcg/kg* | *PO* | *stat* | | | |
| | | | | | | |
| *2019-10-19* | *18 h 00* | *D^re Paule Dubé* | | *971224* | | |
| Date | Heure | Signature du médecin | | N° de permis | | |

D 3.15 Utilisez la démarche en 5 étapes afin de préparer de façon sécuritaire, le médicament à administrer à M^me Nguyen.

_____

_____

_____

_____

_____

_____

_____

_____

_____

_____

_____

_____

D 3.16 Au moment de l'administration, M^me Nguyen mentionne qu'elle se sent incapable d'avaler les comprimés et demande s'il est possible de recevoir la médication sous une autre forme. L'infirmière doit donc préparer la médication en utilisant la solution orale. Calculez le nombre de millilitres à préparer afin d'administrer une dose exacte.

_____

_____

_____

_____

_____

_____

M **3.17** Déterminez l'instrument le plus approprié pour mesurer la solution selon la quantité déterminée au numéro précédent. Justifiez votre choix.

**Ressources en ligne**
Évaluez votre connaissance et votre maîtrise du contenu de ce chapitre grâce à des exercices supplémentaires de difficulté progressive. Cette révision de l'ensemble des notions est une excellente préparation à un examen.

| | | Manuel | Cahier d'exercices |
|---|---|---|---|

**Voies parentérales** — 88

OBJECTIF 4.1 — Différencier les voies parentérales — 88

**Matériel destiné à l'administration des médicaments par voie parentérale** — 91 — 66

OBJECTIF 4.2 — Caractériser le matériel d'injection parentérale — 92

OBJECTIF 4.3 — Différencier les types de seringues — 97

OBJECTIF 4.4 — Prélever une quantité de liquide donnée dans une seringue — 101 — 66

**Présentation des médicaments injectables** — 102

OBJECTIF 4.5 — Distinguer les différentes présentations de médicaments injectables — 102

**Calcul des doses unitaires de médicaments injectables** — 104 — 73

OBJECTIF 4.6 — Calculer la dose requise en utilisant la méthode de la formule — 104 — 73

OBJECTIF 4.7 — Calculer la dose requise en utilisant la méthode du rapport-proportion — 107 — 79

OBJECTIF 4.8 — Appliquer une démarche sécuritaire pour préparer une dose de médicament injectable — 109 — 84

# La préparation des médicaments destinés aux voies parentérales

# 4

| | Manuel | Cahier d'exercices |
|---|---|---|
| **Compatibilité des médicaments injectables** | 113 | 89 |
| OBJECTIF 4.9 — Prévenir les incompatibilités lors de l'administration des médicaments injectables | 113 |  |
| OBJECTIF 4.10 — Lire un tableau de compatibilité dans une situation clinique | 115 | 89 |
| **Reconstitution et dilution des préparations injectables** | 121 | 96 |
| OBJECTIF 4.11 — Distinguer les solvants utilisés dans la reconstitution des préparations injectables | 122 |  |
| OBJECTIF 4.12 — Reconstituer des préparations injectables selon les directives | 125 | 96 |
| OBJECTIF 4.13 — Calculer la dose à administrer après la reconstitution de la préparation injectable | 128 | 99 |
| **Administration de l'insuline par voie sous-cutanée** | 130 | 104 |
| OBJECTIF 4.14 — Acquérir des notions sur le diabète | 130 |  |
| OBJECTIF 4.15 — Distinguer les catégories d'insulines | 133 | 104 |
| OBJECTIF 4.16 — Administrer l'insuline par voie sous-cutanée | 138 |  |
| OBJECTIF 4.17 — Préparer une dose d'insuline sous-cutanée | 142 | 107 |

Maîtriser les situations cliniques   p. 111

 Certains objectifs sans portée pratique n'ont pas d'exercices correspondants ; ils ne figurent donc pas dans le cahier d'exercices.

# Atteindre les objectifs

## Matériel destiné à l'administration des médicaments par voie parentérale

Prélever une quantité de liquide donnée dans une seringue

F **4.1** Sur chaque seringue, indiquez par un trait la quantité à administrer. Au besoin, arrondissez adéquatement.

**A.** 2,08 mL    **B.** 1,9 mL    **C.** 1,68 mL

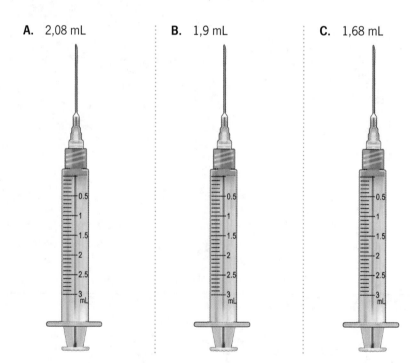

**D.** 2,55 mL

**E.** 1,23 mL

**F.** 2,11 mL

**G.** 1,76 mL

**H.** 2,43 mL

F **4.2** Sur chaque seringue, indiquez par un trait la quantité à administrer. Au besoin, arrondissez adéquatement.

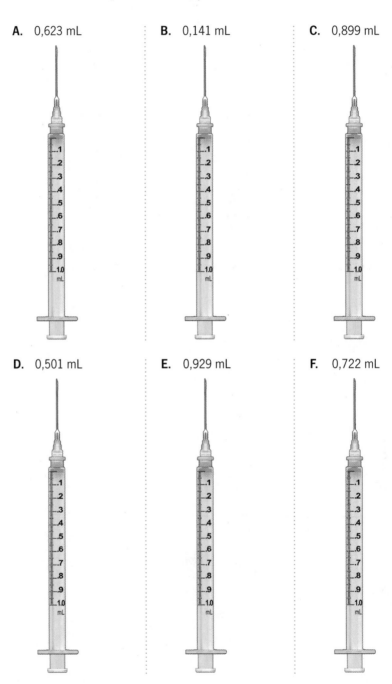

**A.** 0,623 mL

**B.** 0,141 mL

**C.** 0,899 mL

**D.** 0,501 mL

**E.** 0,929 mL

**F.** 0,722 mL

**G.** 0,366 mL

**H.** 0,488 mL

F **4.3** Sur chaque seringue, indiquez par un trait la quantité à administrer.
Au besoin, arrondissez adéquatement.

**A.** 15 unités

**B.** 66 unités

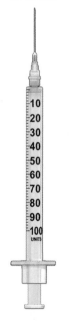

**C.** 34 unités

**D.** 18 unités

**E.** 29 unités

**F.** 42 unités

**G.** 12 unités

**H.** 46 unités

**I.** 8 unités

**J.** 17 unités

**K.** 22 unités

**L.** 33 unités

**M.** 65 unités

**N.** 74 unités

F 4.4 Déterminez la quantité exacte de liquide contenu dans chaque seringue.

A.      B.      C.      D.

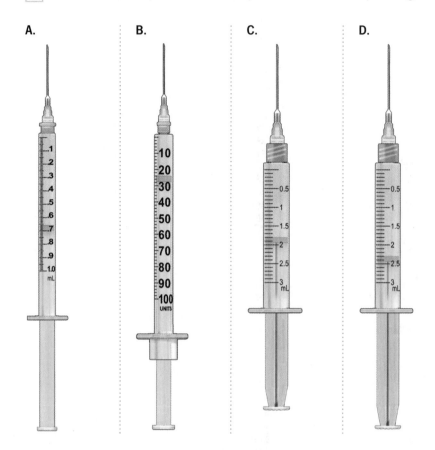

**Ressources en ligne**
Vous éprouvez des difficultés avec l'objectif 4.4 ? Rendez-vous en ligne pour vous exercer davantage.

# Calcul des doses unitaires de médicaments injectables

| OBJECTIF 4.6 | Calculer la dose requise en utilisant la méthode de la formule |
|---|---|

F **4.5** Calculez la quantité de médicament requise pour préparer une dose exacte, en vous servant de la méthode de la formule.

**A.** **Médicament prescrit :**
Valium 10 mg IM STAT
**Médicament disponible :**
diazépam (Valium) à 5 mg/mL

**Calculs :**

.....

**B.** **Médicament prescrit :**
Decadron 2 mg IM BID
**Médicament disponible :**
dexaméthasone (Decadron)
à 4 mg/mL

**Calculs :**

.....

**C.** **Médicament prescrit :**
atropine 0,3 mg IM STAT
**Médicament disponible :**
atropine à 0,4 mg/mL

**Calculs :**

.....

**D.** **Médicament prescrit :**
Solu-Medrol 60 mg IM DIE
**Médicament disponible :**
méthylprednisolone (Solu-Medrol)
à 80 mg/mL

**Calculs :**

.....

**E.** **Médicament prescrit:**
Épinéphrine 0,5 mg SC STAT
**Médicament disponible:**
adrénaline (Épinéphrine) à 1 mg/mL

**Calculs:**

**F.** **Médicament prescrit:**
Solu-Cortef 60 mg IV DIE
**Médicament disponible:**
hydrocortisone (Solu-Cortef)
à 100 mg/mL

**Calculs:**

$\boxed{\text{M}}$ **4.6** En consultant les étiquettes de médicament suivants, calculez la quantité
à préparer en vous servant de la méthode de la formule.

**A.** **Médicament prescrit:** furosémide 60 mg IV BID
**Médicament disponible:**

© Sandoz. Reproduit avec permission.

**Calculs:**

**B.  Médicament prescrit :** midazolam 4 mg IV STAT
   **Médicament disponible :**

© Sandoz. Reproduit avec permission.

**Calculs :**

---

**C.  Médicament prescrit :** morphine 6 mg SC q 4 h PRN
   **Médicament disponible :**

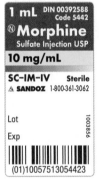

© Sandoz. Reproduit avec permission.

**Calculs :**

---

**D. Médicament prescrit :** mépéridine 75 mg IM q 3-4 h PRN
**Médicament disponible :**

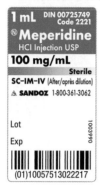

© Sandoz. Reproduit avec permission.

**Calculs :**

**E. Médicament prescrit :** Anexate 0,2 mg IV STAT
**Médicament disponible :**

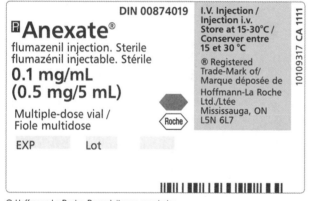

© Hoffmann-La Roche. Reproduit avec permission.

**Calculs :**

**M** **4.7** Calculez la quantité de médicament à préparer, en utilisant la méthode de la formule.

**A.** **Médicament prescrit :**
héparine 6000 unités SC DIE
**Médicament disponible :**
héparine à 10 000 unités/mL

**Calculs :**

---

**B.** **Médicament prescrit :**
Toradol 45 mg IM q 4 à 6 h PRN
**Médicament disponible :**
kétorolac (Toradol) à 30 mg/mL

**Calculs :**

---

**C.** **Médicament prescrit :**
morphine 3 mg SC q 4 h
**Médicament disponible :**
morphine à 10 mg/mL

**Calculs :**

---

**D.** **Médicament prescrit :**
Dilaudid 1,5 mg SC q 1 h PRN
**Médicament disponible :**
hydromorphone (Dilaudid) à 2 mg/mL

**Calculs :**

---

**E.** **Médicament prescrit :**
Zantac 50 mg IV STAT
**Médicament disponible :**
ranitidine (Zantac) à 25 mg/mL

**Calculs :**

Calculez les doses de médicament destiné à une voie parentérale.

**A.** **Médicament prescrit :**
Ancef 1,5 g IV q 8 h
**Médicament disponible :**
céfalozine (Ancef) à 1000 mg/mL

**Calculs :**

**B.** **Médicament prescrit :**
fentanyl 0,1 mg IV STAT
**Médicament disponible :**
fentanyl (Fentanyl) à 50 mcg/mL

**Calculs :**

**C.** **Médicament prescrit :**
Claforan 1 g IV BID
**Médicament disponible :**
céfotaxime (Claforan) à 500 mg/mL

**Calculs :**

**D.** **Médicament prescrit :**
cyanocobalamine 1000 mcg IM
une fois par mois
**Médicament disponible :** vitamine
$B_{12}$ (cyanocobalamine) à 5 mg/mL

**Calculs :**

**E.** **Médicament prescrit :**
Ampicin 250 mg IM STAT
**Médicament disponible :**
ampicilline (Ampicin) à 2 g/10 mL

**Calculs :**

**Ressources en ligne**
Vous éprouvez des difficultés avec l'objectif 4.6 ? Rendez-vous en ligne pour vous exercer davantage.

F **4.9** Calculez la quantité de médicament à préparer, en vous servant de la méthode du rapport-proportion.

**A.** **Médicament prescrit :**
Atarax 50 mg IM q 4-6 h PRN
**Médicament disponible :**
hydroxyzine (Atarax) à 50 mg/mL

**Calculs :**

**B.** **Médicament prescrit :**
Benadryl 25 mg IM q 6 h
**Médicament disponible :**
diphenhydramine (Benadryl)
à 50 mg/mL

**Calculs :**

**C.** **Médicament prescrit :**
Haldol 2 mg IM STAT
**Médicament disponible :**
halopéridol (Haldol) à 5 mg/mL

**Calculs :**

**D.** **Médicament prescrit :**
Garamycin 60 mg IV q 8 h
**Médicament disponible :**
gentamycine (Garamycin)
à 40 mg/mL

**Calculs :**

**E. Médicament prescrit :**
Novo-Clindamycine 250 mg IM STAT
**Médicament disponible :**
clindamycine (Novo-Clindamycine)
à 150 mg/mL

**Calculs :**

........................................................................................................................

**F. Médicament prescrit :**
Lasix 80 mg IV BID
**Médicament disponible :**
furosémide (Lasix) à 10 mg/mL

**Calculs :**

........................................................................................................................

**G. Médicament prescrit :**
scopolamine 0,3 mg SC q 1 h PRN
**Médicament disponible :**
scopolamine à 0,4 mg/mL

**Calculs :**

........................................................................................................................

M  **4.10** Calculez la quantité de médicament à préparer, en vous servant
de la méthode du rapport-proportion.

**A. Médicament prescrit :** furosémide 20 mg IV TID
**Médicament disponible :**

**Calculs :**

© Sandoz. Reproduit avec permission.

........................................................................................................................

**B. Médicament prescrit :** midazolam 4,2 mg IM STAT
   **Médicament disponible :**

© Sandoz. Reproduit avec permission.

**Calculs :**

**C. Médicament prescrit :** héparine 4500 unités IV STAT
   **Médicament disponible :**

Image reproduite avec l'autorisation de Merck Canada. Tous droits réservés.

**Calculs :**

**D. Médicament prescrit :** morphine 1,5 mg IV q 1 h PRN
   **Médicament disponible :**

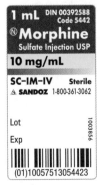

© Sandoz. Reproduit avec permission.

**Calculs :**

**E.** **Médicament prescrit :** mépéridine 25 mg IM q 3 h PRN
   **Médicament disponible :**

**1 mL** DIN 00725749
Code 2221
®**Meperidine**
HCl Injection USP
**100 mg/mL**
Sterile
**SC–IM–IV** (After/après dilution)
⚠ **SANDOZ** 1-800-361-3062

Lot

Exp

(01)10057513022217

© Sandoz. Reproduit avec permission.

**Calculs :**

---

F **4.11** Calculez les doses de médicament destiné à une voie parentérale, en utilisant la méthode du rapport-proportion.

**A.** **Médicament prescrit :**
   Lanoxin 0,125 mg IV q 8 h
   **Médicament disponible :**
   digoxine (Lanoxin) à 0,25 mg/mL

**Calculs :**

---

**B.** **Médicament prescrit :**
   Haldol 3 mg IM TID
   **Médicament disponible :**
   halopéridol (Haldol) à 5 mg/mL

**Calculs :**

---

**C.** **Médicament prescrit :**
   Lupron 3,75 mg IM une fois par mois
   **Médicament disponible :**
   leuprolide (Lupron) à 5 mg/mL

**Calculs :**

---

**D.** **Médicament prescrit :**
atropine 1 mg IV STAT
**Médicament disponible :**
atropine à 0,5 mg/5 mL

**Calculs :**

.................................................................................................

**E.** **Médicament prescrit :**
fentanyl 120 mcg IV STAT
**Médicament disponible :**
fentanyl à 50 mcg/mL

**Calculs :**

.................................................................................................

M **4.12** Calculez la dose de médicament destiné à une voie parentérale.

**A.** **Médicament prescrit :**
Biquin Durules 0,2 g IM STAT
**Médicament disponible :** quinidine
(gluconate de quinidine) à 80 mg/mL

**Calculs :**

.................................................................................................

**B.** **Médicament prescrit :**
Vancocin 1,5 g IV q 12 h
**Médicament disponible :**
chlorhydrate de vancomycine
(Vancocin) à 500 mg/mL

**Calculs :**

.................................................................................................

**C.** **Médicament prescrit :**
Solu-Medrol 0,25 g IV q 4 h
**Médicament disponible :**
méthylprednisolone (Solu-Medrol)
à 1000 mg/mL

**Calculs :**

.................................................................................................

**D. Médicament prescrit :**
fentanyl 0,2 mg IV STAT
**Médicament disponible :**
fentanyl à 50 mcg/mL

**Calculs :**

......................................................................................

**E. Médicament prescrit :**
Rocephin 250 mg IM STAT
**Médicament disponible :**
ceftriaxone (Rocephin) à 1 g/mL

**Calculs :**

......................................................................................

**Ressources en ligne**
Vous éprouvez des difficultés avec l'objectif 4.7 ? Rendez-vous en ligne pour vous exercer davantage.

**OBJECTIF 4.8** Appliquer une démarche sécuritaire pour préparer une dose de médicament injectable

M **4.13** À partir de la situation clinique ci-dessous, appliquez la démarche en 5 étapes pour préparer la dose d'un médicament. Indiquez les éléments d'information dans chacune des étapes.

Mᵐᵉ Josiane Joseph, 28 ans, présente des symptômes d'ITSS (infection transmissible sexuellement et par le sang). L'ordonnance médicale a été transcrite sur la FADM suivante (**figure 4.1**).

**Figure 4.1** FADM au nom de Josiane Joseph.

**FADM**

NOM: JOSEPH Josiane
DOSSIER: 54973
CHAMBRE: 614 lit 2
DATE DE NAISSANCE: 1990-04-30
DATE D'ADMISSION: 2019-06-05
**FADM valide du 2019-06-06 à 00 h 00 au 2019-06-06 à 23 h 59**

Poids: 65 kg  SC: 1,757 m$^2$  Allergies: Pénicilline
Taille: 1,71 m  Clcr: 1,6 mL/sec  Intolérances: aucune

| Médicaments | Nuit (00 h 00-07 h 59) Heure Initiales | Jour (8 h 00-15 h 59) Heure Initiales | Soir (16 h 00-23 h 59) Heure Initiales | Validité |
|---|---|---|---|---|
| CEFTRIAXONE 1000 mg/5 mL poudre pour inj. **IM** Rocephin antibiotique à large spectre **250 mg** | | **15 h 00** | | 2019-06-06 00 h 00 / 2019-08-06 23 h 59 |

| N | J | S |
|---|---|---|
| | *Mélinda Rossi inf.* | *MR* |
| | | |
| Profil vérifié et conforme  *MR* | | |

| ◯ Non donné (justifier) | A Personne absente | V Vomissement | J À jeun Voir note d'obs. | AA Auto-administration | NS Non servi |
|---|---|---|---|---|---|
| ╱ Rx administré | N Nausée | R Refuse | M* Manquant et note d'obs. requise | CT Congé temporaire | ∅ Aucune unité d'insuline |

**ÉTAPE 1  Collecter les données**

- Vérifiez la validité des informations:

  - Date et heure pour valider la FADM: _____

  - Nom, prénom de la personne et date de naissance: _____

  - Nom générique et commercial du médicament: _____

  - Dose en milligrammes: _____

  - Voie d'administration: _____

  - Moment de l'administration: _____

- En vous servant d'un guide de médicaments, recherchez les informations sur le médicament:

_____

_____

_____

- Vérifiez la pertinence d'utiliser le poids (en kilogrammes) ou certains résultats d'analyses sanguines pour effectuer les calculs :

---

**Analyser les données**

- Repérez les données pertinentes qui serviront au calcul de la dose à administrer :

---

- Comparez la dose prescrite avec le médicament disponible pour vous assurer que les unités de mesure et le système sont bien les mêmes :

---

**Planifier la préparation**

- Sélectionnez les données nécessaires au calcul :

  - dose prescrite : _____

  - teneur (mg) : _____

  - volume (mL) : _____

**Calculer la dose**

Calculez en utilisant la méthode de la formule :

et

Calculez en utilisant la méthode du rapport-proportion :

## ÉTAPE 5 Vérifier le résultat

Validez le résultat obtenu : le calcul est-il exact ? _____

Pour préparer cette injection intramusculaire, vous devez prévoir le matériel nécessaire (4 éléments) :

_____    _____

_____    _____

M **4.14** À partir de la situation clinique ci-dessous, appliquez la démarche en 5 étapes pour préparer la dose d'un médicament. Indiquez les éléments d'information dans chacune des étapes.

M^me Candice Bergman est hospitalisée à l'unité de médecine pour une pyélonéphrite. À 8 h 05, lorsque vous procédez à l'évaluation initiale, vous constatez qu'elle est souffrante ; elle vous dit que sa douleur est à 9/10, au niveau de la région dorsale. Vous consultez l'extrait de la FADM (**figure 4.2**).

## ÉTAPE 1 Collecter les données

- Vérifiez la présence de toutes les informations :

  - Date et heure pour valider la FADM : _____

  - Nom, prénom de la personne et date de naissance : _____

  - Nom générique et commercial du médicament : _____

  - Dose en milligrammes : _____

  - Voie d'administration : _____

  - Moment de l'administration : _____

- En vous servant d'un guide de médicaments, recherchez les informations sur le médicament :

_____

_____

_____

- Vérifiez la pertinence d'utiliser le poids (en kilogrammes) ou certains résultats d'analyses sanguines pour effectuer les calculs.

_____

## Figure 4.2 FADM au nom de Candice Bergman.

**FADM**

NOM: BERGMAN, Candice
DOSSIER: 48376
CHAMBRE: 514 lit 1
DATE DE NAISSANCE: 1944-08-17
DATE D'ADMISSION: 2019-11-21
**FADM valide du 2019-11-23 à 00 h 00 au 2019-11-23 à 23 h 59**

Poids: 54 kg    SC: 1,554 m²    Allergies: aspirine
Taille: 161 cm    Clcr: 0,75 mL/sec    Intolérances: aucune

| Médicaments | Nuit (00 h 00-07 h 59) Heure | Initiales | Jour (8 h 00-15 h 59) Heure | Initiales | Soir (16 h 00-23 h 59) Heure | Initiales | Validité |
|---|---|---|---|---|---|---|---|
| **DIMENHYDRATE 10 mg/mL sol. inj. 5 mL    IV**<br>Gravol                    antiémétique<br>**50 mg = 5 mL IV tubulure**<br>**q 6 heures PRN, si nausée**<br>Injecter lentement en 2 minutes | PRN<br>00 h 55 | MJM | PRN | | PRN | | 2019-11-21<br>00 h 00<br><br>2020-01-21<br>23 h 59 |
| **HYDROMORPHONE 2 mg/mL sol. inj. 1 mL    SC**<br>Dilaudid                analgésique opioïde<br>**3 mg**    **HR**<br>**q 4 h PRN, si douleur** | PRN<br>03 h 15 | MJM | PRN | | PRN | | |

| N | | J | | S | | |
|---|---|---|---|---|---|---|
| *Marie-Jade Mongeau inf.* | MJM | *Annie Leblanc inf.* | AL | | | |
| | | | | | | |
| Profil vérifié et conforme | MJM | | | | | |

| ⬭ Non donné (justifier) | A Personne absente | V Vomissement | J À jeun Voir note d'obs. | AA Auto-administration | NS Non servi |
|---|---|---|---|---|---|
| ╱ Rx administré | N Nausée | R Refuse | M* Manquant et note d'obs. requise | CT Congé temporaire | ∅ Aucune unité d'insuline |

### ÉTAPE 2 Analyser les données

- Repérez les données pertinentes qui serviront au calcul de la dose à administrer:

_____

- Comparez la dose prescrite avec le médicament disponible pour vous assurer que les unités de mesure et le système sont bien les mêmes:

_____

### ÉTAPE 3 Planifier la préparation

- Sélectionnez les données nécessaires au calcul:

  - dose prescrite: _____

  - teneur (mg): _____

  - volume (mL): _____

**ÉTAPE 4** **Calculer la dose**

Calculez en utilisant la méthode de la formule :

et

Calculez en utilisant la méthode du rapport-proportion :

**ÉTAPE 5** **Vérifier le résultat**

Validez le résultat obtenu : le calcul est-il exact ? _____

Pour préparer cette injection sous-cutanée, vous devez prévoir le matériel nécessaire
(4 éléments) :

_____       _____

_____       _____

**Ressources en ligne**
Vous éprouvez des difficultés avec l'objectif 4.8 ? Rendez-vous en ligne pour vous exercer davantage.

# Compatibilité des médicaments injectables

| OBJECTIF 4.10 | Lire un tableau de compatibilité dans une situation clinique |
|---|---|

F  **4.15** Établissez la compatibilité des solutions suivantes en consultant le **tableau 4.1**
(Compatibilité des médicaments en dérivé (Y)). Servez-vous de la légende
dans le haut du tableau pour répondre.

| Médicaments | Perfusions | Réponses |
|---|---|---|
| Céfazoline 1 g | D 5 % + chlorure de potassium 20 mmol/L | |
| Azithromycine 500 mg | D 5 % + héparine 50 unités/mL | |
| Ampicilline 2 g | Lactate Ringer | |
| Phénytoïne 100 mg | NaCl 0,9 % | |
| Ceftriaxone 1000 mg | Lactate Ringer | |
| Ciprofloxacine 400 mg | D 5 % NaCl 0,45 % + chlorure de potassium 20 mmol/L | |
| Phénytoïne 75 mg | D 5 % | |
| Furosémide 60 mg | D 5 % + héparine 50 unités/mL | |
| Diphenhydramine 50 mg | D 5 % NaCl 0,45 % | |
| Midazolam 5 mg | Perfusion de morphine 5 mg/mL (ACP)* | |
| Pantoprazole 40 mg | D 5 % NaCl 0,45 % | |
| Gentamicine 80 mg | D 5 % NaCl 0,45 % + chlorure de potassium 40 mmol/L | |

* **ACP** signifie analgésie contrôlée par le patient

Tableau 4.1  Compatibilité des médicaments en dérivé (Y)

# KING ❧ GUIDE
## TO PARENTERAL ADMIXTURES®

2019 Compatibilité de médicaments administrés par voie IV à l'aide d'un dispositif en Y

**Légende:**

C - La combinaison pourrait être jugée compatible. La compatibilité est déterminée en tenant compte de plusieurs variables, incluant la concentration du médicament, le pH, le soluté de perfusion, la température, le type de contenant, l'ordre de préparation, la marque du médicament ainsi que la méthode d'administration.

X - Selon les données disponibles, la combinaison est considérée incompatible.

Ø - Données contradictoires signalées dans la documentation scientifique. La combinaison est considérée compatible ou incompatible.

**Case Blanche - Aucune donnée. Association non recommandée.**

| | Dextrose 5 % dans l'eau (D5 % W) | Dextrose 5 % NaCl 0,45 % (D51/2S) | Normal salin ou NaCl 0,9 % (NS) | Lactate Ringer (LR) | ACYCLOVIR | AMIKACINE | AMPHOTÉRICINE B | AMPICILLINE | AZITHROMYCINE | CASPOFONGINE | CÉFAZOLINE | CÉFOTAXIME | CÉFOXITINE | CEFTAZIDIME | CEFTRIAXONE | CIPROFLOXACINE | CLINDAMYCINE | TRIMÉTHOPRIME-SULFAMÉTHOXAZOLE | DEXAMÉTHASONE | DIGOXINE | DIMENHYDRINATE | DIPHENHYDRAMINE | ÉNALAPRILATE | ÉRYTHROMYCINE | FENTANYL | FLUCONAZOLE | FUROSÉMIDE | GENTAMICINE | HÉPARINE | HYDROCORTISONE | INSULINE RÉGULIÈRE | LEVOFLOXACINE | MÉROPÉNEM | MÉTHYLPREDNISOLONE | MÉTOCLOPRAMIDE | MÉTRONIDAZOLE | MIDAZOLAM | MORPHINE | SOLUTION MULTIVITAMINES | NITROGLYCÉRINE | PANTOPRAZOLE | PHÉNYTOINE | PIPÉRACILLINE-TAZOBACTAM | POTASSIUM (CHLORURE) | RANITIDINE | BICARBONATE DE SODIUM | TICARCILLINE – CLAVUNALATE | TOBRAMYCINE | NUTRITION PARENTÉRALE TOTALE (SOLUTION) | VANCOMYCINE |
|---|---|---|---|---|---|---|---|---|---|---|---|---|---|---|---|---|---|---|---|---|---|---|---|---|---|---|---|---|---|---|---|---|---|---|---|---|---|---|---|---|---|---|---|---|---|---|---|---|---|---|
| ACYCLOVIR | C | | C | C | | | C | C | Ø | C | C | X | | | C | X | C | C | X | | C | Ø | C | C | C | Ø | C | C | C | C | X | Ø | C | C | X | Ø | C | C | | X | X | X | X | C | | C | | X | C |
| AMIKACINE | C | C | C | C | | | X | C | C | C | C | C | C | | C | X | C | | C | | C | C | | C | C | Ø | C | Ø | C | | C | | C | C | C | C | C | C | | C | X | X | X | C | C | | C | | C | C |
| AMPHOTÉRICINE B | Ø | X | X | X | | | | X | | | | | | | | | | | | | | | | Ø | | | | | | | X | | | | X | | X | X | | | | | | | | | | | X | |
| AMPICILLINE | Ø | Ø | Ø | Ø | C | | C | | | X | C | X | | | X | C | X | | C | X | C | C | X | C | | C | C | | C | X | C | X | C | C | X | C | C | Ø | | C | X | C | X | C | C | | X | | C | Ø |
| AZITHROMYCINE | C | C | C | C | X | | | | C | | C | X | | C | X | X | X | X | X | X | Ø | X | X | X | | C | C | | X | X | X | X | C | C | X | X | C | C | X | Ø | C | | C | X | X | X | X | | C | X | X |
| CASPOFONGINE | X | X | X | C | C | Ø | C | X | X | C | | | X | X | X | X | X | X | Ø | X | X | X | | C | X | | C | C | C | X | C | C | X | C | C | Ø | C | X | X | C | | C | Ø | X | X | X | | X | | C | X | C |
| CÉFAZOLINE | C | C | Ø | C | C | | C | | | X | X | | | | C | X | | | X | C | | | X | C | | C | X | C | | C | C | C | | C | C | C | C | C | C | | Ø | X | | C | C | C | | | | C | Ø |
| CÉFOTAXIME | C | C | C | C | C | | C | | | X | X | X | | C | X | C | C | | C | X | C | | C | X | C | | C | X | C | | C | X | C | C | | C | C | X | C | Ø | | C | X | X | X | C | | | | C | Ø |
| CÉFOXITINE | C | C | C | C | C | | C | | | X | | X | | C | | C | C | | C | C | | | X | C | | C | X | C | | C | C | C | C | X | X | | X | C | C | Ø | | C | X | X | | C | C | | | X | C | Ø |
| CEFTAZIDIME | C | C | C | C | C | | C | | | X | | C | C | | | C | C | | X | C | | Ø | C | C | | C | X | C | Ø | C | C | C | C | C | | C | C | C | C | X | | C | X | | C | C | C | | | | C | Ø |
| CEFTRIAXONE | C | Ø | X | C | X | | C | | | X | X | X | C | C | C | | C | | X | X | C | | X | X | C | | C | X | C | | C | C | C | C | C | | C | C | C | X | C | | C | C | X | | C | X | | C | X | C | Ø |
| CIPROFLOXACINE | C | C | C | C | X | | | X | X | Ø | | Ø | | X | X | | C | | C | C | | | Ø | X | | C | C | C | C | X | | X | X | C | C | C | C | | C | X | | C | X | | C | C | C | Ø | | | C | Ø |
| CLINDAMYCINE | C | C | C | C | C | | C | | X | X | | | C | | | C | | C | C | | | X | C | | | C | Ø | C | C | C | C | C | | C | C | C | | C | C | X | | X | X | C | | C | X | | C | | | C | C |
| TRIMÉTHOPRIME-SULFAMÉTHOXAZOLE | C | C | C | Ø | C | | X | C | X | X | X | X | X | X | | X | X | | X | | X | | X | X | | X | X | X | X | X | X | X | X | C | | X | X | X | C | Ø | | X | X | X | X | C | X | | X | | C | X |
| DEXAMÉTHASONE | C | C | C | C | | | C | | | X | C | C | | C | C | | C | X | | C | X | C | | | C | C | C | C | | C | C | C | C | | C | C | C | Ø | C | | X | Ø | | X | X | X | C | | X | | C | C |
| DIGOXINE | Ø | | Ø | C | | | | | | | | | | | | | | | C | | | | | | | C | | | | | X | | | | | | C | | | | X | | | | | | | | | | | |
| DIMENHYDRINATE | C | C | C | C | | | C | | | C | | | C | | C | | C | | C | | | | | C | | | C | X | C | Ø | Ø | | | | | | | C | | C | | | | Ø | | | X | | X | X | | C | Ø |
| DIPHENHYDRAMINE | C | C | C | C | C | | Ø | C | | X | C | X | C | X | X | X | X | X | | C | X | X | | | C | | C | X | C | C | | C | X | C | X | C | | C | C | | | C | X | X | C | C | | C | C | | C | C |
| ÉNALAPRILATE | C | | C | | C | | C | | | C | X | C | C | C | C | C | | | | C | | | | | C | | C | C | C | C | C | | C | | | C | C | C | C | | C | C | | X | X | X | C | C | | C | C | C |
| ÉRYTHROMYCINE | Ø | | Ø | Ø | C | | | | | | | | | | Ø | | | | | | C | | | | | | C | | X | | | | Ø | | | | | | C | Ø | C | | | | | | | | | | | |
| FENTANYL | C | | C | C | C | | C | | X | C | C | C | | C | C | | X | C | C | | C | | C | | | C | C | C | | C | C | C | | C | C | C | | C | C | Ø | | X | | C | C | C | | | | C | C |
| FLUCONAZOLE | C | C | C | C | C | | | X | X | C | C | C | X | X | X | Ø | X | | X | C | C | | C | | | X | C | | C | C | C | C | X | | C | C | C | C | C | C | | X | C | C | C | C | C | C | | C | C |
| FUROSÉMIDE | Ø | | C | C | Ø | | X | C | X | X | X | | X | C | X | C | C | X | C | | | X | | X | | X | C | | | C | X | | | Ø | X | C | X | Ø | | Ø | Ø | X | X | C | C | | C | Ø | | Ø | C | X |
| GENTAMICINE | C | C | C | Ø | C | | X | X | | C | | | C | C | | C | | X | C | | | C | | | C | | | | C | C | X | | | C | C | C | | C | C | C | C | C | | Ø | C | | C | | | C | | C | C |
| HÉPARINE | Ø | Ø | Ø | C | C | | X | C | X | C | C | C | | C | C | | C | X | C | | Ø | C | C | | C | C | Ø | C | | C | C | Ø | C | C | C | | C | Ø | | X | X | C | C | | C | C | C | Ø | Ø | | | C |
| HYDROCORTISONE | | C | C | C | C | | | | | X | C | C | C | | C | C | C | X | C | | X | C | C | | Ø | C | C | | C | | C | C | | | C | C | | C | Ø | Ø | | X | X | X | C | | | | C | | | C |
| INSULINE RÉGULIÈRE | Ø | Ø | Ø | Ø | C | | | C | | | C | | | | X | C | C | X | C | | X | C | | | C | C | C | C | | C | C | | | | | C | | C | Ø | X | | C | C | C | C | | | | C | | | X |
| LEVOFLOXACINE | C | C | C | C | | | X | C | X | C | X | Ø | X | X | C | C | | C | C | | | C | | | C | C | C | C | | C | C | C | | | C | C | C | | C | X | X | | X | | C | | | | | | C | C |
| MÉROPÉNEM | Ø | | Ø | Ø | | X | | C | C | | | | | | | X | | | C | | | C | C | | | C | C | C | C | | C | | C | | Ø | | | X | | C | | Ø | | X | | C | | | | | C | C |
| MÉTHYLPREDNISOLONE | C | X | X | C | C | | | X | C | X | C | C | C | C | X | X | C | X | C | | | C | C | | | C | C | C | X | C | | C | | C | | | C | | C | Ø | X | | Ø | X | C | | | | C | | C | X |
| MÉTOCLOPRAMIDE | Ø | C | C | C | Ø | | | C | | Ø | C | | | C | C | C | | X | C | | | C | | | C | C | X | C | C | C | | | C | | Ø | C | | C | C | X | | X | X | X | C | | | | C | | C | C |
| MÉTRONIDAZOLE | C | C | C | C | C | | | C | | C | C | C | C | C | C | C | C | | C | | C | | C | | C | C | X | | C | | C | C | | C | | C | | C | C | | Ø | C | | C | C | C | | | | C | C |
| MIDAZOLAM | C | | C | C | X | | C | | X | X | C | X | | | C | X | C | | | X | X | X | C | | X | X | X | X | | C | C | C | C | X | C | Ø | C | | Ø | C | C | | | Ø | C | X | | Ø | C | X | | C | Ø |
| MORPHINE | C | C | Ø | C | Ø | | X | C | X | C | C | | C | C | C | Ø | C | C | | | | | C | C | | C | C | Ø | C | Ø | Ø | C | | C | Ø | Ø | C | Ø | C | | C | | | | Ø | Ø | X | C | C | C | Ø | C | C | Ø | Ø |
| SOLUTION MULTIVITAMINES | C | C | C | C | C | | | | | C | | | | | | | | | C | | | | | | | | | | | | | | | | | | | C | | | | | | | | | | | | | C | C | C |
| NITROGLYCÉRINE | Ø | C | Ø | C | C | | C | | | C | C | C | C | | C | X | C | | X | C | | | C | C | | C | C | Ø | Ø | C | C | X | | C | C | C | Ø | | Ø | X | | C | C | C | | | | | C | C | C |
| PANTOPRAZOLE | C | C | C | X | X | | X | C | X | C | C | | X | X | X | | X | X | X | | Ø | X | X | X | X | X | Ø | X | X | X | Ø | X | Ø | Ø | X | Ø | X | | Ø | | X | C | X | C | X | C | X | C | | C | C |
| PHÉNYTOINE | X | | Ø | Ø | X | X | | X | X | X | X | X | X | X | X | | X | X | X | | X | X | X | | | X | X | | | X | X | | | | | | X | X | | X | X | | | | X | | X | | | X | | X | X |
| PIPÉRACILLINE-TAZOBACTAM | C | C | C | C | Ø | X | C | X | X | | X | | X | | C | C | | C | C | | | C | | | | C | C | C | C | | Ø | C | C | | C | | | Ø | | C | | | | | C | C | | | | C | X | Ø |
| POTASSIUM (CHLORURE) | C | C | C | C | C | | | X | C | | C | C | C | | C | C | C | C | C | | | C | | | C | C | X | C | C | | C | C | C | | C | C | | C | C | | | C | | C | | C | | X | | C | C | C |
| RANITIDINE | C | C | C | | C | | | | | | | C | | | C | | C | C | | | | | | | C | C | C | | C | | | C | | | C | C | | | | | | | | | C | C | | | | C | | | C |
| BICARBONATE DE SODIUM | C | C | C | C | C | | X | X | C | X | X | C | X | X | C | C | C | C | C | | Ø | C | | | C | C | Ø | C | | C | C | Ø | | C | Ø | X | X | C | C | | | C | | | C | C | | | | | Ø | C |
| TICARCILLINE – CLAVUNALATE | C | | C | C | | | | X | | | | | | | | | C | | | | | | | | | C | | | C | | | | | | | C | | | | | C | | | | C | | | | | | | C | Ø |
| TOBRAMYCINE | C | C | C | C | | | | X | C | | C | C | C | C | C | X | C | | X | C | C | | C | X | | C | C | C | Ø | C | | | | C | | C | | C | X | X | X | C | | C | C | | | | | | C | C |
| NUTRITION PARENTÉRALE TOTALE (SOLUTION) | | | X | C | X | C | | X | C | C | C | C | | | | C | X | X | X | | | C | C | | C | | C | C | C | X | C | | | C | C | C | C | Ø | Ø | | C | C | | | C | X | | | | | | Ø | C |
| VANCOMYCINE | C | | C | C | C | C | | Ø | C | C | Ø | Ø | Ø | Ø | Ø | C | X | | Ø | C | C | | C | C | X | C | Ø | | C | C | C | X | C | C | C | Ø | | C | C | X | Ø | C | C | | | | | Ø | Ø | C | |

**4.16** En consultant le **tableau 4.1** (Compatibilité des médicaments en dérivé (Y)), précisez quels médicaments (4) ne peuvent être administrés en dérivé d'une perfusion de Lactate Ringer en raison d'un incompatibilité.

A. _____    C. _____

B. _____    D. _____

**4.17** En consultant le **tableau 4.1** (Compatibilité des médicaments en dérivé (Y)), précisez quels médicaments (4) ne peuvent être administrés en dérivé d'une perfusion de Lactate Ringer puisqu'aucune donnée concernant la compatibilité des solutions n'est disponible, ce qui rend l'association « non recommandée ».

A. _____    C. _____

B. _____    D. _____

**4.18** En consultant le **tableau 4.1** (Compatibilité des médicaments en dérivé (Y)), précisez quels médicaments (2) sont considérés comme incompatibles avec une perfusion de dextrose 5 % (D 5 %).

A. _____    B. _____

**4.19** Vous êtes l'infirmière responsable des soins de Miguel Gomez, hospitalisé à l'unité des soins palliatifs. Plus tôt ce matin, l'infirmière de nuit vous a informé que M. Gomez a passé une mauvaise nuit ; il était inconfortable et agité. Son état s'est amélioré dans l'heure qui a suivi l'administration de la médication prescrite. Il est 8 h 45 et M. Gomez a recommencé à présenter des symptômes d'inconfort : posture corporelle tendue, des geignements et un embarras bronchique.

Voici la FADM (**figure 4.3**) qui vous permettra d'établir ce que vous pouvez administrer à cette personne afin d'améliorer son confort.

Figure 4.3 **Extrait de la FADM de Miguel Gomez.**

**FADM**

NOM: GOMEZ, Miguel
DOSSIER: 875359
CHAMBRE: 511 lit 1
DATE DE NAISSANCE: 1971-12-24
DATE D'ADMISSION: 2019-06-10
**FADM valide du 2019-06-15 à 00 h 00 au 2019-06-15 à 23 h 59**

Poids: 88 kg SC: Allergies: ibuprofène
Taille: 167,8 cm Clcr: 0,55 mL/sec Intolérances:

| Médicaments | Nuit (00 h 00-07 h 59) Heure | Nuit Initiales | Jour (8 h 00-15 h 59) Heure | Jour Initiales | Soir (16 h 00-23 h 59) Heure | Soir Initiales | Validité |
|---|---|---|---|---|---|---|---|
| **SCOPOLAMINE 0,4 mg/mL** sol. inj. 1 mL **IM** **Scopolamine** anticholinergique/antiémétique | 04 h 50 | CD | | | | | 2019-06-11 00 h 00 |
| 0,3 mg STAT puis q 4 heures PRN | | | | | | | 2019-08-10 23 h 59 |
| **MORPHINE 10 mg/mL** sol. inj. 1 mL **IM** **Morphine** analgésique opioïde | 04 h 50 | CD | | | | | |
| 8 mg STAT puis q 4 heures PRN **HR** | | | | | | | |

| N | | J | | S | | |
|---|---|---|---|---|---|---|
| Coraline Dupuis inf. | CD | Ève-Lyne Magaignaz inf. | ÈM | | | |
| | | | | | | |
| | | | | | | |
| Profil vérifié et conforme | CD | | | | | |

| ◯ Non donné (justifier) | A Personne absente | V Vomissement | J À jeun Voir note d'obs. | AA Auto- administration | NS Non servi |
|---|---|---|---|---|---|
| ╱ Rx administré | N Nausée | R Refuse | M* Manquant et note d'obs. requise | CT Congé temporaire | Ø Aucune unité d'insuline |

En vous servant de cette FADM (**figure 4.3**), appliquez la démarche en 5 étapes et répondez à chacune des questions suivantes.

**ÉTAPE 1** **Collecter les données**

**A.** Vérifiez la présence de toutes les informations permettant d'établir que la FADM est conforme:

- Date et heure de la validité de la FADM: _____

- Nom, prénom de la personne et date de naissance: _____

- Nom générique des médicaments: _____

- Dose en milligrammes des médicaments: _____

- Voie d'administration des médicaments : _____

- Moment ou fréquence de l'administration
  des médicaments : _____

**B.** Établissez la compatibilité du mélange de ces deux médicaments dans la même seringue, en consultant soit le tableau 4.1 du manuel (Compatibilité de deux médicaments injectables dans la même seringue, p. 118), soit la section « Associations compatibles dans la même seringue » d'un guide de médicaments.

Réponse : _____

**C.** Vérifiez toutes les autres données pertinentes : _____

### ÉTAPE 2 Analyser les données

**D.** Repérez les 3 données pertinentes qui serviront au calcul de la dose administrée, pour chacun des médicaments :

- scopolamine : _____  _____  _____

- morphine : _____  _____  _____

**E.** Comparez la dose prescrite avec le médicament disponible. Est-ce qu'une conversion est nécessaire ? _____

### ÉTAPE 3 Planifier la préparation

**F.** Sélectionnez les données nécessaires au calcul pour la dose de scopolamine :

Dose prescrite : _____

Teneur du médicament disponible : _____

Volume du médicament disponible : _____

**G.** Sélectionnez les données nécessaires au calcul pour la dose de morphine :

Dose prescrite : _____

Teneur du médicament disponible : _____

Volume du médicament disponible : _____

**ÉTAPE 4**  **Calculer la dose**

**H.** Calculez le volume à administrer pour chacun des deux médicaments en utilisant la méthode du rapport-proportion.

Dose de scopolamine :

Transcrivez le rapport-proportion : _____

Effectuez le calcul :

Obtenez un résultat comprenant une valeur numérique
et une unité de mesure : _____

Dose de morphine :

Transcrivez le rapport-proportion : _____

Effectuez le calcul :

Obtenez un résultat comprenant une valeur numérique
et une unité de mesure : _____

**I.** Indiquez le volume total à prélever dans la seringue. _____

**ÉTAPE 5**  **Vérifier le résultat obtenu**

**J.** Validez le résultat obtenu. Le calcul est-il exact ? _____

**K.** Sélectionnez le format de seringue (A ou B) pour préparer la dose requise.

**A.** Seringue de 3 mL

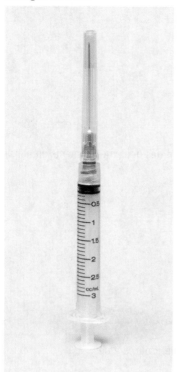

**B.** Seringue de 1 mL

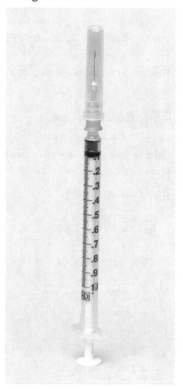

**Ressources en ligne**
Vous éprouvez des difficultés avec l'objectif 4.10 ? Rendez-vous en ligne pour vous exercer davantage.

# Reconstitution et dilution des médicaments injectables

**OBJECTIF 4.12**    Reconstituer des préparations injectables selon les directives

[M] **4.20** Calculez la concentration en milligrammes par millilitres (mg/mL) des solutions de céfuroxime, avant la dilution avec le NaCl 0,9 % pour compléter la partie concentration (mg/mL) dans le **tableau 4.2**.

**Calculs :**

#### Tableau 4.2  Guide de préparation et administration de la céfuroxime

| Nom du médicament | Teneur | Reconstitution avec eau PPI/ Volume total | Concentration (mg/mL) | Dilution avec NaCl 0,9 % | Administration |
|---|---|---|---|---|---|
| Pour une administration **IM** : | | | | | |
| CÉFUROXIME | 750 mg | 3 mL | **A.** _____ | Aucune dilution | Administrer profondément dans une masse musculaire importante |
| Pour une administration **IV** : | | | | | |
| CÉFUROXIME | 750 mg | 8,3 mL | **B.** _____ | Diluer jusqu'à 10 mL | Administrer par IVD en 3 à 5 min |
| | 1,5 g | 16 mL | **C.** _____ | Diluer jusqu'à 20 mL | |

Source : https://globalrph.com/dilution/cefuroxime/

D  **4.21** Vous êtes infirmière dans une unité de soins en hémato-oncologie. Vous devez administrer une dose de mofétil mycophénolate un immunosuppresseur, 1 g en perfusion IV lente. Selon la monographie du produit, ce produit ne contient pas d'agent de conservation antibactérien. La reconstitution et la dilution du produit nécessitent des conditions aseptiques, ce qui signifie qu'il est reconstitué par le pharmacien sous une hotte biologique afin d'éviter d'introduire des microorganismes dans la préparation.

Ce médicament doit être préparé en deux étapes :

- la première est de reconstituer 500 mg de poudre lyophilisée avec 14 mL d'une solution de glucose 5 % pour perfusion ;
- la seconde est de diluer 1 g de solution reconstituée avec 140 mL de glucose 5 % pour perfusion.

Calculez en milligrammes par millilitres (mg/mL) la concentration obtenue après dilution pour une dose de 1 g.

Calculs :

Tableau 4.3  **Guide de préparation et administration IV du mofétyl mycophénolate**

| Nom du médicament | Teneur | Reconstitution* avec D 5 %/ Volume total | Concentration (mg/mL) | Dilution avec glucose 5 % | Administration par voie intraveineuse |
|---|---|---|---|---|---|
| Mofétil mycophénolate | 500 mg | 14 mL : VT 15 mL | 33,3$\overline{3}$ mg/mL | 1 g dans 140 mL 1,5 g dans 210 mL | perfusion IV lente : ≥ 2 h |

\* Mélanger délicatement et vérifier que la solution obtenue ne présente pas de particules en suspension ou de décoloration avant dilution ultérieure. Éliminer le flacon s'il y a présence de particules ou de décoloration.

D | **4.22** M. Fabien Chartrand est hospitalisé à l'unité de cardiologie. Vous devez administrer une dose d'héparine IV, 80 unités/kg pour commencer un traitement d'anticoagulation. Le poids de M. Chartrand est de 209 livres. L'ordonnance indique que la personne peut recevoir une dose maximale de 8000 unités en bolus par voie intraveineuse.

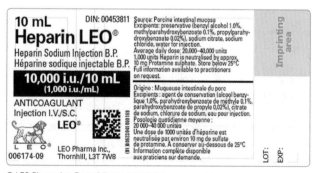

© LEO Pharma Inc. Reproduit avec permission.

**A.** Calculez la dose (unités) d'héparine nécessaire selon le poids de la personne.

**B.** Calculez la quantité à prélever dans la fiole, pour respecter la dose prescrite. Servez-vous de l'étiquette d'Héparine LEO.

**C.** Cette dose est-elle sécuritaire? Justifiez.

_____

_____

_____

**Ressources en ligne**
Vous éprouvez des difficultés avec l'objectif 4.12? Rendez-vous en ligne pour vous exercer davantage.

**OBJECTIF 4.13** | Calculer la dose à administrer après la reconstitution de la préparation injectable

[M] **4.23** Natalia Petski doit recevoir un antibiotique pour traiter une infection, la céfazoline 750 mg par voie intramusculaire. En vous servant des informations sur l'étiquette, répondez aux questions suivantes.

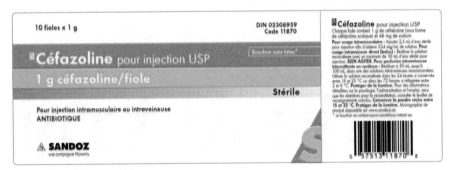

© Sandoz. Reproduit avec permission.

**A.** Quel type de solvant devez-vous utiliser pour administrer la dose par voie intramusculaire?

_____

**B.** Quel est le volume de solvant nécessaire pour préparer la dose requise?

_____

**C.** Le volume total obtenu après la reconstitution de la fiole de 1 g est de 3 mL. Calculez le volume à prélever en utilisant la concentration obtenue pour préparer une dose de 750 mg.

---

M  **4.24** Nina Simoneau doit recevoir 750 mg d'ampicilline par voie IV, en perfusion intermittente toutes les 6 heures. Vous recevez une fiole d'ampicilline 1000 mg (poudre lyophilisée) de la pharmacie. Consultez le **tableau 4.4** et répondez aux questions suivantes.

**A.** Calculez la concentration de chacune des solutions après avoir effectué la dilution avec la quantité de NaCl 0,9 % requise et complétez le tableau pour y inscrire la concentration en milligrammes par millilitre (mg/mL).

**B.** Choisissez la teneur appropriée et calculez le volume à administrer pour préparer la dose d'ampicilline prescrite en utilisant soit la méthode de la formule, soit la méthode du rapport-proportion.

**Tableau 4.4**  **Guide de préparation et administration de l'ampicilline**

| Nom du médicament | Teneur | Reconstitution* avec eau stérile PPI/Volume total | Concentration (mg/mL) | Dilution avec NaCl 0,9 % | Administration |
|---|---|---|---|---|---|
| Pour une administration IV par perfusion intermittente (PI) : | | | | | |
| AMPICILLINE | 0,5 g | 1,8 mL, VT: 2 mL | _____ | Ajouter 8 mL | PI (perfusion intermittente) en 30 minutes |
| | 1 g | 9,5 mL, VT: 10 mL | _____ | Ajouter 0 mL | |
| | 2 g | 8,8 mL, VT: 10 mL | _____ | Ajouter 10 mL | |

D **4.25** Calculez, selon la méthode de la formule, le volume de médicament requis pour préparer une dose exacte.

**A.** Vous préparez un antibiotique : ceftriaxone 250 mg pour administrer par voie IM. Vous ajoutez 2,4 mL d'eau stérile PPI à la fiole d'une teneur de 250 mg pour obtenir un volume total de 2,5 mL. Quel volume de ceftriaxone prélevez-vous ?

**B.** Le médecin prescrit un diurétique : furosémide 60 mg IV. La teneur du furosémide disponible est de 40 mg/mL. Quel volume devez-vous prélever de la fiole ?

**C.** L'ordonnance indique d'administrer un anti-arythmique : digoxine 750 mcg par IVD en dose d'attaque. La digoxine disponible est à 0,5 mg/2 mL. Avec une seringue de 10 mL, quel volume devez-vous prélever ? Par la suite, vous diluez en ajoutant 3 mL de NaCl 0,9 % et vous l'administrez à l'aide d'un miniperfuseur en perfusion intermittente.

**D.** Vous préparez un antibiotique : ceftriaxone 0,3 g IV. La concentration de la ceftriaxone dont vous disposez est de 100 mg/mL. Dans une seringue de 20 mL, quel volume devez-vous prélever avant de diluer avec une solution de NaCl 0,9 % jusqu'à 20 mL ?

**E.** Le médecin prescrit un analgésique opioïde : hydromorphone 1,5 mg par voie SC. Dans l'armoire à narcotique, vous disposez de fioles d'hydromorphone 2 mg/mL. Quel volume devez-vous prélever ?

D | **4.26** Calculez la quantité de médicament requise pour préparer une dose exacte.

**A.** Vous recevez une ordonnance pour administrer une hormone thyroïdienne : lévothyroxine 150 mcg IM DIE. Après reconstitution, la fiole contient 0,5 mg /10 mL. Quelle quantité devez-vous prélever ?

**B.** Sur la FADM, il est indiqué que vous devez administrer un antibiotique : céfazoline 250 mg IV q 8 h. Vous reconstituez la poudre avec 2,5 mL de solvant. Après reconstitution, la concentration de la fiole est 225 mg/mL. Quel volume devez-vous prélever ?

**C.** L'ordonnance indique : ampicilline (Ampicin) 250 mg IM, un antibiotique à administrer q 12 h. Vous reconstituez la fiole d'une teneur de 0,5 g en ajoutant 1,9 mL d'eau stérile PPI, pour obtenir un volume total de 2 mL. Quel volume devez-vous prélever ?

**D.** Vous devez préparer un antibiotique : ceftriaxone 250 mg par voie IM STAT. Après reconstitution, le flacon d'une teneur de 0,5 g contient 225 mg/mL. Quel volume devez-vous prélever ?

**E.** La FADM indique que vous devez administrer 4 mg de Valium (diazépam) IV STAT par IVD lentement en une minute. Le diazépam disponible est à 5 mg/mL. Quel volume devez-vous prélever ?

**F.** Vous devez administrer un antiémétique : métoclopramide 0,02 g IV BID par IVD pour soulager la nausée. La concentration du métoclopramide disponible est de 5 mg/mL. Quel volume devez-vous prélever ?

M **4.27** Calculez selon la méthode du rapport-proportion le volume d'antibiotique requis pour préparer une dose exacte.

**A.** Ampicilline (Novo-Ampicillin) 350 mg à administrer par voie IM STAT. Après reconstitution avec 3,5 mL d'eau stérile, la fiole contient 0,5 g/mL. Quel volume devez-vous prélever ?

**B.** Céfotaxime (Claforan) 0,5 g IV q 12 h. Vous devez reconstituer la fiole de poudre lyophilisée avec 2,4 mL d'eau stérile PPI. Après reconstitution, la fiole contient 230 mg/mL. Quel volume devez-vous prélever ?

**C.** Ceftriaxone (Rocephin) 500 mg IM q 12 h. La concentration de la solution reconstituée est de 250 mg/mL. Quel volume devez-vous prélever ?

**D.** Céfépime (Maxipime) 1 g IV q 12 h. La poudre a été reconstituée selon les directives et la concentration est de 400 mg/mL. Quel volume devez-vous prélever ?

**E.** Ceftazidime (Fortaz) 1 g IV q 8 h. Pour reconstituer, vous ajouter 9,6 mL d'eau stérile PPI à la fiole de 1 g et vous obtenez un volume total de 10 mL. Quel volume devez-vous prélever?

**Ressources en ligne**
Vous éprouvez des difficultés avec l'objectif 4.13? Rendez-vous en ligne pour vous exercer davantage.

# Administration de l'insuline par voie sous-cutanée

**OBJECTIF 4.15**  Distinguer les catégories d'insulines

M **4.28** Plusieurs personnes diabétiques de type 2 utilisent un stylo à insuline et des cartouches d'insulines prémélangées. Dans les unités de soins, les insulines sont habituellement administrées de façon séparée. Faites la conversion des insulines prémélangées en insulines classiques de façon à pouvoir les administrer à la personne hospitalisée.

| Types d'insulines et quantités | Insuline prandiale | Insuline basale |
|---|---|---|
| Insuline Humulin 30/70 : 50 unités | | |
| Insuline Novolin ge 40/60 : 35 unités | | |
| Insuline Novolin 50/50 : 66 unités | | |

**4.29** Vous devez administrer 32 unités d'insuline à action intermédiaire à Milan Dontigny.

**A.** Quel produit choisirez-vous? Indiquez le produit choisi et expliquez votre réponse.

**a.**

5×3 mL                DIN 02024284        **100 UI/mL**
**Novolin®ge Toronto**                           **R**
Penfill®
Insuline injectable,
biosynthétique humaine (Régulière), ADNr
100 UI/mL              Administration par voie sous-cutanée
**Une cartouche Penfill® ne doit pas être utilisée par plus d'une
personne.** Pour utilisation avec les dispositifs d'injection d'insuline
Novo Nordisk.
**Ne pas congeler. Réfrigérer entre 2 et 10 °C.**
Garder la cartouche dans le contenant de carton afin de protéger le
produit de la lumière.
**Garder hors de la portée et de la vue des enfants.**
Dose et mode d'emploi : lire le feuillet joint.
**Pendant l'utilisation :** utiliser dans un délai de 4 semaines; ne pas
conserver au réfrigérateur ou à plus de 30 °C.
1 mL de solution contient 100 UI (3,5 mg) d'insuline
humaine (ADNr). Agent de conservation : 0,3 % de
métacrésol.
HUMAINE                                          novo nordisk®

© Novo Nordisk. Reproduit avec permission.

**b.**

10 mL   DIN 02024225    **100 IU/mL**
**Novolin®ge NPH**
100 IU/mL
Insulin Isophane,
Human Biosynthetic, s.c.
Insuline isophane,
biosynthétique humaine, s.c.   0 59014
                               00611 9
**Shake carefully. Do not freeze.**
Directions for use: See leaflet.
**Agiter avec soin.**
**Ne pas congeler.**
Mode d'emploi : Voir feuillet.
HUMAN/HUMAINE

Mfr. by / Fabr. par :
Novo Nordisk Canada Inc.
Mississauga, ON, Canada, L5N 6M1

Exp./
Lot.:

Justification :

........................................................................................................................................................

........................................................................................................................................................

........................................................................................................................................................

................................................................................................................................................

**B.** Tracez un trait sur la seringue appropriée pour indiquer la quantité requise.

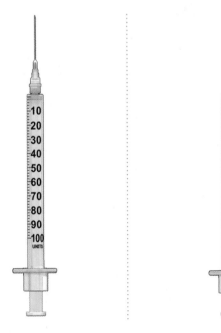

**4.30** Vous devez administrer 7 unités d'insuline à action rapide à Léa Martineau.

**A.** Quel produit choisiriez-vous ? Indiquez le produit choisi et expliquez votre réponse.

a.

5×3 mL          DIN 02271842

**Levemir®**

**Penfill®**

insuline détémir, solution pour injection

**Avant l'ouverture : Ne pas congeler. Conserver entre 2 °C et 8 °C.
Les cartouches Levemir® Penfill® doivent être gardées dans leur
boîte afin de protéger l'insuline de la lumière.
Pendant l'utilisation : Ne pas réfrigérer. Conserver à une
température en dessous de 30 °C. Ne pas congeler.
Dose et mode d'emploi :**
Lire le feuillet ci-joint.
**Une cartouche Penfill® ne doit pas être utilisée par plus
d'une personne.**

1,80 mg/mL de phénol et 2,06 mg/mL de
métacrésol comme agents de conservation.
Garder hors de la portée des enfants.

**100 U/mL**

novo nordisk®

© Novo Nordisk. Reproduit avec permission.

b.

Exp./Lot:

**NovoRapid®**

Insulin aspart,
Solution for injection s.c.
Insuline asparte,
Solution pour injection s.c.

**10 mL  100 U/mL**

DIN 02245397

**Do not freeze.**
See leaflet.
**Ne pas congeler.**
Voir feuillet.

0 59014
00606 5

Distributed by / Distribué par :
Novo Nordisk Canada Inc.
Mississauga, ON, L5N 6M1

Justification : _____

_____

_____

_____

**B.** Tracez un trait sur la seringue pour indiquer la quantité requise.

**Ressources en ligne**
Vous éprouvez des difficultés avec l'objectif 4.15 ? Rendez-vous en ligne pour vous exercer davantage.

F **4.31** En vous référant à l'ordonnance d'insuline SC émise pour Estefan Rodriguez (**figure 4.4**), indiquez le type et la quantité d'insuline à administrer, en tenant compte des résultats de glycémie capillaire suivants.

**Figure 4.4** Ordonnance d'insuline SC de Estefan Rodriguez.

| ORDONNANCES D'INSULINE SC | NOM, prénom : RODRIGUEZ, Estefan<br>DATE DE NAISSANCE : 1957-08-23<br>DOSSIER : 389201<br>CHAMBRE : 512 |
|---|---|

**N.B.** CES ORDONNANCES ANNULENT TOUTES LES AUTRES ORDONNANCES ANTÉRIEURES D'INSULINE (SAUF SI DOSE STAT SEULEMENT)

FRÉQUENCE DES GLYCÉMIES CAPILLAIRES : **QID** OU _____

DOSES D'INSULINE **SC** RÉGULIÈRES (Notes aux médecins : si insulines prémélangées à domicile, il faut les convertir en insulines séparées) :

| | Déjeuner | Dîner | Souper | Coucher | Commentaires ou doses STAT |
|---|---|---|---|---|---|
| ☑ **Novolin**MD **ge NPH** | | | | | |
| ☐ **Lantus**MD (insuline glargine)<br>(ne pas mélanger avec autres insulines) | 22 | | 16 | | |
| ☐ **Levemir**MD (insuline détémir)<br>(ne pas mélanger avec autres insulines) | | | | | |
| ☐ **NovoRapid**MD (insuline aspart)<br>  ☐ immédiatement avant le repas<br>  ☐ à la fin du repas<br>  ☐ ½ dose si l'usager mange de 25 % à 50 % du plateau-repas<br>    d'une diète solide et omettre la dose s'il mange < 25 %<br>☑ **Novolin**MD **ge Toronto** (15-30 minutes avant le repas) | 8 | | 4 | | |
| ☐ **Autre :** | | | | | |

DOSES D'INSULINE **SC.** SELON ALGORITHME (donner la dose selon l'algorithme avant le repas même si usager à jeun) :

| **Type d'insuline**<br>Suggérons d'utiliser le même type type d'insuline que pour les doses régulières préprandiales<br>☐ **NovoRapid**MD       ☑ **Novolin**MD **ge Toronto**<br>☐ **Autre :** _____ | **Fréquence des administrations d'insuline selon l'algorithme**<br>☑ **QID (TID ac + HS ½ dose)**       ☐ **TID ac**<br>☐ **Autre :** _____       ☐ Cesser/aucune insuline<br>                                        selon algorithme |
|---|---|

| Valeurs glycémiques (mmol/L) | Algorithme des doses d'insuline en unités<br>(voir verso pour suggestions s'adressant aux médecins) | | | |
|---|---|---|---|---|
| | ☐ **1 (faible dose)**<br>Suggéré si usager < 50 kg ou insulines régulières < 30 unités/jour | ☑ **2 (dose modérée)**<br>Suggéré pour la majorité des usagers | ☐ **3 (haute dose)**<br>Suggéré si usager > 100 kg ou insulines régulières > 80 unités/jour ou prise de stéroïdes à hautes doses | ☐ **Individualisé** |
| < 6,0 | 0 | **0** | 0 | |
| 6,1-8,0 | 0 | **0** | 0 | |
| 8,1-10,0 | 0 | **0** | + 4 | |
| 10,1-13,0 | + 2 | **+ 4** | + 8 | |
| 13,1-16,0 | + 3 (½ dose HS = + 1) | **+ 6** | + 10 | |
| 16,1-19,0 | + 4 | **+ 8** | + 12 | |
| > 19,0 | + 5 (½ dose HS = + 2) | **+ 10** | + 14 | |

**Aviser l'équipe médicale qui a prescrit l'insuline avant la prochaine dose d'insuline ou d'antidiabétiques oraux si glycémie :**
                        < 3 mmol/L à 1 reprise **ou**
                        entre 3 mmol/L et 4 mmol/L ou > 19 mmol/L à 2 reprises au cours des dernières 24 heures **ou**
                        si : _____
**Si glycémie < 4 mmol/L :** se référer au protocole # 6 (ou # 6A si restriction liquidienne ou dialyse)

Date : *2019/09/21*       Heure : *15 h 35*       Signature du médecin : *D' Lucien Thomas*       N° de permis : *987654*

**A.** 8,3 mmol/L à 8 h 10 : _____

_____

**B.** 11,7 mmol/L à 11 h 50 : _____

_____

**C.** 6,9 mmol/L à 16 h 55 : _____

_____

**D.** 15,4 mmol/L à 21 h 35 : _____

_____

F **4.32** Sur l'ordonnance de M. Rodriguez, dans : *Doses d'insuline SC régulières*, il est indiqué de ne pas mélanger l'insuline Levemir avec d'autres insulines. Expliquez-en la raison.

_____

_____

_____

_____

M **4.33** Adrienne Mélançon est atteinte de diabète de type 2 depuis plusieurs années. Elle est hospitalisée pour le traitement d'une plaie au talon gauche. L'ordonnance d'insuline SC est reproduite à la **figure 4.5**. Il est 7 h 30, et le résultat de la glycémie est de 12,3 mmol/L.

**A.** Le repas du déjeuner est servi vers 8 h 10, à quelle heure devez-vous administrer l'injection d'insuline? _____

**B.** Déterminez le nombre total d'unités d'insuline à administrer.

_____

_____

_____

Figure 4.5 Ordonnance d'insuline d'Adrienne Mélançon.

| ORDONNANCES D'INSULINE SC | NOM, prénom : MÉLANÇON, Adrienne |
|---|---|
| | DATE DE NAISSANCE : 1998-01-03 |
| | DOSSIER : 927465 |
| | CHAMBRE : 213 |

**N.B.** CES ORDONNANCES ANNULENT TOUTES LES AUTRES ORDONNANCES ANTÉRIEURES D'INSULINE (SAUF SI DOSE STAT SEULEMENT)

FRÉQUENCE DES GLYCÉMIES CAPILLAIRES : **QID** ou _____

DOSES D'INSULINE SC RÉGULIÈRES (Notes aux médecins : si insulines prémélangées à domicile, il faut les convertir en insulines séparées) :

| | Déjeuner | Dîner | Souper | Coucher | Commentaires ou doses STAT |
|---|---|---|---|---|---|
| ☑ Novolin^MD ge NPH | 34 | | 12 | | |
| ☐ Lantus^MD (insuline glargine) (ne pas mélanger avec autres insulines) | | | | | |
| ☐ Levemir^MD (insuline détémir) (ne pas mélanger avec autres insulines) | | | | | |
| ☐ NovoRapid^MD (insuline aspart) ☐ immédiatement avant le repas ☐ à la fin du repas ☐ ½ dose si l'usager mange de 25 % à 50 % du plateau-repas d'une diète solide et omettre la dose s'il mange < 25 % | | | | | |
| ☑ Novolin^MD ge Toronto (15-30 minutes avant le repas) | 18 | | 7 | | |
| ☐ Autre : | | | | | |

DOSES D'INSULINE SC SELON ALGORITHME (donner la dose selon l'algorithme avant le repas même si usager à jeun) :

| Type d'insuline | Fréquence des administrations d'insuline selon l'algorithme |
|---|---|
| Suggérons d'utiliser le même type d'insuline que pour les doses régulières préprandiales | ☑ QID (TID ac + HS ½ dose)   ☐ TID ac |
| ☐ NovoRapid^MD         ☑ Novolin^MD ge Toronto | ☐ Autre : _____   ☐ Cesser/aucune insuline selon algorithme |
| ☐ Autre : _____ | |

| Valeurs glycémiques (mmol/L) | Algorithme des doses d'insuline en unités (voir verso pour suggestions s'adressant aux médecins) | | | |
|---|---|---|---|---|
| | ☐ 1 (faible dose) Suggéré si usager < 50 kg ou insulines régulières < 30 unités/jour | ☑ 2 (dose modérée) Suggéré pour la majorité des usagers | ☐ 3 (haute dose) Suggéré si usager > 100 kg ou insulines régulières > 80 unités/jour ou prise de stéroïdes à hautes doses | ☐ Individualisé |
| < 6,0 | 0 | 0 | 0 | |
| 6,1-8,0 | 0 | 0 | 0 | |
| 8,1-10,0 | 0 | 0 | + 4 | |
| 10,1-13,0 | + 2 | + 4 | + 8 | |
| 13,1-16,0 | + 3 (½ dose HS = + 1) | + 6 | + 10 | |
| 16,1-19,0 | + 4 | + 8 | + 12 | |
| > 19,0 | + 5 (½ dose HS = + 2) | + 10 | + 14 | |

**Aviser l'équipe médicale qui a prescrit l'insuline avant la prochaine dose d'insuline ou d'antidiabétiques oraux si glycémie :**
< 3 mmol/L à 1 reprise **ou**
entre 3 mmol/L et 4 mmol ou > 19 mmol/L à 2 reprises au cours des dernières 24 heures **ou**
si : _____

**Si glycémie < 4 mmol/L :** se référer au protocole # 6 (ou # 6A si restriction liquidienne ou dialyse)

Date : *2019/03/29*     Heure : *15 h 02*     Signature du médecin : *Dr Louis Bédard*     N° de permis : *861219*

**C.** Choisissez la seringue appropriée pour administrer le nombre total d'unités inscrit au numéro **B**.

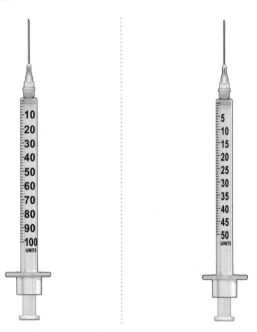

**D.** Colorez en rouge la quantité d'insuline rapide à prélever et colorez en bleu la quantité d'insuline intermédiaire à prélever.

**E.** Si le résultat de la glycémie est de 16,4 mmol/L à 11 h 20, quelle(s) insuline(s) et combien d'unités devrez-vous administrer à Adrienne Mélançon?

_____

_____

**F.** Le résultat de la glycémie capillaire à 16 h 50 est de 18,7 mmol/L. Selon l'algorithme, quelle quantité d'insuline Novolin ge Toronto devriez-vous ajouter à la dose du souper? Justifiez votre réponse.

_____

_____

_____

**M** **4.34** En vous référant à l'ordonnance d'insuline d'Adrienne Mélançon, indiquez la quantité d'insuline à administrer en tenant compte de l'heure et des résultats de la glycémie capillaire.

| | Insuline prandiale | Insuline selon algorithme | Insuline basale | Quantité totale d'insuline |
|---|---|---|---|---|
| **A.** 7 h 35 : glycémie de 17,2 mmol/L | | | | |
| **B.** 12 h 15 : glycémie de 15,4 mmol/L | | | | |
| **C.** 16 h 45 : glycémie de 8,2 mmol/L | | | | |
| **D.** 21 h 10 : glycémie de 10,1 mmol/L | | | | |

**Ressources en ligne**
Vous éprouvez des difficultés avec l'objectif 4.17 ? Rendez-vous en ligne pour vous exercer davantage.

# Maîtriser les situations cliniques

Associez la bonne étiquette de médicament à chacun des exercices 4.35 à 4.39 et calculez la quantité de médicament à administrer pour respecter la dose prescrite. Calculez le volume requis pour préparer la bonne dose et tracez un trait sur la seringue appropriée pour indiquer le volume requis.

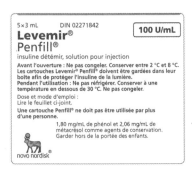

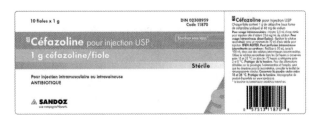

© Novo Nordisk. Reproduit avec permission.
© Sandoz. Reproduit avec permission.
© Sanofi Aventis. Reproduit avec permission.

F **4.35** Jérome Daoust, 82 ans, hospitalisé pour un diabète déséquilibré, doit recevoir l'ordonnance suivante : 52 unités d'insuline Levemir SC HS.

**Nom générique :**

_____

F **4.36** Bernadine Ladouceur, 75 ans, présente de l'anémie chronique. Vous êtes infirmière en visite à son domicile et vous devez administrer cette ordonnance : vitamine $B_{12}$, 0,75 mg IM une fois semaine, le mercredi.

**Nom générique :**

_____

**4.37** Éloi Bujold, 52 ans, doit recevoir une prémédication 1 heure avant l'intervention chirurgicale prévue. Vous devez préparer cet antiémétique: méthotriméprazine 20 mg IM.

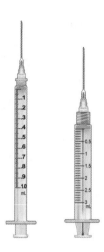

**Nom commercial:**

_____

**4.38** Chloé Labadi, 45 ans, s'est fracturé le coude droit à la suite d'une chute sur la glace. Au moment de l'évaluation clinique, elle présente une douleur à 9/10. Vous vérifiez la FADM et constatez que vous pouvez préparer et administrer un analgésique opioïde pour soulager la douleur modérée à sévère: morphine 7,5 mg SC.

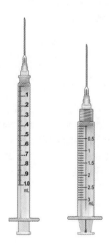

**Nom générique:**

_____

F **4.39** Nathan Painchaud, 22 ans, doit recevoir une dose d'antibiotique par voie IM pour traiter une infection. Vous préparez un antibiotique : céfazoline 250 mg en suivant les directives de reconstitution sur l'étiquette.

**Nom générique :**

---

**Situation clinique**

M^me Marion Cloutier est hospitalisée pour une cholécystite. Elle présente des nausées et des vomissements depuis 3 jours, une douleur abdominale au quadrant supérieur droit (QSD) irradiant vers le dos et l'épaule droite. Elle évalue sa douleur à 9 (sur une échelle de 0 à 10). Les signes vitaux sont les suivants :

- T : 37,9 °C ;
- PA : 148/94 ;
- pouls : régulier, mais filant, 106 BPM ; et
- fréquence respiratoire : 22 par minute, régulière et superficielle.

La dame a des antécédents d'hypertension artérielle (HTA), d'hyperlipidémie (HLP) et de diabète de type 2, son IMC est de 34. Une endocholécystectomie par laparoscopie est prévue demain. On lui a installé un dispositif d'accès veineux périphérique intermittent à l'avant-bras gauche et une perfusion de D 5 % 0,45S (1000 mL) + KCl 20mmol/L s'écoule à 60 mL/h. Voici sa FADM (**figure 4.6**).

**Figure 4.6** FADM de Marion Cloutier.

**FADM**

NOM: CLOUTIER, Marion
DOSSIER: 593758
CHAMBRE: 514 lit 3
DATE DE NAISSANCE: 1951-02-24
DATE D'ADMISSION: 2019-09-06
**FADM valide du 2019-09-10 à 00 h 00 au 2019-09-10 à 23 h 59**

Poids: 108 kg    SC:
Taille: 177,8 cm    Clcr: 0,75 mL/sec

Allergies: Pénicilline
Intolérances:

| Médicaments | Nuit (00 h 00-07 h 59) Heure | Nuit Initiales | Jour (8 h 00-15 h 59) Heure | Jour Initiales | Soir (16 h 00-23 h 59) Heure | Soir Initiales | Validité |
|---|---|---|---|---|---|---|---|
| **CÉFOTAXIME 1 g sol. inj. 100 mg/mL**   IV<br>Claforan    antibiotique<br><u>1 g q 8 h</u><br>diluer 1 g avec 9,6 mL d'eau stérile PPI, VT:<br>10 mL et administrer en 3-5 min en IVD | 6 h 00 | | 14 h 00 | | 22 h 00 | | 2019-09-07<br>00 h 00<br><br>2019-11-07<br>23 h 59 |
| **METFORMINE 850 mg/co**   PO<br>Glucophage    antihyperglycémiant<br><br><u>1 comprimé(s) = 850 mg</u><br>**3 fois par jour**<br>Avec les repas | | | 08 h 00<br><br>12 h 00 | | 18 h 00 | | 2019-09-07<br>00 h 00<br><br>2019-11-07<br>23 h 59 |
| **INSULINE ASPART 100 unités/mL sol. inj.**<br>**10 mL**   SC<br>Novorapid    insuline asparte<br>**Selon résultat de glycémie**<br>**Au déjeuner, dîner et souper**   HR<br>Administrer juste avant le repas | | | 08 h 00<br><br>12 h 00 | | 18 h 00 | | 2019-09-07<br>00 h 00<br><br>2019-11-07<br>23 h 59 |
| **MORPHINE 10 mg/mL sol. inj. 1 mL**   SC<br>morphine    analgésique opioïde<br><u>7 mg</u> aux 4 heures, si douleur   HR | PRN<br>~~01 h 10~~   MD | | PRN | | PRN | | 2019-09-07<br>00 h 00<br><br>2019-11-07<br>23 h 59 |
| **ROSUVASTATINE 20 mg/co.**   PO<br>Crestor    hypolipémiant<br><u>1 comprimé(s) = 20 mg</u><br>**1 fois par jour** | | | | | 22 h 00 | | 2019-09-07<br>00 h 00<br><br>2019-11-07<br>23 h 59 |
| **D 5 % NaCl 0,45 % + KCl 20 mmol (1000 mL)**<br><br>**débit: 60 mL/heure** | ~~en cours~~   MD | | | | | | 2019-09-07<br>00 h 00<br><br>2019-11-07<br>23 h 59 |

| N | | J | S | |
|---|---|---|---|---|
| *Meagan Duclos inf.* | MD | | | |
| | | | | |
| | | | | |
| Profil vérifié et conforme | MD | | | |

| ◯ Non donné (justifier) | A Personne absente | V Vomissement | J À jeun Voir note d'obs. | AA Auto-administration | NS Non servi |
|---|---|---|---|---|---|
| ╱ Rx administré | N Nausée | R Refuse | M* Manquant et note d'obs. requise | CT Congé temporaire | ∅ Aucune unité d'insuline |

F **4.40** Il est 5 h 45. Consultez la FADM de Marion Cloutier (**figure 4.6).**

**A.** Vous devez préparer l'antibiotique prévu sur la FADM. Vérifiez la présence de toutes les informations nécessaires permettant d'établir que la FADM est conforme. Indiquez les données nécessaires (6) et vérifiez les données pertinentes.

_____     _____

_____     _____

_____     _____

**B.** Selon la FADM, quel type de solvant et quel volume devez-vous utiliser pour reconstituer la solution?

_____

_____

**C.** Quel volume en millilitres (mL) faudra-t-il pour administrer la dose requise?

_____

_____

**D.** De quelle façon ce médicament doit-il être administré?

_____

_____

M **4.41** Au moment où vous administrez l'antibiotique prescrit (6 h 00), M$^{me}$ Cloutier se plaint d'une douleur à 7/10 au niveau abdominal, au quadrant supérieur droit (QSD). Que pouvez-vous administrer pour soulager la douleur? Justifiez votre réponse et calculez le volume nécessaire pour préparer la dose requise en utilisant la méthode de la formule.

**A.** Justification: _____          **Calculs:**

_____

_____

_____

_____

_____

**B.** Tracez un trait sur la seringue appropriée pour indiquer le volume requis.

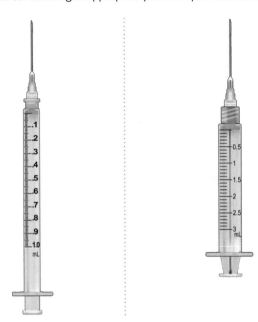

**C.** Expliquez la signification des lettres **HR** dans la case de la morphine et de l'insuline et ce que cela implique dans la pratique des soins infirmiers.

_____

_____

_____

_____

_____

_____

M **4.42** Au 2e jour de son hospitalisation à l'unité de soins chirurgicaux, Mme Cloutier a été opérée pour une endocholécystectomie. Elle reprend progressivement son alimentation. À 8 h 05, vous avez mesuré la glycémie capillaire et obtenu un résultat de 7,9 mmol/L. Elle n'a pas encore déjeuné. Référez-vous à la **figure 4.7** illustrant la dernière ordonnance d'insuline valable au dossier clinique pour déterminer la dose à préparer.

**Figure 4.7** Ordonnance d'insuline de Marion Cloutier.

| | | | | | |
|---|---|---|---|---|---|
| **ORDONNANCES D'INSULINE SC** | **NOM, prénom:** CLOUTIER, Marion <br> **DATE DE NAISSANCE:** 1929-05-11 <br> **DOSSIER:** 793400 <br> **CHAMBRE:** 456 lit 1 | | | | |

**N.B. CES ORDONNANCES ANNULENT TOUTES LES AUTRES ORDONNANCES ANTÉRIEURES D'INSULINE (SAUF SI DOSE STAT SEULEMENT)**

**FRÉQUENCE DES GLYCÉMIES CAPILLAIRES: QID** OU _____

**DOSES D'INSULINE SC RÉGULIÈRES** (Notes aux médecins: si insulines prémélangées à domicile, il faut les convertir en insulines séparées):

| | Déjeuner | Dîner | Souper | Coucher | Commentaires ou doses STAT |
|---|---|---|---|---|---|
| ☐ **Novolin**MD **ge NPH** | | | | | |
| ☐ **Lantus**MD (insuline glargine) <br> (ne pas mélanger avec autres insulines) | | | | | |
| ☑ **Levemir**MD (insuline détémir) <br> (ne pas mélanger avec autres insulines) | | | | 52 | |
| ☑ **NovoRapid**MD (insuline aspart) <br> ☐ immédiatement avant le repas <br> ☐ à la fin du repas <br> ☑ ½ dose si l'usager mange de 25 % à 50 % du plateau-repas <br> d'une diète solide et omettre la dose s'il mange < 25 % | 14 | 18 | 16 | | |
| ☐ **Novolin**MD **ge Toronto** (15-30 minutes avant le repas) | | | | | |
| ☐ **Autre:** | | | | | |

**DOSES D'INSULINE SC SELON ALGORITHME** (donner la dose selon l'algorithme avant le repas même si usager à jeun):

| **Type d'insuline** | **Fréquence des administrations d'insulines selon l'algorithme** |
|---|---|
| Suggérons d'utiliser le même type d'insuline que pour les doses régulières préprandiales <br> ☑ **NovoRapid**MD ☐ **Novolin**MD **ge Toronto** <br> ☐ **Autre:** _____ | ☑ **QID (TID ac + HS ½ dose)** ☐ **TID ac** <br> ☐ **Autre:** _____ ☐ Cesser/aucune insuline <br> selon algorithme |

| Valeurs glycémiques (mmol/L) | Algorithme des doses d'insuline en unités (voir verso pour suggestions s'adressant aux médecins) | | | |
|---|---|---|---|---|
| | ☐ 1 (faible dose) <br> Suggéré si usager < 50 kg ou insulines régulières < 30 unités/jour | ☑ 2 (dose modérée) <br> Suggéré pour la majorité des usagers | ☐ 3 (haute dose) <br> Suggéré si usager > 100 kg ou insulines régulières > 80 unités/jour ou prise de stéroïdes à hautes doses | ☐ Individualisé |
| < 6,0 | 0 | 0 | 0 | |
| 6,1-8,0 | 0 | 0 | 0 | |
| 8,1-10,0 | 0 | 0 | + 4 | |
| 10,1-13,0 | + 2 | + 4 | + 8 | |
| 13,1-16,0 | + 3 (½ dose HS = + 1) | + 6 | + 10 | |
| 16,1-19,0 | + 4 | + 8 | + 12 | |
| > 19,0 | + 5 (½ dose HS = + 2) | + 10 | + 14 | |

Aviser l'équipe médicale qui a prescrit l'insuline avant la prochaine dose d'insuline ou d'antidiabétiques oraux si glycémie:
< 3 mmol/L à 1 reprise **ou**
entre 3 mmol/L et 4 mmol/L ou > 19 mmol/L à 2 reprises au cours des dernières 24 heures **ou**
si: _____

**Si glycémie < 4 mmol/L:** se référer au protocole # 6 (ou # 6A si restriction liquidienne ou dialyse)

Date: *2019/10/14* Heure: *6 h 05* Signature du médecin: *Dr Ovidio Diaz* No de permis: *793481*

À quel moment allez-vous lui donner son insuline et quelle sera la dose à administrer ?

---

À 21 h 30, vous avez mesuré la glycémie capillaire et noté un résultat de 11,1 mmol/L. Vous consultez la FADM et préparez les médicaments de 22 h 00 : rosuvastatine, un hypolipémiant administré comme traitement d'appoint de l'hypercholestérolémie et la dose de céfotaxime (antibiotique) IV prévue. Vous vérifiez l'ordonnance d'insuline ; indiquez le type d'insuline et le nombre d'unités que vous devez préparer.

---

D | **4.43** Tanya Bothelo doit recevoir une dose d'ampicilline pour traiter une septicémie. Le médecin traitant a prescrit 1,5 g IV q 4 h. L'ampicilline doit être administrée en IVD lente, en 15 minutes. La pharmacie a fourni une fiole d'une teneur de 1000 mg et une fiole d'une teneur de 2000 mg.

**A.** En vous servant du **tableau 4.5**, calculez le volume à prélever pour administrer la dose requise.

**B.** Calculez la dose totale en milligrammes reçue par M^me Bothelo en une journée.

---

**Tableau 4.5** Guide de préparation et administration de l'ampicilline par voie IV

| Nom du médicament (DCI) | Teneur | Reconstitution/ Volume total avec eau stérile PPI | Concentration (mg/mL) après reconstitution | Dilution avec NaCl 0,9 % complété à : | Administration |
|---|---|---|---|---|---|
| Pour une administration IVD : | | | | | |
| AMPICILLINE | 0,25 g | 1,8 mL/VT : 2 mL | 125 mg/mL | 5 mL | IVD : lente 3 à 5 min |
| | 0,5 g | 1,8 mL/VT : 2 mL | 250 mg/mL | 10 mL | |
| | 1 g | 7,4 mL/VT : 8 mL | 125 mg/mL | 10 mL | IVD : lente 15 min |
| | 2 g | 10 mL/VT : 11 mL | 182 mg/mL | 20 mL | |
| Pour une administration IV par perfusion intermittente (PI) : | | | | | |
| AMPICILLINE | 0,25 g | 5 mL, VT : 5 mL | 50 mg/mL | 10 mL | PI (perfusion intermittente) en 30 minutes |
| | 0,5 g | 3,8 mL, VT : 4 mL | 125 mg/mL | 10 mL | |
| | 1 g | 7,4 mL, VT : 8 mL | 125 mg/mL | 10 mL | |
| | 2 g | 10 mL, VT : 11 mL | 182 mg/mL | 20 mL | |

Source : Teva Canada Limitée. Renseignements thérapeutiques. Ampicilline sodique pour injection. Décembre 2018.
Site : https://pdf.hres.ca/dpd_pm/00048946.PDF

D | **4.44** Vous recevez l'ordonnance suivante (**figure 4.8**) concernant Stefano Miele.

M. Stefano Miele est traité pour une cardiopathie. Il pèse 132 livres et doit recevoir une dose de daltéparine, un médicament anticoagulant antithrombotique. Vous êtes l'infirmier responsable des soins de M. Stefano. Vous avez reçu de la pharmacie le médicament demandé sous forme d'une seringue préparée par le fabricant de daltéparine (Fragmin) 7500 unités/0,3 mL. Appliquez la démarche en 5 étapes pour préparer une dose sécuritaire. Répondez aux questions suivantes pour illustrer votre démarche.

**A.** Étape 1 : Collecter les données

**B.** Étape 2 : Analyser les données

**C.** Étape 3 : Planifier la préparation

## Figure 4.8 Ordonnance de Stefano Miele.

| MÉDICAMENTS | NOM, prénom : MIELE, Stefano<br>DATE DE NAISSANCE : 1959-10-21<br>DOSSIER : 387648<br>CHAMBRE : 378 lit 4 |
|---|---|

| POIDS : _____ kg          132 lb | TAILLE : 170 cm          _____ po |
|---|---|

| ALLERGIE SUSPECTÉE : | ALLERGIE CONFIRMÉE : |
|---|---|

GROSSESSE : _____ / Semaines grossesse     ☐ Biberon          ☐ Allaitement maternel

| NOM | DOSE | VOIE | FRÉQUENCE | DURÉE | S. INF. |
|---|---|---|---|---|---|
| Daltéparine | 120 unités/kg | SC | q 12 | pour 6 jours puis cesser | |
| | | | | | |
| | | | | | |

| Date | Heure | Signature du médecin | Nº de permis |
|---|---|---|---|
| 2019-11-29 | 9 h 00 | Dr Charles Essiambre | 2009384 |

**D.** Étape 4 : Calculer la dose




**E.** Étape 5 : Vérifier le résultat obtenu

**Ressources en ligne**
Évaluez votre connaissance et votre maîtrise du contenu de ce chapitre grâce à des exercices supplémentaires de difficulté progressive. Cette révision de l'ensemble des notions est une excellente préparation à un examen.

| | Manuel | Cahier d'exercices |
|---|---|---|

**Matériel utilisé pour les perfusions intraveineuses** — 150

OBJECTIF 5.1 — Se familiariser avec les propriétés des solutions intraveineuses — 150

OBJECTIF 5.2 — Différencier les tubulures de perfusion — 154

OBJECTIF 5.3 — Se familiariser avec les dispositifs électroniques de perfusion — 157

**Calculs relatifs au débit des perfusions** — 159 — 124

OBJECTIF 5.4 — Calculer le débit de perfusion en millilitres par heure (mL/h) — 159 — 124

OBJECTIF 5.5 — Calculer le débit de perfusion en millilitres par heure (mL/h) lorsque la durée totale de perfusion est prescrite en minutes — 165 — 125

OBJECTIF 5.6 — Calculer le débit de perfusion en gouttes par minute (gtt/min) — 169 — 126

# La préparation des perfusions : notions préalables et calculs

# 5

| | Manuel | Cahier d'exercices |
|---|---|---|
| **Calculs relatifs à la durée des perfusions** | 173 | 129 |
| OBJECTIF 5.7 — Calculer la durée d'une perfusion en heures et minutes à partir d'un débit en millilitres par heure (mL/h) | 173 | 129 |
| **Calculs relatifs à l'administration des médicaments intraveineux en unités par kilogramme ou en unités par heure** | 177 | 132 |
| OBJECTIF 5.8 — Calculer la dose d'un médicament intraveineux prescrit en unités par kilogramme (unités/kg) | 177 | 132 |
| OBJECTIF 5.9 — Calculer le débit de perfusion de l'héparine en unités par heure (unités/h) | 182 | 133 |
| OBJECTIF 5.10 — Calculer le débit de perfusion de l'insuline en unités par heure (unités/h) | 185 | 135 |

Maîtriser les situations cliniques    p. 136

Certains objectifs sans portée pratique n'ont pas d'exercices correspondants ; ils ne figurent donc pas dans le cahier d'exercices.

# Atteindre les objectifs

## Calculs relatifs au débit des perfusions

| OBJECTIF 5.4 | Calculer le débit de perfusion en millilitres par heure (mL/h) |

F | **5.1** Calculez le débit de perfusion des solutions intraveineuses suivantes.

**A.** 500 mL de NaCl 0,9 % à perfuser en 4 h.  **Calculs :**

**B.** 1200 mL de lactate Ringer à perfuser en 6 h.  **Calculs :**

**C.** 240 mL d'un culot globulaire à perfuser en 3 h.  **Calculs :**

M | **5.2** Calculez le débit de perfusion des solutions intraveineuses suivantes.

**A.** 3 L de NaCl 0,9 % à perfuser en 24 h.  **Calculs :**

**B.** 2,4 L de D 5 % NaCl 0,45 % à perfuser en 24 h.  **Calculs :**

**C.** 0,5 L de D 5 % à perfuser en 1 h.     **Calculs :**

.................................................................................................

D  **5.3**  Calculez le débit de perfusion des solutions intraveineuses suivantes.

**A.** 2 L de NaCl 0,9 % à perfuser en 3 h.     **Calculs :**

.................................................................................................

**B.** 0,25 L de D 5 % à perfuser en 0,5 h.     **Calculs :**

.................................................................................................

**C.** 1 et $\dfrac{1}{2}$ L de NaCl 0,9 % à perfuser
en 2 h.

**Calculs :**

.................................................................................................

🌳 **Ressources en ligne**
Vous éprouvez des difficultés avec l'objectif 5.4 ? Rendez-vous en ligne pour vous exercer davantage.

**OBJECTIF 5.5**  Calculer le débit de perfusion en millilitres par heure (mL/h) lorsque la durée totale de perfusion est prescrite en minutes

F  **5.4**  Calculez le débit de perfusion des solutions intraveineuses suivantes.

**A.** 150 mL d'antifongique à perfuser
en 45 min.

**Calculs :**

.................................................................................................

**B.** 50 mL d'antiémétique à perfuser
en 30 min.

**Calculs :**

.................................................................................................

**C.** 100 mL d'antibiotique à perfuser en 30 min.

**Calculs :**

.................................................................................................

**D.** 250 mL d'antibiotique à perfuser en 60 min.

**Calculs :**

.................................................................................................

**E.** 20 mL d'antibiotique à perfuser en 30 min.

**Calculs :**

.................................................................................................

**Ressources en ligne**
Vous éprouvez des difficultés avec l'objectif 5.5 ? Rendez-vous en ligne pour vous exercer davantage.

**OBJECTIF 5.6** Calculer le débit de perfusion en gouttes par minute (gtt/min)

F  **5.5**  Calculez le débit de perfusion en gouttes par minute en utilisant la méthode de la formule.

**A.** NaCl 0,9 % à perfuser à 150 mL/h ; la tubulure a un facteur d'écoulement de 15 gtt/mL.

**Calculs :**

.................................................................................................

**B.** Une perfusion de NaCl 0,9 % à perfuser à 100 mL/h ; la tubulure a un facteur d'écoulement de 10 gtt/mL.

**Calculs :**

.................................................................................................

**C.** Dextrose 5 % dans l'eau, à perfuser à 75 mL/h ; la tubulure a un facteur d'écoulement de 20 gtt/mL.

**Calculs :**

---

M **5.6** Calculez le débit de perfusion en gouttes par minute en utilisant la méthode du rapport-proportion.

**A.** 250 mL d'antibiotique à perfuser à 125 mL/h ; la tubulure a un facteur d'écoulement de 20 gtt/mL.

**Calculs :**

---

**B.** 1000 mL de lactate Ringer à perfuser en 12 h ; la tubulure a un facteur d'écoulement de 10 gtt/mL.

**Calculs :**

---

**C.** 500 mL de NaCl 0,45 % à perfuser à 50 mL/h ; la tubulure a un facteur d'écoulement de 60 gtt/mL.

**Calculs :**

---

D **5.7** Calculez le débit de perfusion en gouttes/minute pour chaque solution.

**A.** Lactate Ringer à perfuser à 75 mL/h avec une tubulure ayant un facteur d'écoulement de 15 gtt/mL.

**Calculs :**

---

**B.** 1000 mL de NaCl 0,45 % à perfuser en 8 h avec une tubulure ayant un facteur d'écoulement de 10 gtt/mL.

**Calculs :**

. . . . . . . . . . . . . . . . . . . . . . . . . . . . . . . . . . . . . . . . . . . . . . . . . . . . . . . . . . . . . . . . . . . . . . . . . . . . . . . . . . . . . . . . . . . . . . . . . . . . . . . . . . . . . . . . . . . . . . .

**C.** Solution antibiotique à perfuser à 50 mL/h avec une tubulure ayant un facteur d'écoulement de 60 gtt/mL.

**Calculs :**

. . . . . . . . . . . . . . . . . . . . . . . . . . . . . . . . . . . . . . . . . . . . . . . . . . . . . . . . . . . . . . . . . . . . . . . . . . . . . . . . . . . . . . . . . . . . . . . . . . . . . . . . . . . . . . . . . . . . . . .

**D.** Solution intraveineuse à perfuser à 200 mL/h avec une tubulure ayant un facteur d'écoulement de 15 gtt/mL.

**Calculs :**

. . . . . . . . . . . . . . . . . . . . . . . . . . . . . . . . . . . . . . . . . . . . . . . . . . . . . . . . . . . . . . . . . . . . . . . . . . . . . . . . . . . . . . . . . . . . . . . . . . . . . . . . . . . . . . . . . . . . . . .

**E.** 250 mL de dextrose 5 % dans l'eau à perfuser à 80 mL/h avec une tubulure ayant un facteur d'écoulement de 10 gtt/mL.

**Calculs :**

. . . . . . . . . . . . . . . . . . . . . . . . . . . . . . . . . . . . . . . . . . . . . . . . . . . . . . . . . . . . . . . . . . . . . . . . . . . . . . . . . . . . . . . . . . . . . . . . . . . . . . . . . . . . . . . . . . . . . . .

**F.** 100 mL de NaCl 0,9 % à perfuser à 60 mL/h avec une tubulure ayant un facteur d'écoulement de 60 gtt/mL.

**Calculs :**

. . . . . . . . . . . . . . . . . . . . . . . . . . . . . . . . . . . . . . . . . . . . . . . . . . . . . . . . . . . . . . . . . . . . . . . . . . . . . . . . . . . . . . . . . . . . . . . . . . . . . . . . . . . . . . . . . . . . . . .

**G.** 1000 mL de lactate Ringer à 83 mL/h avec une tubulure ayant un facteur d'écoulement de 15 gtt/mL.

**Calculs :**

. . . . . . . . . . . . . . . . . . . . . . . . . . . . . . . . . . . . . . . . . . . . . . . . . . . . . . . . . . . . . . . . . . . . . . . . . . . . . . . . . . . . . . . . . . . . . . . . . . . . . . . . . . . . . . . . . . . . . . .

**H.** 100 mL d'antibiotique à perfuser en 30 min avec une tubulure ayant un facteur d'écoulement de 20 gtt/mL.

**Calculs :**

. . . . . . . . . . . . . . . . . . . . . . . . . . . . . . . . . . . . . . . . . . . . . . . . . . . . . . . . . . . . . . . . . . . . . . . . . . . . . . . . . . . . . . . . . . . . . . . . . . . . . . . . . . . . . . . . . . . . . . .

**I.** 750 mL de NS à perfuser à 250 mL/h avec une tubulure ayant un facteur d'écoulement de 15 gtt/mL.

**Calculs :**

........................................................

**J.** 100 mL d'un antibiotique à perfuser en 45 min avec une tubulure ayant un facteur d'écoulement de 10 gtt/mL.

**Calculs :**

........................................................

**Ressources en ligne**
Vous éprouvez des difficultés avec l'objectif 5.6 ? Rendez-vous en ligne pour vous exercer davantage.

# Calculs relatifs à la durée des perfusions

| OBJECTIF 5.7 | Calculer la durée d'une perfusion en heures et minutes à partir d'un débit en millilitres par heure (mL/h) |
|---|---|

F **5.8** Calculez la durée de la perfusion en heures et minutes pour les solutions intraveineuses prescrites. Utilisez la méthode inscrite entre parenthèses.

**A.** Un soluté perfuse à 125 mL/h, la quantité restante dans le sac est de 500 mL au début de votre quart de travail. Dans combien de temps devrez-vous changer le sac ? (formule)

**Calculs :**

........................................................

**B.** Un sac de 1000 mL de NaCl 0,9 %
perfuse à 80 mL/h. Dans combien
de temps l'infirmière devra-t-elle
remplacer le sac? (formule)

**Calculs:**

---

**C.** Un minisac d'un antibiotique de
100 mL perfuse à 200 mL/h. Dans
combien de temps devrez-vous
irriguer la veine? (rapport-proportion)

**Calculs:**

---

**D.** Un sac de 50 mL perfuse à un
débit de 80 mL/h. Dans combien
de temps devrez-vous changer
le sac? (rapport-proportion)

**Calculs:**

---

M **5.9** Calculez l'heure à laquelle vous devrez changer le sac de perfusion.

**A.** Il est 15 h 20. Un sac de 250 mL
perfuse à 40 mL/h.

**Calculs:**

---

**B.** Il est 10 h 00. Un sac de soluté
de 1000 mL perfuse à 150 mL/h.

**Calculs:**

---

**C.** Il est 23 h 30. Un sac de 1000 mL dont 600 mL restent à perfuser. L'ordonnance est de 75 mL/h.

**Calculs :**

.........................................................................................................................

D **5.10** Déterminez l'heure de la fin des perfusions suivantes.

**A.** Une perfusion de 900 mL de lactate Ringer a débuté à 00 h 20. Le débit de perfusion est de 125 mL/h.

**Calculs :**

.........................................................................................................................

**B.** À midi, un sac de soluté de 1000 mL dont la quantité restante est de 300 mL, perfuse à 150 mL/h.

**Calculs :**

.........................................................................................................................

**C.** Il est 13 h 52 lors du début d'une perfusion de 500 mL à un débit de 80 mL/h.

**Calculs :**

.........................................................................................................................

**Ressources en ligne**
Vous éprouvez des difficultés avec l'objectif 5.7 ? Rendez-vous en ligne pour vous exercer davantage.

# Calculs relatifs à l'administration des médicaments intraveineux en unités par kilogramme ou en unités par heure

| OBJECTIF 5.8 | Calculer la dose d'un médicament intraveineux prescrit en unités par kilogramme (unités/kg) |
|---|---|

F **5.11** Calculez les doses de bolus d'héparine à administrer.

**A.** Une personne pesant 82 kg, doit recevoir un bolus d'héparine IV de 70 unités/kg. Pour une dose maximale de 5000 unités.

Calculs :

**B.** Une personne doit recevoir un bolus d'héparine de 150 unités/kg en prévision d'une chirurgie cardiaque. Elle pèse 63 kg.

Calculs :

**C.** Une personne pesant 110 lb doit recevoir un bolus de 80 unités/kg, à la suite d'un infarctus du myocarde.

Calculs :

**Ressources en ligne**
Vous éprouvez des difficultés avec l'objectif 5.8 ? Rendez-vous en ligne pour vous exercer davantage.

F **5.12** Calculez les débits des différentes perfusions en utilisant la méthode de la formule.

**A.** Vous devez commencer une perfusion d'héparine à 1200 unités/h. La concentration du sac est de 25 000 unités d'héparine/250 mL de dextrose 5 % dans l'eau.

**Calculs :**

**B.** Vous utilisez un sac de 25 000 unités d'héparine/500 mL de dextrose 5 % dans l'eau. L'ordonnance indique de commencer la perfusion à 1000 unités/h.

**Calculs :**

**C.** La concentration d'héparine disponible est de 25 000 unités/ 250 mL de dextrose 5 % dans l'eau. La solution doit perfuser à 1400 unités/h.

**Calculs :**

**D.** Une solution de 25 000 unités d'héparine dans 250 mL de dextrose 5 % dans l'eau, à perfuser à 950 unités/h.

**Calculs :**

**E.** Une solution de 25 000 unités d'héparine dans 500 mL de dextrose 5 % dans l'eau, doit perfuser à 890 unités/h.

**Calculs :**

---

F **5.13** Calculez les débits des différentes perfusions en utilisant la méthode du rapport-proportion.

**A.** Une solution de 25 000 unités d'héparine dans 500 mL de NaCl 0,9 %, à perfuser à 1400 unités/h.

**Calculs :**

---

**B.** Une solution de 20 000 unités d'héparine dans 500 mL de NaCl 0,9 %, à perfuser à 1250 unités/h.

**Calculs :**

---

**C.** Une solution de 25 000 unités d'héparine dans 500 mL de NaCl 0,9 %, à perfuser à 800 unités/h.

**Calculs :**

---

**D.** Vous devez perfuser l'héparine à 1000 unités/h. Le sac disponible contient 25 000 unités/250 mL de D 5 % dans l'eau.

**Calculs :**

---

**Ressources en ligne**
Vous éprouvez des difficultés avec l'objectif 5.9 ? Rendez-vous en ligne pour vous exercer davantage.

F **5.14** Calculez les débits des différentes perfusions en utilisant la méthode du rapport-proportion.

**A.** Une perfusion de 200 unités d'insuline dans 100 mL de NaCl 0,9 %, à perfuser à 10 unités/h.

**Calculs :**

.................................................................

**B.** Une perfusion de 100 unités d'insuline dans 200 mL de NaCl 0,9 %, à perfuser à 6 unités/h.

**Calculs :**

.................................................................

**C.** Une perfusion de 100 unités d'insuline dans 100 mL de NaCl 0,9 %, à perfuser à 5 unités/h.

**Calculs :**

.................................................................

F **5.15** Calculez les débits des différentes perfusions en utilisant la méthode de la formule.

**A.** Une perfusion de 500 unités d'insuline dans 250 mL de NaCl 0,9 %, à perfuser à 10 unités/h.

**Calculs :**

.................................................................

**B.** Une perfusion de 200 unités d'insuline dans 100 mL de NaCl 0,9 %, à perfuser à 4 unités/h.

**Calculs :**

.................................................................

**C.** Une perfusion de 100 unités d'insuline dans 100 mL de NaCl 0,9 %, à perfuser à 8 unités/h.

**Calculs :**

**Ressources en ligne**
Vous éprouvez des difficultés avec l'objectif 5.10 ? Rendez-vous en ligne pour vous exercer davantage.

# Maîtriser les situations cliniques

**F** **5.16** Le médecin a prescrit 1000 mL de NS par voie IV. La perfusion a débuté à 6 h 15. Le débit est de 125 mL/h et le facteur d'écoulement est de 10 gtt/mL. À quelle heure l'infirmière devra-t-elle cesser la perfusion ?

**F** **5.17** Une ordonnance indique de commencer une perfusion d'héparine pour une personne présentant une fibrillation auriculaire. Cette personne pèse 163 lb. L'ordonnance indique une dose de charge de 80 unités/kg (maximum 5000 unités) IV. Vous disposez d'une fiole d'héparine de 10 000 unités/mL. Vous commencez la perfusion intraveineuse d'héparine à 1300 unités/h. Le sac d'héparine disponible est de 25 000 unités/250 mL de D 5 % dans l'eau.

**A.** Calculez le volume d'héparine nécessaire pour administrer la dose de charge.

**B.** Indiquez le débit à programmer sur la pompe volumétrique.

F **5.18** M^me Martinez, 71 ans, présente une diarrhée et des vomissements depuis 2 jours. Lors de son évaluation, le médecin demande une prise de tension artérielle orthostatique. Vous effectuez les mesures, mais au moment de se mettre debout, M^me Martinez se sent subitement faible, étourdie et devient en diaphorèse. Vous la recouchez sur la civière. Le médecin qui était présent à ce moment vous demande de lui administrer un bolus de 250 mL de NS 0,9 % en 20 minutes. À quel débit allez-vous perfuser le soluté ?

F **5.19** Il est 23 h 10. M^me Latourette reçoit une perfusion de D 5 % NaCl 0,45 % à 120 mL/h. Vous remarquez qu'il reste 240 mL dans le sac de soluté. Devrez-vous changer le sac en cours avant la fin de votre quart de travail qui se termine à minuit ? Justifiez votre réponse.

M | **5.20** Une perfusion d'héparine est en cours depuis 24 heures à 1200 unités/h ou 24 mL/h. Vous recevez maintenant le résultat du TCA (PTT), qui est de 84 secondes. Que devez-vous faire ? Reportez-vous à l'ordonnance ci-dessous.

| | ORDONNANCES PROTOCOLE D'HÉPARINE IV | Luis Watson          12345<br>1944-10-21<br>22, rue de la Rivière<br>Mont-Laurier (Québec)<br>819 623-1111 |
|---|---|---|
| 1. | Poids du patient | *100* kg |
| 2. | a) Bolus **Standard** d'héparine – 80 unités/kg | _____ Unités IV<br>(Angine ou infarctus sans thrombolyse 5000 unités maximum) |
| | b) Bolus d'héparine si thrombolyse – 60 unités/kg | _____ Unités IV<br>(Maximum 4000 unités) |
| 3. | a) Perfusion standard d'héparine 18 unités/kg/h<br>D 5 % 500 mL + 25 000 unités d'héparine | _____ Unités/h<br>(Angine ou infarctus sans thrombolyse : 1000 unités/h maximum) |
| | b) Perfusion d'héparine si thrombolyse<br>12 unités/kg/h | _____ Unités/h<br>(Maximum 1000 unités/h) |
| 4. | Laboratoires | • PTT-FSC-PT avant bolus et/ou perfusion initiale<br><br>• FSC die jusqu'à 2 jours après la cessation de l'héparine<br><br>• PTT die (le matin) jusqu'à la cessation de l'héparine<br><br>• PTT 6 heures post 1er bolus ou début de perfusion et selon tableau au bas de la page |
| 5. | Ordonnance valide pour | • _____ Jours, ou 60 jours par défaut |
| **N.B. :** Si indiquée, la thérapie orale (warfarine) devrait débuter dans les 48 heures du début de l'héparine. | | • PT + INR die le matin dès que la thérapie orale (warfarine) est débutée. |

## AJUSTEMENT DE LA THÉRAPIE

PTT de base* : _____ secondes       Date et heure du prélèvement : _____
Si PTT de base ≥ 40, aviser le médecin : date et heure : _____
Patient demeure sur le protocole : _____   Patient hors protocole : _____   Initiales de l'infirmière : _____

• Aviser le médecin lorsque le PTT de contrôle demeure < 36 ou > 86 s, malgré un ajustement du débit de perfusion.

• Si thrombolyse, faire un PTT 3 heures post-thrombolyse et toutes les 6 heures par la suite jusqu'à atteinte des valeurs cibles.

*L'infirmière doit remplir la section PTT de base. Rempli par : _____ inf.

| Valeur du PTT (s) | Bolus d'héparine (U) IV | Modification du débit de perfusion | Répéter PTT |
|---|---|---|---|
| < 36 | Répéter la dose du bolus initial | ↗ de 200 unités/h | 6 h |
| 36,0-45,9 | 0 | ↗ de 100 unités/h | 6 h |
| 46,0-65,9 | 0 | 0 | Lendemain AM |
| 66,0-75,9 | 0 | ↗ de 50 unités/h | 6 h |
| 76,0-85,9 | 0 | ↗ de 100 unités/h | 6 h |
| ≥ 86 | 0 | Arrêt de 1 heure et reprendre ↘ de 200 unités/h | 6 h après la reprise de la perfusion |
| *2019-01-02* | *10 h 12* | *Sylvie Marsan, médecin* | *972211* |
| Date | Heure | Signature du médecin | N° de permis |

M 5.21 Vous soignez M. Albert Williams, âgé de 63 ans. Il vient de subir une chirurgie réparatrice pour un anévrisme de l'aorte abdominale (AAA). Vous examinez l'ordonnance postopératoire et constatez que le médecin a prescrit 1000 mL de dextrose 5 % dans du NaCl 0,45 %, à perfuser par voie IV en 10 heures, lorsque la perfusion opératoire sera terminée. La tubulure que vous utiliserez a un facteur d'écoulement de 15 gtt/mL. M. Williams recevra 4 doses d'antibiotique intraveineux au cours des 24 prochaines heures.

Lors de votre évaluation de la tête aux pieds, vous notez que la perfusion intraveineuse de M. Williams est la solution opératoire, soit une solution de lactate Ringer à un débit de 55 gtt/min et que la tubulure a un facteur d'écoulement de 20 gtt/mL. Vous vérifiez l'ordonnance et constatez que le débit prescrit est de 125 mL/h.

A. Quelle est votre intervention prioritaire ? Justifiez.

B. Devez-vous ajuster la perfusion ? Expliquez.

Ensuite, vous devez faire le montage de la perfusion intraveineuse primaire de dextrose 5 % dans du NaCl 0,45 % avec une tubulure dont le facteur d'écoulement est de 15 gtt/mL. Vous optez pour une tubulure primaire parce que M. Williams va aussi recevoir des antibiotiques par voie IV et que la tubulure est munie d'un site d'injection permettant d'insérer une perfusion secondaire pour l'antibiothérapie. Une fois que vous avez fait le montage de la perfusion intraveineuse, remplacez la solution de lactate Ringer par celle prescrite pour la période postopératoire.

**C.** Quel est le nouveau débit de perfusion en gtt/min ?

---

M  **5.22** M. Aupaluk est atteint d'un diabète de type 1. Il est hospitalisé à la suite d'une chirurgie. Il est gardé NPO et reçoit de l'alimentation parentérale. Pour maintenir sa glycémie, le médecin a prescrit une perfusion d'insuline que vous devez ajuster en fonction de la glycémie capillaire de monsieur. Le guide de médicaments parentéraux indique de diluer 125 unités d'insuline Humulin R dans 250 mL de NaCl 0,9 %. Vous devez ensuite commencer la perfusion à 8 unités/h.

**A.** À quel débit allez-vous ajuster la pompe volumétrique ?

Vous retournez une heure plus tard pour vérifier la glycémie capillaire et vous obtenez 18,2 mmol/L. Le protocole indique d'augmenter le débit de perfusion de 3 mL/h.

**B.** Quel est le débit horaire d'insuline que M. Aupaluk doit maintenant recevoir?

---

D **5.23** Vous êtes infirmière à l'unité de médecine. M^me Jolicoeur doit recevoir 2 g de céfazoline (Ancef) IV tid. Le guide de préparation des médicaments parentéraux indique de diluer la dose dans 50 mL de NaCl 0,9 % et de l'administrer en 30 minutes. Chaque fiole de céfazoline (Ancef) contient 1000 mg et doit être préalablement diluée avec 9,8 mL d'eau stérile pour un volume final de 10 mL d'antibiotique/fiole utilisée.

**A.** De combien de fioles aurez-vous besoin pour administrer la dose d'antibiotique de M^me Jolicoeur?

---

**B.** Quel sera le volume final de la solution à perfuser?

---

**C.** À quel débit horaire devez-vous perfuser cet antibiotique?

---

**D.** Si vous n'avez pas de pompe volumétrique et que vous avez une tubulure dont le facteur d'écoulement est de 15 gtt/mL à quel débit en gouttes par minute allez-vous perfuser cet antibiotique?

---

D | **5.24** M^me Larose, 88 ans, reçoit une perfusion de NaCl 0,9 %. La perfusion de 1000 mL a commencé à 17 h 30 et devrait se terminer 8 heures plus tard, soit à 1 h 30.

À 22 h 30, après 5 heures de perfusion, il reste 700 mL dans le sac de NaCl 0,9 %. La perfusion ne s'est pas écoulée dans le délai prévu. Que devez-vous faire? Expliquez votre réponse.

**Ressources en ligne**
Évaluez votre connaissance et votre maîtrise du contenu de ce chapitre grâce à des exercices supplémentaires de difficulté progressive. Cette révision de l'ensemble des notions est une excellente préparation à un examen.

|  | Manuel | Cahier d'exercices |
|---|---|---|

**Matériel utilisé pour l'administration des médicaments** | 190 |

OBJECTIF 6.1 Découvrir le matériel adapté à la clientèle pédiatrique pour la préparation des médicaments administrés par voie orale | 190 |

OBJECTIF 6.2 Découvrir le matériel adapté à la clientèle pédiatrique pour l'administration des médicaments par voie parentérale | 193 |

**Situations nécessitant des calculs** | 194 | 146

OBJECTIF 6.3 Convertir en livres et en onces le poids en grammes ou en kilogrammes du nouveau-né ou de l'enfant, et inversement | 194 | 146

OBJECTIF 6.4 Calculer en pourcentage la perte de poids du nouveau-né ou de l'enfant | 196 | 147

OBJECTIF 6.5 Calculer les besoins hydriques d'entretien en fonction du poids de l'enfant | 198 | 148

# La préparation et l'administration des médicaments pour la clientèle pédiatrique

# 6

|  |  | Manuel | Cahier d'exercices |
|---|---|---|---|
| **Vérifications préalables à la préparation d'un médicament** |  | **201** | **150** |
| OBJECTIF 6.6 | Vérifier la fenêtre ou la dose thérapeutique d'un médicament selon le poids de l'enfant | 201 | 150 |
| OBJECTIF 6.7 | Vérifier si la dose prescrite respecte la dose quotidienne maximale recommandée | 205 | 153 |
| OBJECTIF 6.8 | Vérifier la fenêtre ou la dose thérapeutique d'un médicament selon la surface corporelle de l'enfant | 207 | 155 |
| **Calcul des doses unitaires de médicaments destinés à la voie orale** |  | **211** | **159** |
| OBJECTIF 6.9 | Calculer la dose de médicament sous forme solide ou liquide à préparer pour une administration par voie orale | 211 | 159 |
| **Calcul des doses unitaires de médicaments destinés à la voie parentérale** |  | **222** | **165** |
| OBJECTIF 6.10 | Calculer la dose d'un médicament à préparer pour une administration par voie intraveineuse | 222 | 165 |

Maîtriser les situations cliniques    p. 168

 Certains objectifs sans portée pratique n'ont pas d'exercices correspondants ; ils ne figurent donc pas dans le cahier d'exercices.

# Atteindre les objectifs

## Situations nécessitant des calculs

| OBJECTIF 6.3 | Convertir en livres et en onces le poids en grammes ou en kilogrammes du nouveau-né ou de l'enfant, et inversement |
|---|---|

F **6.1** Convertissez les poids suivants en kilogrammes.

**A.** Amélie pèse 33 livres. _____ kg

**B.** Laurence pèse 60 livres. _____ kg

**C.** Olivier pèse 18 livres. _____ kg

M **6.2** Convertissez les poids suivants en livres et en onces.

**A.** Charlotte pèse 3,677 kg à la naissance. _____ lb _____ oz

**B.** Alexandre pèse 4,057 kg à la naissance. _____ lb _____ oz

D **6.3** Trouvez le poids en kilogrammes.

**A.** Florence pèse 18 lb 4 oz. _____ kg

**B.** Étienne pèse 23 lb 9 oz. _____ kg

**Ressources en ligne**
Vous éprouvez des difficultés avec l'objectif 6.3 ? Rendez-vous en ligne pour vous exercer davantage.

F **6.4** Bébé Lacroix pesait 4180 g à la naissance et 36 heures plus tard, il pèse 3989 g. Établissez la perte de poids en pourcentage.

F **6.5** Antoine est hospitalisé pour une gastroentérite. À son arrivée, il pesait 32 kg. Deux jours plus tard, il pèse 31,4 kg. Établissez la perte de poids en pourcentage.

F **6.6** Olivier est hospitalisé pour déshydratation, il pesait 12,6 kg à son arrivée. Trois jours plus tard, il pèse 11,6 kg. Établissez la perte de poids en pourcentage.

F **6.7** Bébé Leblanc pesait 3767 g à la naissance et 24 heures plus tard il pèse 3689 g. Établissez la perte de poids en pourcentage.

D | **6.8** Émile pesait 3156 g à la naissance. Le matin de son départ, 48 heures après la naissance, il pèse 2743 g. Établissez la perte de poids en pourcentage. Aura-t-il son congé de l'hôpital ? Justifiez votre réponse.

**Ressources en ligne**
Vous éprouvez des difficultés avec l'objectif 6.4 ? Rendez-vous en ligne pour vous exercer davantage.

**OBJECTIF 6.5** Calculer les besoins hydriques d'entretien en fonction du poids de l'enfant

**Tableau 6.1** **Estimation des besoins d'entretien en eau en fonction du poids (après la première semaine de vie, et ce jusqu'à 18 ans)**[1]

|  | Besoins hydriques quotidiens | Besoins hydriques horaires |
|---|---|---|
| Poids de l'enfant ≤ 10 kg | 100 mL/kg | 4 mL/kg/h |
| Poids de l'enfant 10 kg – 20 kg | 1000 mL + 50 mL/kg pour chaque kg > 10 kg | 40 mL/h + 2 mL/kg/h pour chaque kg > 10 kg |
| Poids de l'enfant > 20 kg | 1500 mL + 20 mL/kg pour chaque kg > 20 kg | 60 mL/h + 1 mL/kg/h pour chaque kg > 20 kg |

F | **6.9** Jasmine est hospitalisée pour une bronchiolite. Elle a de la difficulté à boire au sein. Pour éviter qu'elle ne se déshydrate, on commence une perfusion de D 5 % à 10 mL/h. Si le poids de Jasmine est de 6,4 kg, quels sont ses besoins hydriques quotidiens ?

---

1. TURGEON et autres, *Dictionnaire de pédiatrie Weber*, 2015, p. 320. La colonne *Besoins caloriques* qui apparaît dans le tableau original a été omise, car nous n'abordons pas cette notion dans ce manuel.

F 6.10 Aurélie, 4 mois, pèse 7440 g. Elle refuse de boire. Ses besoins hydriques seront-ils comblés si le débit de la perfusion de D 5 % NaCl 0,9 % est de 31 mL/h ?

F 6.11 Samuel, 12 ans, pèse 35 kg. Il est NPO, car il est présentement en attente de sa chirurgie. Quel devrait être le débit de la perfusion de NaCl 0,9 % pour combler ses besoins hydriques quotidiens ?

M 6.12 Julien, 7 ans, pèse 27,5 kg. Il a bu un verre de jus d'orange de 125 mL en 24 heures. Le débit de la perfusion est de 64 mL/h. Ses besoins hydriques quotidiens sont-ils comblés ?

D 6.13 Émilie, 6 ans, pèse 18,1 kg. Le médecin lui prescrit une perfusion de NaCl 0,45 % de 1200 mL en 24 h. Est-ce que la perfusion, à elle seule, comble ses besoins hydriques quotidiens ? Si la perfusion ne les comble pas, combien de millilitres devra-t-elle prendre par voie orale ?

**Ressources en ligne**
Vous éprouvez des difficultés avec l'objectif 6.5 ? Rendez-vous en ligne pour vous exercer davantage.

# Vérifications préalables à la préparation d'un médicament

Vérifier la fenêtre ou la dose thérapeutique d'un médicament selon le poids de l'enfant

F | **6.14** Simon Lacharité est hospitalisé pour une pneumonie. À partir de la FADM de la **figure 6.1**, vérifiez la fenêtre ou la dose thérapeutique afin de déterminer si la dose prescrite est conforme et sécuritaire, et ce, pour chacun des médicaments.

**Figure 6.1** **FADM de Simon Lacharité.**

**FADM**

NOM: LACHARITÉ Simon
DOSSIER: 657800
CHAMBRE: 5014
DATE DE NAISSANCE: 2014-07-09
DATE D'ADMISSION: 2020-07-24
**FADM valide du 2020-07-25 à 00 h 00 au 2020-07-25 à 23 h 59**

| Poids: 18,0 kg | SC: | Allergies: Aucune |
|---|---|---|
| Taille: 111 cm | Clcr: | Intolérances: Aucune |

| Médicaments | Nuit (00 h 00-07 h 59) Heure Initiales | Jour (8 h 00-15 h 59) Heure Initiales | Soir (16 h 00-23 h 59) Heure Initiales | Validité |
|---|---|---|---|---|
| **Ibuprofène 100 mg/co. croquable** **PO** Advil junior analgésique, antipyrétique, anti-inflammatoire <br> **1,5 comprimé = 150 mg** <br> **Toutes les 6 à 8 heures PRN** | ~~06 h 00~~ *CD* | | | 2020-07-24 10 h 00 <br><br> 2020-08-01 23 h 59 |
| **Clarithromycine 125 mg/5 mL** **PO** Biaxin antibiotique <br> **135 mg** <br> **Toutes les 12 heures** | ~~06 h 00~~ *CD* | | | 2020-07-24 10 h 00 <br><br> 2020-08-01 23 h 59 |

| N | | J | S | |
|---|---|---|---|---|
| *Christine Desbiens inf.* | *CD* | | | |
| Profil vérifié et conforme | *CD* | | | |

| ⬭ Non donné (justifier) | A Personne absente | V Vomissement | J À jeun Voir note d'obs. | AA Auto-administration | NS Non servi |
|---|---|---|---|---|---|
| ⁄ Rx administré | N Nausée | R Refuse | M* Manquant et note d'obs. requise | CT Congé temporaire | ∅ Aucune unité d'insuline |

**A.** Posologie recommandée pour l'ibuprofène utilisé comme antipyrétique pour les enfants de 6 mois à 12 ans : 5-10 mg/kg/dose toutes les 6 à 8 heures.

**B.** Posologie recommandée pour la clarithromycine pour les enfants : 7,5 mg/kg toutes les 12 heures.

M **6.15** Audrey Labonté est hospitalisée pour une infection urinaire. Il est 14 h et vous préparez la dose de gentamicine. Vous avez aussi pris la température d'Audrey et elle est de 39 °C rectale. À partir de la FADM (**figure 6.2**), vérifiez la fenêtre thérapeutique afin de déterminer si la dose prescrite est conforme et sécuritaire, et ce, pour chacun des médicaments.

**Figure 6.2** **FADM de Audrey Labonté.**

**FADM**

NOM : LABONTÉ Audrey
DOSSIER : 57890
CHAMBRE : 5034
DATE DE NAISSANCE : 2019-08-13
DATE D'ADMISSION : 2020-05-16
**FADM valide du 2020-05-17 à 00 h 00 au 2020-05-17 à 23 h 59**

Poids : 9,57 kg          SC :                Allergies : Aucune
Taille : 71,5 cm         Clcr :              Intolérances : Aucune

| Médicaments | Nuit (00 h 00-07 h 59) Heure | Nuit Initiales | Jour (8 h 00-15 h 59) Heure | Jour Initiales | Soir (16 h 00-23 h 59) Heure | Soir Initiales | Validité |
|---|---|---|---|---|---|---|---|
| **Acétaminophène 80 mg/mL** PO<br>Tylenol          analgésique, antipyrétique<br>**120 mg**<br>**Toutes les 4 à 6 h PRN**<br>Pour température ≥ 38,5 °C rectale | | | | | | | 2020-05-16<br>13 h 00<br><br>2020-05-24<br>23 h 59 |
| **Gentamicine 80 mg/2 mL** IV<br>Garamycine          antibiotique<br>**0,5 mL = 20 mg**<br>**Toutes les 8 h**<br>Compléter le volume à 5 mL<br>Administrer en 30 minutes avec un pousse-seringue | ~~06 h 00~~          JD | | **14 h 00** | | **22 h 00** | | 2020-05-16<br>13 h 00<br><br>2020-05-24<br>23 h 59 |

|  | N | | J | | S | |
|---|---|---|---|---|---|---|
| *Julie Diotte inf.* | JD | | | | | |
| Profil vérifié et conforme | JD | | | | | |

| ⬭<br>Non donné (justifier) | A<br>Personne absente | V<br>Vomissement | J<br>À jeun<br>Voir note d'obs. | AA<br>Auto-<br>administration | NS<br>Non servi |
|---|---|---|---|---|---|
| Rx administré | N<br>Nausée | R<br>Refuse | M*<br>Manquant et note<br>d'obs. requise | CT<br>Congé temporaire | ∅<br>Aucune unité<br>d'insuline |

**A.** La posologie recommandée pour l'acétaminophène pour les enfants est 10 à 15 mg/kg toutes les 4 à 6 heures.

**B.** La posologie recommandée pour la gentamicine pour les enfants est de 2 à 2,5 mg/kg, toutes les 8 heures.

D **6.16** À partir de la FADM de Charles Tanguay (**figure 6.3**), calculez la fenêtre thérapeutique et vérifiez si la dose prescrite est sécuritaire, et ce, pour chacun des médicaments.

**Figure 6.3** **FADM de Charles Tanguay.**

**FADM**

NOM : TANGUAY Charles
DOSSIER : 9871
CHAMBRE : 5026
DATE DE NAISSANCE : 2009-08-13
DATE D'ADMISSION : 2020-03-24
**FADM valide du 2020-03-25 à 00 h 00 au 2020-03-25 à 23 h 59**

Poids : 43,3 kg    SC :    Allergies : Aucune
Taille : 147 cm    Clcr :    Intolérances : Aucune

| Médicaments | | Nuit (00 h 00-07 h 59) Heure    Initiales | Jour (8 h 00-15 h 59) Heure    Initiales | Soir (16 h 00-23 h 59) Heure    Initiales | Validité |
|---|---|---|---|---|---|
| **Hydromorphone 1mg/mL** Dilaudid **1,5 mg** **Toutes les 6 h au besoin** | **PO** analgésique opioïde | | | | 2020-03-24 10 h 00 2020-04-02 23 h 59 |
| **Érythromycine 250 mg/5 mL** Téva-érythromycine estolate **300 mg** **Toutes les 6 h** | **PO** antibiotique | 03 h 00 | 09 h 00 15 h 00 | 21 h 00 | 2020-03-24 10 h 00 2020-04-02 23 h 59 |

| N | J | S |
|---|---|---|
| | | |

| Profil vérifié et conforme | | | |
|---|---|---|---|

| ⬭ Non donné (justifier) | A Personne absente | V Vomissement | J À jeun Voir note d'obs. | AA Auto-administration | NS Non servi |
|---|---|---|---|---|---|
| ⁄ Rx administré | N Nausée | R Refuse | M* Manquant et note d'obs. requise | CT Congé temporaire | Ø Aucune unité d'insuline |

**A.** La posologie recommandée pour l'hydromorphone pour les enfants est de 0,03 à 0,08 mg/kg toutes les 6 heures.

**B.** La posologie recommandée pour l'érythromycine pour les enfants est de 7,5 à 12,5 mg/kg toutes les 6 heures.

**Ressources en ligne**
Vous éprouvez des difficultés avec l'objectif 6.6 ? Rendez-vous en ligne pour vous exercer davantage.

**OBJECTIF 6.7** Vérifier si la dose prescrite respecte la dose quotidienne maximale recommandée

M **6.17** Vérifiez si la dose prescrite respecte la dose quotidienne maximale recommandée.

**A.** Un enfant de 18 mois pèse 10,85 kg.

Ordonnance valide : céfaclor (Ceclor) 72 mg PO q 8 h

La posologie du céfaclor pour les enfants de plus d'un mois est de 20 mg/kg/jour en doses fractionnées toutes les 8 à 12 heures. Dose maximale 2 g/jour.

**B.** Un enfant de 4 ans pèse 15 kg.

Ordonnance valide : pénicilline V (Pen-Vee) 450 mg PO q 8 h

La posologie de la pénicilline pour les enfants ayant moins de 12 ans est de 25 à 100 mg/kg/jour en 3 ou 4 doses. Dose maximale 3 g/jour.

**C.** Un enfant de 5 ans pèse 18,2 kg.

Ordonnance valide : amoxicilline (Amoxil) 200 mg PO q 8 h

La posologie de l'amoxicilline pour les enfants de plus de 3 mois est de 25 mg à 50 mg/kg/jour en doses fractionnées toutes les 8 heures.

**D.** Un enfant de 11 ans pèse 41,3 kg.

Ordonnance valide : phénytoïne (Dilantin) (dose d'entretien) 165 mg PO q 12 h

La posologie de la phénytoïne pour les enfants est de 4 à 8 mg/kg/jour pour la dose d'entretien, en 2 ou 3 doses. Dose maximale : 300 mg/jour.

**Ressources en ligne**
Vous éprouvez des difficultés avec l'objectif 6.7 ? Rendez-vous en ligne pour vous exercer davantage.

F **6.18** À partir du poids et de la taille de l'enfant, calculez d'abord la surface corporelle, puis la dose thérapeutique. Ensuite, vérifiez si la dose prescrite est sécuritaire pour la caspofongine (Cancidas), un médicament antifongique utilisé pour traiter l'aspergillose invasive (infection causée par le champignon *Aspergillus*). La posologie recommandée pour la caspofongine pour les enfants de 12 mois et plus consiste en une dose d'entretien de 50 mg/m$^2$/jour IV administrée une seule fois. Utilisez la formule de Mosteller pour le calcul de la surface corporelle.

La formule de Mosteller est la suivante :

$$\text{Surface corporelle (m}^2) = \sqrt{\frac{\text{Poids (kg)} \times \text{Taille (cm)}}{3600 \ (\text{kg} \times \text{cm/m}^4)}}$$

**A.** Enfant de 5 ans. Poids : 22 kg ; taille : 110 cm.

Caspofongine (Cancidas) : 41 mg/jour IV en une seule dose en 1 heure.

**1.** Surface corporelle : **Calculs :**

**2.** Dose thérapeutique :

**3.** La dose est-elle sécuritaire ?

. . . . . . . . . . . . . . . . . . . . . . . . . . . . . . . . . . . . . . . . . . . . . . . . . . . . . . . . . . . . . . . . .

**B.** Enfant de 4 ans. Poids : 18,2 kg ; taille : 105 cm.

Caspofongine (Cancidas) : 36,5 mg/jour IV en une seule dose en 1 heure.

**1.** Surface corporelle : **Calculs :**

**2.** Dose thérapeutique :

**3.** La dose est-elle sécuritaire ?

. . . . . . . . . . . . . . . . . . . . . . . . . . . . . . . . . . . . . . . . . . . . . . . . . . . . . . . . . . . . . . . . .

**C.** Enfant de 26 mois. Poids : 12,8 kg ; taille : 87 cm.

Caspofongine (Cancidas) : 15,5 mg/jour IV en une seule dose en 1 heure.

**1.** Surface corporelle :                    **Calculs :**

**2.** Dose thérapeutique :

**3.** La dose est-elle sécuritaire ?

⸱⸱⸱⸱⸱⸱⸱⸱⸱⸱⸱⸱⸱⸱⸱⸱⸱⸱⸱⸱⸱⸱⸱⸱⸱⸱⸱⸱⸱⸱⸱⸱⸱⸱⸱⸱⸱⸱⸱⸱⸱⸱⸱⸱⸱⸱⸱⸱⸱⸱⸱⸱⸱⸱⸱⸱⸱⸱⸱⸱⸱⸱⸱⸱⸱⸱⸱⸱⸱⸱⸱

[M] **6.19** À L'aide du nomogramme de West (**figure 6.4**, p. 158), calculez d'abord la surface corporelle. Ensuite, calculez la fenêtre ou la dose thérapeutique et vérifiez si la dose prescrite est sécuritaire pour chacun des médicaments. Notez que le calcul des doses de médicaments utilisés en oncologie est basé sur la surface corporelle de l'enfant.

**A.** Enfant : Poids : 18,2 kg ; taille : 107 cm.

Vinblastine 2 mg IV en une seule dose en 20 minutes

La posologie recommandée pour la vinblastine pour les enfants est de 2,5 mg/m$^2$ IV pour la dose initiale. Augmenter la dose à intervalles hebdomadaires, selon la tolérance de l'enfant, par paliers (c'est-à-dire progressivement) de 1,25 mg/m$^2$, jusqu'à concurrence de 7,5 mg/m$^2$.

**1.** Surface corporelle :

**2.** Dose thérapeutique :

**3.** La dose est-elle sécuritaire ?

⸱⸱⸱⸱⸱⸱⸱⸱⸱⸱⸱⸱⸱⸱⸱⸱⸱⸱⸱⸱⸱⸱⸱⸱⸱⸱⸱⸱⸱⸱⸱⸱⸱⸱⸱⸱⸱⸱⸱⸱⸱⸱⸱⸱⸱⸱⸱⸱⸱⸱⸱⸱⸱⸱⸱⸱⸱⸱⸱⸱⸱⸱⸱⸱⸱⸱⸱⸱⸱⸱⸱

**B.** Enfant : Poids : 15,9 kg, taille : 100 cm.

Asparaginase (Erwina L-asparaginase) : 3960 unités par jour IM, 3 fois par semaine pour un total de 9 doses.

La posologie recommandée pour l'asparaginase pour les enfants est de 6000 unités/m²/jour IM 3 fois par semaine pour un total de 9 doses.

**1.** Surface corporelle :

**2.** Dose thérapeutique :

**3.** La dose est-elle sécuritaire ?

........................................................................................................

**C.** Enfant : Poids : 39,5 kg ; taille : 134,5 cm ; âge : 8 ans.

Ondansétron (Zofran) : 4 mg en perfusion IV pendant les 15 minutes précédant la chimiothérapie.

La posologie recommandée pour l'ondansétron pour les enfants de 4 à 12 ans est de 3 à 5 mg/m² en perfusion IV pendant les 15 minutes précédant la chimiothérapie.

**1.** Surface corporelle :

**2.** Dose thérapeutique :

**3.** La dose est-elle sécuritaire ?

........................................................................................................

**Figure 6.4** **Nomogramme de West.**

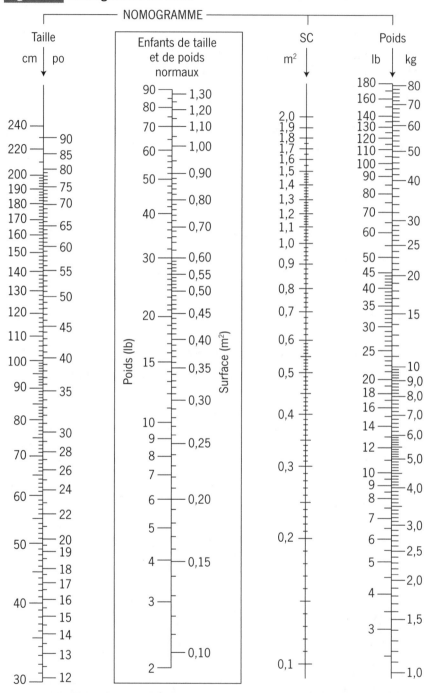

NOMOGRAMME

**Ressources en ligne**
Vous éprouvez des difficultés avec l'objectif 6.8? Rendez-vous en ligne pour vous exercer davantage.

# Calcul des doses unitaires de médicaments destinés à la voie orale

| OBJECTIF 6.9 | Calculer la dose de médicament sous forme solide ou liquide à préparer pour une administration par voie orale |
|---|---|

**F** **6.20.** La dose de 135 mg de clarithromycine q 12 h correspond à la dose thérapeutique recommandée pour Simon Lacharité. Elle a été calculée à l'exercice 6.14. Voici la FADM de l'enfant (**figure 6.5**). Calculez le volume à administrer pour une dose. Quel format de seringue utiliserez-vous pour administrer le médicament?

**Figure 6.5** **FADM de Simon Lacharité.**

**FADM**

NOM: LACHARITÉ Simon
DOSSIER: 657800
CHAMBRE: 5014
DATE DE NAISSANCE: 2014-07-09
DATE D'ADMISSION: 2020-07-24
**FADM valide du 2020-07-25 à 00 h 00 au 2020-07-25 à 23 h 59**

Poids: 18,0 kg  SC:  Allergies: Aucune
Taille: 111 cm  Clcr:  Intolérances: Aucune

| Médicaments | | Nuit (00 h 00-07 h 59) Heure Initiales | | Jour (8 h 00-15 h 59) Heure Initiales | Soir (16 h 00-23 h 59) Heure Initiales | Validité |
|---|---|---|---|---|---|---|
| Clarithromycine 125 mg/5 mL Biaxin **135 mg** **Toutes les 12 heures** | PO antibiotique | ~~06 h 00~~ | *CD* | | | 2020-07-24 10 h 00 2020-08-01 23 h 59 |
| N | | J | | | S | |
| *Christine Desbiens inf.* | *CD* | | | | | |
| Profil vérifié et conforme | *CD* | | | | | |

| ⬭ Non donné (justifier) | A Personne absente | V Vomissement | J À jeun Voir note d'obs. | AA Auto-administration | NS Non servi |
|---|---|---|---|---|---|
| ╱ Rx administré | N Nausée | R Refuse | M* Manquant et note d'obs. requise | CT Congé temporaire | Ø Aucune unité d'insuline |

**Calculs:**

F **6.21** Calculez le volume d'acétaminophène à administrer pour une dose à Audrey Labonté (**figure 6.6**). La dose prescrite est comprise à l'intérieur de la fenêtre thérapeutique (95,7 mg-143,55 mg). Quel format de seringue utiliserez-vous pour administrer le médicament?

**Figure 6.6** FADM d'Audrey Labonté.

**FADM**

NOM: LABONTÉ Audrey
DOSSIER: 57890
CHAMBRE: 5034
DATE DE NAISSANCE: 2019-08-13
DATE D'ADMISSION: 2020-05-16
**FADM valide du 2020-05-17 à 00 h 00 au 2020-05-17 à 23 h 59**

Poids: 9,57 kg     SC:

Taille: 71,5 cm    Clcr:

Allergies: Aucune

Intolérances: Aucune

| Médicaments | Nuit (00 h 00-07 h 59) Heure    Initiales | Jour (8 h 00-15 h 59) Heure    Initiales | Soir (16 h 00-23 h 59) Heure    Initiales | Validité |
|---|---|---|---|---|
| **Acétaminophène 80 mg/mL** **PO** Tylenol    analgésique, antipyrétique **120 mg** **Toutes les 4 à 6 h PRN** Pour température ≥ 38,5 °C rectale | | | | 2020-05-16 13 h 00 2020-05-24 23 h 59 |

| N | J | S |
|---|---|---|
| | | |
| Profil vérifié et conforme | | |

| ⬭ Non donné (justifier) | A Personne absente | V Vomissement | J À jeun Voir note d'obs. | AA Auto-administration | NS Non servi |
|---|---|---|---|---|---|
| ╱ Rx administré | N Nausée | R Refuse | M* Manquant et note d'obs. requise | CT Congé temporaire | Ø Aucune unité d'insuline |

**Calculs:**

F **6.22** Calculez le volume des médicaments à administrer pour une dose selon la FADM de Charles Tanguay (**figure 6.7**). Les doses prescrites sont comprises à l'intérieur de la fenêtre thérapeutique :

- hydromorphone : 1,299 mg-3,464 mg

- érythromycine : 324,75 mg-541,25 mg

Quel format de seringue utiliserez-vous pour administrer le médicament ?

**Figure 6.7** **FADM de Charles Tanguay.**

**FADM**

NOM :    TANGUAY Charles
DOSSIER :    9871
CHAMBRE :    5026
DATE DE NAISSANCE : 2009-08-13
DATE D'ADMISSION : 2020-03-24
**FADM valide du 2020-03-25 à 00 h 00 au 2020-03-25 à 23 h 59**

| Poids : 43,3 kg | SC : | | Allergies : Aucune | | |
|---|---|---|---|---|---|
| Taille : 147 cm | Clcr : | | Intolérances : Aucune | | |

| Médicaments | Nuit (00 h 00-07 h 59) Heure / Initiales | Jour (8 h 00-15 h 59) Heure / Initiales | Soir (16 h 00-23 h 59) Heure / Initiales | Validité |
|---|---|---|---|---|
| **Hydromorphone 1mg/mL**   **PO** <br> Dilaudid    analgésique opioïde <br> **1,5 mg** <br> **Toutes les 4 à 6 h, au besoin** | | | | 2020-03-24 10 h 00 <br><br> 2020-08-01 23 h 59 |
| **Érythromycine 250 mg/5 mL**   **PO** <br> Téva-érythromycine estolate    antibiotique <br> **300 mg** <br> **Toutes les 6 h** | 03 h 00 | 09 h 00 <br><br> 15 h 00 | 21 h 00 | 2020-03-24 10 h 00 <br><br> 2020-04-02 23 h 59 |

| N | J | S | |
|---|---|---|---|
| | | | |
| Profil vérifié et conforme | | | |

| ◯ <br> Non donné (justifier) | A <br> Personne absente | V <br> Vomissement | J <br> À jeun <br> Voir note d'obs. | AA <br> Auto- <br> administration | NS <br> Non servi |
|---|---|---|---|---|---|
| ╱ <br> Rx administré | N <br> Nausée | R <br> Refuse | M* <br> Manquant et note <br> d'obs. requise | CT <br> Congé temporaire | ∅ <br> Aucune unité <br> d'insuline |

**A.** Hydromorphone :        **Calculs :**

**B.** Érythromycine :　　　　　　　　**Calculs :**

........................................................................................................................

M 　**6.23** Il est 6 h et vous devez calculer le volume de médicament à administrer pour la dose de céfaclor, selon la FADM de Charles Côté (**figure 6.8**). La dose prescrite est thérapeutique (dose recommandée : 72 mg toutes les 8 à 12 h). Quel format de seringue utiliserez-vous pour administrer le médicament ?

**Figure 6.8** **FADM de Charles Côté.**

**FADM**

NOM :　　　　　　　CÔTÉ Charles
DOSSIER :　　　　　　79435
CHAMBRE :　　　　　　5023
DATE DE NAISSANCE : 2018-12-16
DATE D'ADMISSION : 2020-06-16
**FADM valide du 2020-06-17 à 00 h 00 au 2020-06-17 à 23 h 59**

| Poids : 10,85 kg | SC : | | Allergies : Aucune |
| Taille : 80 cm | Clcr : | | Intolérances : Aucune |

| Médicaments | | Nuit (00 h 00-07 h 59) Heure　　Initiales | Jour (8 h 00-15 h 59) Heure　　Initiales | Soir (16 h 00-23 h 59) Heure　　Initiales | Validité |
|---|---|---|---|---|---|
| **Céfaclor 125 mg/5 mL** Ceclor **72 mg** **Toutes les 8 h** | PO antibiotique | **06 h 00** | **14 h 00** | **22 h 00** | 2020-06-16 11 h 00  2020-06-23 23 h 59 |

| N | | J | | S | |
|---|---|---|---|---|---|
| | | | | | |
| Profil vérifié et conforme | | | | | |

| | A Personne absente | V Vomissement | J À jeun Voir note d'obs. | AA Auto-administration | NS Non servi |
|---|---|---|---|---|---|
| Non donné (justifier) | N Nausée | R Refuse | M* Manquant et note d'obs. requise | CT Congé temporaire | ∅ Aucune unité d'insuline |
| Rx administré | | | | | |

**Calculs :**

D 6.24 Mathieu Montour est asthmatique et allergique à la poussière et à divers pollens. Il est hospitalisé pour une exacerbation de son asthme. Il présente de la congestion nasale, des rougeurs aux yeux et des larmoiements. À partir de l'ordonnance suivante (**figure 6.9**), préparer la dose de diphenhydramine à administrer. La teneur de la diphenhydramine disponible sur l'unité est de 25 mg par comprimé. Utilisez la démarche en 5 étapes et votre guide des médicaments pour répondre à la question.

**Figure 6.9** **Ordonnance de Mathieu Montour.**

<table>
<tr><td colspan="2" rowspan="2"><br><br>**MÉDICAMENTS**</td><td colspan="4">*Montour Mathieu*     *DDN : 2006-12-19*<br>*13 ans*</td></tr>
<tr></tr>
<tr><td colspan="2">POIDS : 52,5 kg   _____ lb</td><td colspan="4">TAILLE : 162 cm    _____ po</td></tr>
<tr><td colspan="2">ALLERGIE SUSPECTÉE :<br>_____<br>_____</td><td colspan="4">ALLERGIE CONFIRMÉE :<br>poussière, divers pollens<br><br></td></tr>
<tr><td colspan="3">GROSSESSE : _____ / Semaines grossesse</td><td>☐ **Biberon**</td><td colspan="2">☐ **Allaitement maternel**</td></tr>
<tr><td>**NOM**</td><td>**DOSE**</td><td>**VOIE**</td><td>**FRÉQUENCE**</td><td>**DURÉE**</td><td>**S. INF.**</td></tr>
<tr><td>*Diphenhydramine*</td><td>*50 mg*</td><td>*PO*</td><td>*Toutes les 4 à 6 h*</td><td>*7 jours*</td><td></td></tr>
<tr><td></td><td></td><td></td><td></td><td></td><td></td></tr>
<tr><td>*2020-04-09*</td><td>*12 h 00*</td><td colspan="2">*Dʳ Émile Cardin*</td><td colspan="2">*069087*</td></tr>
<tr><td>Date</td><td>Heure</td><td colspan="2">Signature du médecin</td><td colspan="2">Nᵒ de permis</td></tr>
</table>

**Étape 1 : Collecter les données**

**Étape 2 : Analyser les données**

**Étape 3 : Planifier la préparation**

**Étape 4 : Calculer la dose**

**Étape 5 : Vérifier le résultat obtenu**

**Ressources en ligne**
Vous éprouvez des difficultés avec l'objectif 6.9 ? Rendez-vous en ligne pour vous exercer davantage.

# Calcul des doses unitaires de médicaments destinés à la voie parentérale

| OBJECTIF 6.10 | Calculer la dose d'un médicament à préparer pour une administration par voie intraveineuse |
|---|---|

F **6.25** Un enfant de 8 ans qui pèse 39,5 kg reçoit 40 mg d'un diurétique, le furosémide (Lasix) IV toutes les 12 heures. Le furosémide disponible sur l'unité de soins se présente sous la forme suivante (voir l'étiquette) :

© Sandoz. Reproduit avec permission.

L'infirmière consulte le guide des médicaments pour connaître la posologie recommandée du furosémide pour cet enfant. Voici ce qui est indiqué :
Posologie pour les enfants : 1 à 2 mg/kg/dose, toutes les 6 à 12 heures.

**A.** Quelle est la fenêtre thérapeutique du furosémide (Lasix) pour cet enfant ?

**B.** La dose prescrite est-elle sécuritaire ? Justifiez.

**C.** Quel est le volume de furosémide (Lasix) à préparer ?

M | **6.26** Un enfant de 5 ans, qui pèse 18 kg, reçoit 180 mg d'un antibiotique, la céfazoline (Ancef ) IV toutes les 8 heures. Il est hospitalisé pour une ostéomyélite au tibia gauche. La fiole de céfazoline disponible dans l'unité de soins se présente sous la forme de céfazoline 50 mg/mL. L'infirmière consulte le guide des médicaments pour connaître la posologie recommandée de la céfazoline pour enfant. Voici ce qui est indiqué :

Posologie pour les enfants : IM, IV (enfants et nourrissons > 1 mois) 25 à 50 mg/kg/jour en 3 ou 4 doses égales.

**A.** Quelle est la fenêtre thérapeutique de l'Ancef pour cet enfant ?

**B.** La dose prescrite est-elle sécuritaire ? Justifiez.

**C.** Quel est le volume d'Ancef à préparer ?

D | **6.27** Un enfant de 1 an, qui pèse 10,26 kg, reçoit 400 mg d'ampicilline (Ampicin) IV toutes les 6 heures. Il est hospitalisé pour une infection urinaire. L'ampicilline est un antibiotique de la classe des aminopénicillines. La fiole d'ampicilline disponible dans l'unité de soins se présente sous la forme d'une poudre de teneurs variées : 250 mg, 500 mg, 1 g et 2 g. L'infirmière consulte le guide des médicaments pour connaître la posologie recommandée de l'ampicilline pour un enfant ayant une infection urinaire.

**Voies d'administration et posologie :**

IM/IV pour les enfants de plus d'un mois : 100 à 200 mg/kg/jour en doses fractionnées, toutes les 6 heures.

L'infirmière consulte aussi le guide d'administration des antibiotiques intraveineux pour préparer la dose de médicament.

**Tableau 6.2** **Guide pour la reconstitution et la dilution de l'ampicilline IV**

| Nom du médicament | Teneur disponible | Reconstitution de la fiole | | Dose | Mode de dilution | Temps d'administration perfusion intermittente |
|---|---|---|---|---|---|---|
| | | Volume et type de solvant Volume total (VT) | Concentration finale de la fiole | | | |
| **Ampicilline** (Ampicilline) | 250 mg | 4,8 mL eau stérile pour préparation injectable (ES) VT : 5 mL | 50 mg/L | 0-250 mg | Jusqu'à 10 mL NaCl 0,9 % | 30 min |
| | 500 mg | 4,8 mL ES VT : 5 mL | 100 mg/mL | 251-500 mg | Jusqu'à 10 mL NaCl 0,9 % | 30 min |
| | 1000 mg | 7,4 mL ES VT : 8 mL | 125 mg/mL | 501-1000 mg | Jusqu'à 20 mL NaCl 0,9 % | 30 min |
| | 2000 mg | 8,8 mL ES VT : 10 mL | 200 mg/mL | 1001 à 2000 mg | Jusqu'à 20 mL NaCl 0,9 % | 30 min |

Note : Ce tableau est fourni à titre indicatif seulement. Il ne doit pas être utilisé pour administrer des médicaments dans des situations réelles.

**A.** Quelle est la fenêtre thérapeutique de l'ampicilline pour cet enfant ?

**B.** La dose prescrite est-elle sécuritaire ? Justifiez.

**C.** Quelle est la teneur de la fiole que vous choisissez ? Justifiez.

**D.** Quel est le volume d'ampicilline à préparer ?

**E.** Quel sera le volume de diluant que vous ajouterez pour diluer la dose préparée en D ? (voir le **tableau 6.2**)

**Ressources en ligne**
Vous éprouvez des difficultés avec l'objectif 6.10 ? Rendez-vous en ligne pour vous exercer davantage.

# Maîtriser les situations cliniques

F **6.28** Adam, 2 mois, qui pèse 5200 g, est hospitalisé pour une bronchiolite. Il a de la difficulté à boire au biberon car son nez est congestionné. Il a bu 160 mL de préparation lactée au cours des dernières 24 heures. Il a un soluté D 5 % NaCl 0,9 % dont le débit est réglé à 15 mL/heure.

À l'aide du tableau 6.1 présenté à la page 199 du manuel, expliquez si ses besoins liquidiens sont comblés.

F **6.29** Philippe, 7 ans, est admis à l'unité de pédiatrie à la suite d'un diagnostic de déshydratation. Il a des vomissements qui durent depuis 3 jours. La mère de Philippe vous indique qu'il pesait 62 livres il y a 5 jours. Son poids est actuellement de 27,4 kg.

Calculez le pourcentage de perte de poids.

Quel devrait être le débit horaire de la perfusion pour combler ses besoins liquidiens ?

F **6.30** Gabriel, 11 ans, pèse 40 kg et est hospitalisé à l'unité de pédiatrie pour une pneumonie. Il reçoit une perfusion intraveineuse de Dextrose 5 % NaCl 0,9 %, dont le débit est réglé à 80 mL/h.

Vérifiez si le débit horaire du soluté de Gabriel est adéquat pour combler ses besoins d'entretien en eau selon son poids.

F **6.31** Simon doit recevoir de la diphenhydramine (Bénadryl) IV pour du prurit provoqué par un des médicaments qu'il vient de recevoir. La posologie recommandée pour le Bénadryl est de 150 mg/m$^2$/jour. Pour calculer si la dose prescrite est sécuritaire, vous devez d'abord calculer la surface corporelle de Simon. Faites ce calcul à l'aide de la formule, sachant que Simon pèse 35 kg et mesure 146,5 cm.

F 6.32 Annabelle Morin est hospitalisée pour des douleurs abdominales. Annabelle présente aussi une fibrillation auriculaire depuis l'âge de 3 ans. Pour contrôler son arythmie, elle reçoit un antiarythmique, la digoxine (Lanoxin) (**figure 6.10**). L'infirmière consulte son guide des médicaments et note les informations suivantes :

**Voies d'administration et posologie :**
- PO (enfants > 10 ans) : dose d'entretien de 3 à 5 mcg/kg/jour, une fois par jour
- PO (enfants de 5 à 10 ans) : dose d'entretien de 7 à 10 mcg/kg/jour, en deux prises

Le médicament disponible est sous la forme d'élixir pédiatrique avec une concentration de 0,05mg/mL.

**Figure 6.10** Ordonnance d'Annabelle Morin.

| MÉDICAMENTS | | *Morin Annabelle* *12 ans* | *DDN : 2008-01-12* | | |
|---|---|---|---|---|---|
| POIDS : 44,2 kg _____ lb | | | TAILLE : 152 cm _____ po | | |
| ALLERGIE SUSPECTÉE : _____ | | | ALLERGIE CONFIRMÉE : _____ | | |
| GROSSESSE : _____ / Semaines grossesse | | ☐ Biberon | | ☐ Allaitement maternel | |
| **NOM** | **DOSE** | **VOIE** | **FRÉQUENCE** | **DURÉE** | **S. INF.** |
| *Digoxine* | *220 mcg* | *PO* | *DIE* | *7 jours* | |
| *2020-03-13* | *13 h 00* | *Dr Sylvain Poirier* | | *08974* | |
| Date | Heure | Signature du médecin | | N° de permis | |

**A.** Quelle est la fenêtre thérapeutique de la digoxine pour Annabelle ?

**B.** Combien de millilitres de digoxine (Lanoxin) préparez-vous si le médicament disponible est sous la forme d'élixir pédiatrique avec une concentration de 0,05 mg/mL ?

M **6.33** Tommy, âgé de 22 mois, pèse 14,8 kg. Il a été admis pour une hyperthermie depuis 3 jours d'origine inconnue. Sa température corporelle est de 39,3 °C rectale. L'infirmière suit l'ordonnance collective destinée à un enfant admis avec fièvre ou douleur. Tommy tolère bien les aliments par la bouche. L'infirmière décide d'administrer l'acétaminophène par voie orale et non par voie rectale. Plusieurs teneurs et formes d'acétaminophène sont disponibles dans l'unité de soins. Les voici : acétaminophène 80 mg/mL ou 80 mg/co. et acétaminophène 160 mg/5mL ou 160 mg/co.

**Extrait de l'ordonnance collective[2] :**

**1.** Pour la clientèle de plus de 43 kg ou adulte :

- Administrer acétaminophène 1000 mg PO ou IR aux 6 heures PRN
- Maximum 4000 mg/24 heures

**2.** Pour la clientèle de 43 kg et moins ou pédiatrique :

- Administrer acétaminophène en solution orale 15 mg/kg PO ou IR aux 4 heures PRN

**A.** Quelle forme d'acétaminophène l'infirmière choisira-t-elle ?

**B.** Quelle dose d'acétaminophène l'infirmière va-t-elle préparer pour Tommy ?

2. Voir le chapitre 2 p. 57. Le contenu des ordonnances collectives peut varier d'un centre hospitalier à un autre.

**C.** Quelle quantité ou volume (comprimés ou millilitres selon votre réponse en A) d'acétaminophène devra-t-elle préparer ? Justifiez votre réponse.

**D.** Précisez le matériel utilisé pour administrer le médicament.

M **6.34** Amélie Robert séjourne à l'unité de pédiatrie depuis 24 heures pour une péritonite. Il est maintenant 14 h. L'infirmière s'apprête à administrer la dose de tobramycine. Voici la FADM (**figure 6.11**).

Figure 6.11 **FADM d'Amélie Robert.**

**FADM**

NOM : ROBERT Amélie
DOSSIER : 10254
CHAMBRE : 5045
DATE DE NAISSANCE : 2009-02-05
DATE D'ADMISSION : 2020-03-18
**FADM valide du 2020-03-19 à 00 h 00 au 2020-03-19 à 23 h 59**

Poids : 35,3 kg    SC :    Allergies : latex
Taille : 146,5 cm    Clcr : 80 mL/min    Intolérances : Aucune

| Médicaments | Nuit (00 h 00-07 h 59) Heure | Nuit Initiales | Jour (8 h 00-15 h 59) Heure | Jour Initiales | Soir (16 h 00-23 h 59) Heure | Soir Initiales | Validité |
|---|---|---|---|---|---|---|---|
| **Tobramycine 40 mg/mL**   IV<br>Nebcin   antibiotique<br>**84 mg**<br>**Toutes les 8 h** | ~~06 h 00~~ | JD | 14 h 00 | | 22 h 00 | | 2020-03-18-<br>18 h 00<br><br>2020-03-25<br>23 h 59 |

| N | J | S |
|---|---|---|
| *Julie Diotte inf.*   JD | | |
| Profil vérifié et conforme   JD | | |

| ⬭ Non donné (justifier) | A Personne absente | V Vomissement | J À jeun Voir note d'obs. | AA Auto-administration | NS Non servi |
|---|---|---|---|---|---|
| ╱ Rx administré | N Nausée | R Refuse | M* Manquant et note d'obs. requise | CT Congé temporaire | Ø Aucune unité d'insuline |

**Tableau 6.3**  **Guide de dilution des antibiotiques intraveineux chez les enfants**

| Nom du médicament | Teneur disponible | Reconstitution de la fiole | | Dose | Mode de dilution | Temps d'administration perfusion intermittente |
|---|---|---|---|---|---|---|
| | | Volume et type de solvant Volume total (VT) | Concentration finale de la fiole | | Compléter avec du NaCl 0,9 % ou D 5 % | |
| **Tobramycine** (Nebcin) | 80 mg | Déjà reconstitué VT : 2 mL | 40 mg/mL | 51-125 mg | Minisac 25 mL | 30 min |
| | | | | 126-250 mg | Minisac 50 mL | 30 min |
| | | | | > 250 mg | Minisac 100 mL | 30 min |

Note : Ce tableau est fourni à titre indicatif seulement. Il ne doit pas être utilisé pour administrer des médicaments dans des situations réelles.

À l'aide de la démarche en 5 étapes, calculez combien il faudra de millilitres de tobramycine pour administrer une dose exacte.

**Étape 1: Collecter les données**

**Étape 2: Analyser les données**

**Étape 3: Planifier la préparation**

**Étape 4: Calculer la dose**

**Étape 5: Vérifier le résultat obtenu**

**D** **6.35** Rosalie Berger, 3 ans, pèse 32 lb et 7 oz. Elle est hospitalisée pour une pneumonie. Elle n'a pas d'allergie connue aux médicaments. L'ordonnance est de 700 mg de ceftriaxone (Rocephin) IV toutes les 12 heures, durant 5 jours. L'infirmière consulte un guide des médicaments et recueille l'information suivante sur la ceftriaxone.

**Voies d'administration et posologie :**

- IM/IV (enfants de 1 mois à 12 ans) : 25 à 37,5 mg/kg toutes les 12 heures. Dose maximale de 2 g/jour.

**Tableau 6.4** **Guide de dilution des antibiotiques intraveineux chez les enfants**

| Nom du médicament | Format disponible | Reconstitution de la fiole | | Dose | Mode de dilution | Temps d'administration perfusion intermittente |
|---|---|---|---|---|---|---|
| | | Volume et type de solvant Volume total (VT) | Concentration finale de la fiole | | Compléter | |
| Ceftriaxone (Rocephin) | 1000 mg | 9,6 mL eau stérile pour préparation injectable | 100 mg/mL | 0-400 mg | Jusqu'à 10 mL D 5 % ou NaCl 0,9 % | 30 min |
| | | VT : 10 mL | | 401-1000 mg | Diluer dans un minisac de 2 mL D 5 % ou NaCl 0,9 % | 30 min |
| | 2000 mg | 19,2 mL eau stérile pour préparation injectable VT : 20 mL | | 1001 à 2000 mg | Diluer dans un minisac de 50 mL D 5 % ou NaCl 0,9 % | 30 min |

Note : Ce tableau est fourni à titre indicatif seulement. Il ne doit pas être utilisé pour administrer des médicaments dans des situations réelles.

En vous aidant du guide de dilution des antibiotiques (**tableau 6.4**), combien de millilitres de ceftriaxone allez-vous préparer ? Justifiez votre réponse.

D | **6.36** À la suite de l'appel de l'infirmière, le médecin modifie l'ordonnance de Rosalie Berger (**figure 6.12**). L'infirmière ayant déjà calculé la fenêtre thérapeutique, elle sait que la nouvelle dose prescrite est adéquate.

Rosalie reçoit aussi une perfusion de NaCl 0,9 % à un débit de 10 mL/h avec une pompe volumétrique.

**Figure 6.12** Ordonnance de Rosalie Berger.

| **MÉDICAMENTS** | | | *Berger Rosalie* <br> *3 ans* | | *DDN : 2017-02-14* |
|---|---|---|---|---|---|
| POIDS : 14,7 kg _____ lb | | | TAILLE : 97 cm _____ po | | |
| ALLERGIE SUSPECTÉE : <br><br> _____ <br> _____ | | | ALLERGIE CONFIRMÉE : <br><br> _____ <br> _____ | | |
| GROSSESSE : _____ / Semaines grossesse | | | ☐ Biberon | ☐ Allaitement maternel | |
| **NOM** | **DOSE** | **VOIE** | **FRÉQUENCE** | **DURÉE** | **S. INF.** |
| *Ceftriaxone* | *450 mg* | *IV* | *Toutes les 12 h* | *5 jours* | |
| *2020-02-16* | *13 h 00* | *Dᵣ Gilles Doucet* | | *20587* | |
| Date | Heure | Signature du médecin | | N° de permis | |

À l'aide du guide de dilution des antibiotiques de l'exercice 6.35, répondez aux questions suivantes.

**A.** Quelle teneur de ceftriaxone choisirez-vous ? Justifiez.

_____

_____

_____

_____

**B.** Quel volume de ceftriaxone prélèverez-vous de la fiole après avoir reconstitué le médicament ?

**C.** De quelle façon allez-vous diluer la dose préparée en b) en vue de son administration ? (voir le **tableau 6.4**)

_____

_____

_____

_____

**D.** À quel débit programmerez-vous la pompe volumétrique pour administrer le ceftriaxone ?

**Ressources en ligne**
Évaluez votre connaissance et votre maîtrise du contenu de ce chapitre grâce à des exercices supplémentaires de difficulté progressive. Cette révision de l'ensemble des notions est une excellente préparation à un examen.

| | | Manuel | Cahier d'exercices |
|---|---|---|---|
| **Calcul du débit de perfusion en millilitres par heure (mL/h)** | | 232 | 180 |
| OBJECTIF 7.1 | Calculer le débit de perfusion en millilitres par heure (mL/h) à partir d'une ordonnance en milligrammes par heure (mg/h) ou en grammes par heure (g/h) | 233 | 180 |
| OBJECTIF 7.2 | Calculer le débit de perfusion en millilitres par heure (mL/h) à partir d'une ordonnance en microgrammes par minute (mcg/min) ou en milligrammes par minute (mg/min) | 236 | 182 |
| OBJECTIF 7.3 | Calculer la dose en microgrammes par minute (mcg/min) ou en milligrammes par minute (mg/min) à partir d'un débit de perfusion en millilitres par heure (mL/h) | 240 | 184 |
| OBJECTIF 7.4 | Calculer le débit de perfusion en millilitres par heure (mL/h) à partir d'une ordonnance en microgrammes par kilogramme par minute (mcg/kg/min) ou en milligrammes par kilogramme par minute (mg/kg/min) | 244 | 186 |
| OBJECTIF 7.5 | Calculer la dose en microgrammes par kilogramme par minute (mcg/kg/min) ou en milligrammes par kilogramme par minute (mg/kg/min) à partir d'un débit de perfusion en millilitres par heure (mL/h) | 248 | 188 |
| **Transfusion des produits sanguins** | | 251 | 190 |
| OBJECTIF 7.6 | Calculer le volume transfusé en fonction du temps de perfusion | 253 | 190 |
| OBJECTIF 7.7 | Calculer l'heure prévue de la fin de la transfusion | 257 | 192 |

# La préparation des médicaments dans un contexte de soins aux personnes en phase critique

# 7

| | Manuel | Cahier d'exercices |
|---|---|---|
| **Alimentation parentérale totale (APT)** | 260 | 195 |
| OBJECTIF 7.8 — Calculer le débit total des perfusions dans le but d'ajuster le débit du soluté | 261 | 195 |
| OBJECTIF 7.9 — Calculer la quantité d'une substance donnée dans une solution intraveineuse afin d'établir des équivalences | 265 | 197 |
| **Soins palliatifs et soins de fin de vie** | 268 |  |
| OBJECTIF 7.10 — Définir les entredoses d'opioïdes et leurs buts, déterminer comment les ajuster selon les besoins et préciser leur usage dans les soins palliatifs et les soins de fin de vie | 269 |  |
| **Sédation palliative continue** | 271 | 198 |
| OBJECTIF 7.11 — Calculer la sédation palliative à partir d'une dose horaire | 271 | 198 |
| OBJECTIF 7.12 — Calculer la dose de médicament correspondant au vide d'air | 275 | 200 |
| OBJECTIF 7.13 — Calculer le volume de diluant nécessaire à la préparation de la perfusion dans un contexte de sédation palliative | 278 | 203 |

**Maîtriser les situations cliniques   p. 205**

 Certains objectifs sans portée pratique n'ont pas d'exercices correspondants ; ils ne figurent donc pas dans le cahier d'exercices.

# Atteindre les objectifs

## Calcul du débit de perfusion en millilitres par heure (mL/h)

OBJECTIF 7.1 Calculer le débit de perfusion en millilitres par heure (mL/h) à partir d'une ordonnance en milligrammes par heure (mg/h) ou en grammes par heure (g/h)

F **7.1** Calculez le débit des perfusions suivantes.

**A.** diltiazem (Cardizem) 250 mg dans 250 mL de NaCl 0,9 %, à perfuser à 12 mg/h.

**Calculs :**

**B.** morphine 100 mg dans 100 mL de NaCl 0,9 %, à perfuser à 3 mg/h.

**Calculs :**

**C.** sulfate de magnésium ($MgSO_4$) 5 g dans 250 mL de D 5 % dans eau, à perfuser à 1 g/h.

**Calculs :**

M **7.2** Calculez le débit de perfusion.

**A.** midazolam (Versed) 50 mg dans 100 mL de D 5 % à perfuser à 2,1 mg/h.

**Calculs :**

**B.** métoprolol (Lopressor) 50 mg dans 100 mL de NaCl 0,9 % à perfuser à 3 mg/h.

**Calculs :**

......

**C.** gluconate de calcium 10 % 1 g dans 50 mL de NaCl 0,9 % à perfuser à 0,5 g/h.

**Calculs :**

......

**D** **7.3** Calculez le débit de perfusion.

**A.** propofol (Dipirivan) 1 g dans 100 mL à perfuser à 200 mg/h.

**Calculs :**

......

**B.** flumazénil (Anexate) 5 mg dans 50 mL de D 5 % dans l'eau à perfuser à 0,8 mg/h.

**Calculs :**

......

**C.** fer saccharose (Vénofer) 300 mg dans 100 mL de NaCl 0,9 % à perfuser à 0,150 g/h.

**Calculs :**

......

**Ressources en ligne**
Vous éprouvez des difficultés avec l'objectif 7.1 ? Rendez-vous en ligne pour vous exercer davantage.

Calculer le débit de perfusion en millilitres par heure (mL/h) à partir d'une ordonnance en microgrammes par minute (mcg/min) ou en milligrammes par minute (mg/min)

F **7.4** Calculez le débit de perfusion en millilitres par heure (mL/h).

**A.** nitroglycérine (Tridil) 50 mg dans 250 mL de D 5 % dans l'eau, à perfuser à 0,02 mg/min.

**Calculs :**

**B.** procaïnamide 1000 mg dans 500 mL de D 5 % dans l'eau, à perfuser à 3 mg/min.

**Calculs :**

**C.** sulfate de magnésium (MgSO$_4$) dose d'attaque 5000 mg dans 100 mL de NaCl 0,9 % à 150 mg/min.

**Calculs :**

M **7.5** Calculez le débit de perfusion.

**A.** labétalol (Trandate) 200 mg dans 250 mL de D 5 % dans l'eau, à perfuser à 0,5 mg/min.

**Calculs :**

**B.** hydromorphone (Dilaudid) 20 mg dans 100 mL de NS, à perfuser à 0,5 mg/min.

**Calculs :**

**C.** ranitidine (Zantac) 50 mg dans 100 mL de NS, à perfuser à 50 mg/20 min.

**Calculs :**

D | **7.6** Calculez le débit de perfusion.

**A.** nitroglycérine (Tridil) 50 mg dans 250 mL de D 5 % dans l'eau, à perfuser à 15 mcg/min.

**Calculs :**

**B.** lidocaïne (Xylocaïne) 1 g dans 250 mL de D 5 % dans l'eau, à perfuser à 2 mg/min.

**Calculs :**

**C.** procaïnamide 1 g dans 500 mL de D 5 % dans l'eau, à perfuser à 4 mg/min.

**Calculs :**

**Ressources en ligne**
Vous éprouvez des difficultés avec l'objectif 7.2 ? Rendez-vous en ligne pour vous exercer davantage.

Calculer la dose en microgrammes par minute (mcg/min) ou en milligrammes par minute (mg/min) à partir d'un débit de perfusion en millilitres par heure (mL/h)

F **7.7** Calculez la dose en microgrammes par minute (mcg/min) ou en milligrammes par minute (mg/min).

**A.** nitroglycérine (Tridil) 50 mg dans 500 mL de D 5 % dans l'eau, à perfuser à 12 mL/h.

**Calculs:**

.......................................................................................................................

**B.** lidocaïne (Xylocaïne) 1000 mg dans 1000 mL de D 5 % dans l'eau, à perfuser à 60 mL/h.

**Calculs:**

.......................................................................................................................

**C.** hydromorphone (Dilaudid) 20 mg dans 100 mL de NS à 0,9 %, à perfuser à 1,5 mL/h.

**Calculs:**

.......................................................................................................................

M **7.8** Calculez la dose en microgrammes par minute (mcg/min) ou en milligrammes par minute (mg/min).

**A.** lidocaïne (Xylocaïne) 1 g dans 500 mL de D 5 % dans l'eau, à perfuser à 30 mL/h.

**Calculs:**

.......................................................................................................................

**B.** procaïnamide 1 g dans 250 mL de D 5 % dans l'eau, à perfuser à 45 mL/h.

**Calculs :**

---

**C.** labétalol (Trandate) 200 mg dans 250 mL de D 5 % dans l'eau, à perfuser à 15 mL/h.

**Calculs :**

---

D 7.9 Calculez la dose en microgrammes par minute (mcg/min) ou en milligrammes par minute (mg/min).

**A.** nitroglycérine (Tridil) 50 mg dans 250 mL de D 5 % dans l'eau, à perfuser à 15 mL/h.

**Calculs :**

---

**B.** lidocaïne (Xylocaïne) 2 g dans 250 mL de D 5 % dans l'eau, à perfuser à 22,5 mL/h.

**Calculs :**

---

**C.** procaïnamide 1 g dans 250 mL de D 5 % dans l'eau, à perfuser à 90 mL/h.

**Calculs :**

---

**Ressources en ligne**
Vous éprouvez des difficultés avec l'objectif 7.3 ? Rendez-vous en ligne pour vous exercer davantage.

Calculer le débit de perfusion en millilitres par heure (mL/h) à partir d'une ordonnance en microgrammes par kilogramme par minute (mcg/kg/min) ou en milligrammes par kilogramme par minute (mg/kg/min)

F **7.10** Calculez le débit de perfusion.

**A.** nitroprusside (Nipride) 50 mg dans 1000 mL de D 5 % dans l'eau, à perfuser à 3 mcg/kg/min pour une femme de 72 kg.

**Calculs :**

**B.** propofol (Dipirivan) émulsion de 1000 mg par 100 mL, à perfuser à 0,005 mg/kg/min pour un homme intubé de 101 kg.

**Calculs :**

**C.** acétylcystéine (Mucomyst) 150 mg/ kg dans 250 mL de D 5 % dans l'eau, à perfuser en 15 minutes pour une jeune adulte de 68 kg.

**Calculs :**

M **7.11** Calculez le débit de perfusion.

**A.** dopamine 400 mg dans 500 mL de D 5 % dans l'eau, à perfuser à 5 mcg/kg/min pour une femme de 82 kg.

**Calculs :**

**B.** dopamine 800 mg dans 500 mL de D 5 % dans l'eau, à perfuser à 50 mcg/kg/min pour un homme de 98 kg.

**Calculs :**

**C.** midazolam (Versed) 50 mg dans 50 mL de NaCl 0,9 % à perfuser à 0,5 mcg/kg/min pour un homme intubé de 88 kg.

**Calculs :**

D | **7.12** Calculez le débit de perfusion.

**A.** dobutamine (Dobutrex) 250 mg dans 500 mL de NaCl 0,9 %, à perfuser à 7,5 mcg/kg/min pour un homme de 102 kg.

**Calculs :**

**B.** esmolol (Brevibloc) 5 g dans 500 mL de NaCl 0,9 %, à perfuser à 50 mcg/ kg/min pendant 4 minutes pour une femme de 120 livres.

**Calculs :**

**C.** milrinone (Primacor) 20 mg dans 200 mL de NaCl à 0,9 %, à perfuser à 0,375 mcg/kg/min pour un homme de 78 kg.

**Calculs :**

**Ressources en ligne**
Vous éprouvez des difficultés avec l'objectif 7.4 ? Rendez-vous en ligne pour vous exercer davantage.

Calculer la dose en microgrammes par kilogramme par minute (mcg/kg/min) ou en milligrammes par kilogramme par minute (mg/kg/min) à partir d'un débit de perfusion en millilitres par heure (mL/h)

F | **7.13** Calculez la dose en microgrammes par kilogramme par minute (mcg/kg/min) ou en milligrammes par kilogramme par minute (mg/kg/min).

**A.** nitroprusside (Nipride) 50 mg dans 1000 mL de D 5 % dans l'eau, à perfuser à 6 mL/h pour une femme de 75 kg.

**Calculs :**

...............................................................................................................

**B.** propofol (Dipirivan) émulsion de 1000 mg par 100 mL, à perfuser à 26 mL/h pour un homme intubé de 109 kg.

**Calculs :**

...............................................................................................................

**C.** acétylcystéine (Mucomyst) 2900 mg dans 500 mL de D 5 % dans l'eau, à perfuser à 125 mL/h pour une jeune adulte de 58 kg.

**Calculs :**

...............................................................................................................

 **ASTUCE**

Lorsque les quantités sont petites, il est préférable d'utiliser les microgrammes (mcg) plutôt que les milligrammes (mg). On obtient ainsi une plus grande précision.

M 7.14 Calculez la dose en mcg/kg/min ou en mg/kg/min.

**A.** dopamine 800 mg dans 500 mL **Calculs:**
de D 5 % dans l'eau, à perfuser
à 126 mL/h pour une femme
de 84 kg.

........................................................................................

**B.** dopamine 400 mg dans 500 mL **Calculs:**
de D 5 % dans l'eau, à perfuser
à 36 mL/h pour un homme de 96 kg.

........................................................................................

**C.** midazolam (Versed) 50 mg dans **Calculs:**
50 mL de NaCl 0,9 % à perfuser
à 12 mL/h pour un homme intubé
de 118 kg.

........................................................................................

D 7.15 Calculez la dose en mcg/kg/min ou en mg/kg/min.

**A.** dobutamine (Dobutrex) 250 mg **Calculs:**
dans 1 L de NaCl 0,9 %, à perfuser
à 86 mL/h pour un homme de 72 kg.

........................................................................................

**B.** esmolol (Brevibloc) 5 g dans 0,5 L **Calculs:**
de NaCl 0,9 %, à perfuser à 27 mL/h
pour une femme de 132 livres.

........................................................................................

**C.** milrinone (Primacor) 20 mg dans 100 mL de NaCl 0,9 %, à perfuser à 15 mL/h pour un homme de 188 livres.

**Calculs :**

**Ressources en ligne**
Vous éprouvez des difficultés avec l'objectif 7.5 ? Rendez-vous en ligne pour vous exercer davantage.

# Transfusion des produits sanguins

**OBJECTIF 7.6**  Calculer le volume transfusé en fonction du temps de perfusion

F **7.16** Calculez le volume transfusé depuis la dernière visite de l'infirmière.

**A.** Une transfusion de culot globulaire débute à 12 h 00. Le débit initial est de 120 mL/h. L'infirmière retourne à 12 h 15 pour augmenter le débit à 200 mL/h.

**Calculs :**

**B.** Une transfusion de plaquettes débute à 10 h 10. Le débit initial est de 120 mL/h. L'infirmière retourne à 10 h 26 pour augmenter le débit à 200 mL/h.

**Calculs :**

**C.** Une transfusion de culot globulaire débute lentement à 100 mL/h, il est 11 h 02. L'infirmière retourne à 11 h 16.

**Calculs :**

---

M **7.17** Calculez le volume transfusé depuis la dernière visite de l'infirmière.

**A.** Une transfusion de surnageant de cryoprécipités débute à 8 h 54. Le débit initial est de 130 mL/h. L'infirmière retourne à 9 h 09.

**Calculs :**

---

**B.** Une transfusion de culot globulaire débute à 2 h 32 à 60 mL/h. L'infirmière retourne à 2 h 48 pour augmenter le débit à 100 mL/h.

**Calculs :**

---

**C.** Une transfusion débute à 75 mL/h à 5 h 58. L'infirmière retourne augmenter le débit à 6 h 15.

**Calculs :**

---

D **7.18** Calculez le volume transfusé lors de la dernière visite de l'infirmière.

**A.** Une transfusion débute à 23 h 45 à 100 mL/h, l'infirmière retourne à 00 h 00 pour augmenter le débit à 200 mL/h. Il est 00 h 30 lorsque la personne sonne, car elle ne se sent pas bien. L'infirmière décide d'arrêter la transfusion.

**Calculs :**

---

**B.** Une transfusion débute à 22 h 36 à 75 mL/h. L'infirmière augmente le débit à 100 mL/h à 22 h 46. Elle retourne ensuite à 22 h 51 pour augmenter le débit à 200 mL/h.

**Calculs :**

**C.** Une transfusion débute à 6 h 02 à 60 mL/h. À 6 h 17, on augmente le débit à 200 mL/h à 6 h 17. L'infirmière retourne pour prendre les signes vitaux à 7 h 17.

**Calculs :**

**Ressources en ligne**
Vous éprouvez des difficultés avec l'objectif 7.6 ? Rendez-vous en ligne pour vous exercer davantage.

**OBJECTIF 7.7**    Calculer l'heure prévue de la fin de la transfusion

F  **7.19** Calculez l'heure prévue de la fin de la transfusion.

**A.** Une transfusion est en cours depuis 15 minutes. Lorsque l'infirmière augmente le débit à 200 mL/h à 22 h 10, elle note que 22 mL ont perfusé. L'unité de sang comprend 312 mL.

**Calculs :**

**B.** Un culot globulaire de 328 mL doit être administré. La perfusion débute à 7 h 59. L'infirmière vérifie la perfusion à 8 h 14 et note que 30 mL ont perfusé. Elle augmente le débit à 200 mL/h.

**Calculs :**

**C.** Une unité de cryoprécipités de 15 mL débute à 17 h 09 à 100 mL/h.

**Calculs :**

........................................................................................................

M 7.20 Calculez l'heure prévue de la fin de la transfusion.

**A.** Il est 10 h 10 au moment où débute la transfusion d'un culot globulaire de 308 mL. L'infirmière commence la transfusion à 100 mL/h pendant 15 minutes, puis elle ajuste le débit à 200 mL/h.

**Calculs :**

........................................................................................................

**B.** Il est 23 h 58 quand l'infirmière commence une transfusion de cryoprécipités à 100 mL/h. L'unité contient 13 mL.

**Calculs :**

........................................................................................................

**C.** À 21 h 22, l'infirmière ajuste à 200 mL/h le débit d'une perfusion de plaquettes ayant un volume de 300 mL. Le débit de la transfusion des plaquettes était de 100 mL/h, pendant 15 minutes avant l'ajustement, et il a perfusé 25 mL.

**Calculs :**

........................................................................................................

D | **7.21** Calculez l'heure prévue de la fin de la transfusion.

| Produits sanguins | Volume approximatif | Débit lent suggéré | Débit moyen suggéré |
|---|---|---|---|
| Culot globulaire | 260-360 mL | | |
| Plaquettes (pool) | | | |
| Plaquettes aphérèses | 150-400 mL | | |
| Plasma congelé | Environ 200 mL | Environ 100 mL/h | 15 premières minutes 120 mL/h, puis 200 mL/h jusqu'à la fin |
| Plasma aphérèse frais congelé | Environ 200 mL | | |
| Cryoprécipités | 5-15 mL/unité | | |
| Surnageant de cryoprécipités | 160-260 mL | Selon ordonnance | |
| Granulocytes | 200-300 mL | Selon ordonnance | |

Source : Comité provincial d'uniformisation des méthodes de soins en médecine transfusionnelle. http://msi.expertise-sante.com/sites/default/files/annexe_2_-_vitesse_dadministration_produits_sanguins_labiles.pdf (consulté le 2019/01/26).

**A.** L'infirmière suit les recommandations des MSI (Méthodes de soins informatisées) afin de transfuser un culot globulaire de 358 mL. La transfusion débute à 23 h 48 en utilisant un débit moyen.

**Calculs :**

**B.** L'infirmière commence une transfusion de plasma décongelé à 4 h 22 selon les recommandations des MSI pour un débit moyen. L'unité contient 200 mL.

**Calculs :**

**C.** L'infirmière commence une transfusion à 10 h 18. Comme la personne souffre d'insuffisance cardiaque et qu'il y a risque de surcharge pulmonaire, l'infirmière doit privilégier le débit lent. Elle suit les recommandations des MSI. L'unité contient 341 mL.

**Calculs :**

---

🌳 **Ressources en ligne**
Vous éprouvez des difficultés avec l'objectif 7.7 ? Rendez-vous en ligne pour vous exercer davantage.

# Alimentation parentérale totale (APT)

**OBJECTIF 7.8**     Calculer le débit total des perfusions dans le but d'ajuster le débit du soluté

F **7.22** Calculez le volume total administré par la voie intraveineuse.

**A.** Les acides aminés perfusent à 75 mL/h, les lipides, à 8 mL/h, et le NaCl 0,9 % à 120 mL/h.

**Calculs :**

---

**B.** Les acides aminés perfusent à 66 mL/h, l'émulsion de lipides perfuse à 6 mL/h.

**Calculs :**

---

M **7.23** Calculez le débit du soluté de D 5 % NaCl 0,45 % afin d'obtenir un débit total de 125 mL/h administré par la voie intraveineuse.

**A.** Les acides aminés perfusent à 80 mL/h et les lipides, à 10 mL/h.

**Calculs:**

..................................................................................................

**B.** Les acides aminés perfusent à 75 mL/h.

**Calculs:**

..................................................................................................

D **7.24** Calculez le débit du soluté de D 5 % NaCl 0,45 % pour un débit total de 150 mL/h.

**A.** Il est 23 h 30. Les lipides perfusent de 20 h 00 à 8 h 00 à 12 mL/h et les acides aminés perfusent à 75 mL/h.

**Calculs:**

..................................................................................................

**B.** Il est 8 h 02. Les lipides perfusent de 20 h 00 à 8 h 00 à 12 mL/h et les acides aminés perfusent à 75 mL/h.

**Calculs:**

..................................................................................................

**C.** Il est 7 h 40. Les lipides perfusent de 20 h 00 à 8 h 00 à 8 mL/h et les acides aminés perfusent à 85 mL/h.

**Calculs:**

..................................................................................................

**Ressources en ligne**
Vous éprouvez des difficultés avec l'objectif 7.8 ? Rendez-vous en ligne pour vous exercer davantage.

F **7.25** Calculez la quantité de dextrose ou de chlorure de sodium dans les solutions intraveineuses prescrites.

**A.** 750 mL de NaCl 0,9 %.  **Calculs :**

..........................................................................................................................

**B.** 1000 mL de D 5 % dans l'eau.  **Calculs :**

..........................................................................................................................

**C.** 1000 mL de NaCl 0,45 %.  **Calculs :**

..........................................................................................................................

M **7.26** Calculez la quantité de dextrose et de NaCl dans les solutions intraveineuses prescrites.

**A.** 1000 mL de dextrose 5 % dans du NaCl 0,225 %.  **Calculs :**

..........................................................................................................................

**B.** 1000 mL de dextrose 10 % et 1000 mL de NaCl 0,45 %.  **Calculs :**

..........................................................................................................................

**C.** 2000 mL de dextrose 10 % et 2000 mL de NaCl 0,9 %.  **Calculs :**

..........................................................................................................................

**7.27** Calculez la quantité de dextrose ou de NaCl dans les solutions intraveineuses prescrites.

**A.** 3 L de dextrose 5 % dans du NaCl 0,45 %.

**Calculs :**

. . . . . . . . . . . . . . . . . . . . . . . . . . . . . . . . . . . . . . . . . . . . . . . . . . . . . . . . . . . . . . . . . . . . . . . . . . . . . . . . . . . . . . . . . . . . . . .

**B.** 1,5 L de NaCl 0,225 %.

**Calculs :**

. . . . . . . . . . . . . . . . . . . . . . . . . . . . . . . . . . . . . . . . . . . . . . . . . . . . . . . . . . . . . . . . . . . . . . . . . . . . . . . . . . . . . . . . . . . . . . .

**C.** 2 L de dextrose 5 % dans du NaCl 0,9 %.

**Calculs :**

. . . . . . . . . . . . . . . . . . . . . . . . . . . . . . . . . . . . . . . . . . . . . . . . . . . . . . . . . . . . . . . . . . . . . . . . . . . . . . . . . . . . . . . . . . . . . . .

**Ressources en ligne**
Vous éprouvez des difficultés avec l'objectif 7.9 ? Rendez-vous en ligne pour vous exercer davantage.

# Sédation palliative continue

**OBJECTIF 7.11**   Calculer la sédation palliative à partir d'une dose horaire

F   **7.28** Calculez la dose quotidienne d'un médicament en milligrammes.

**A.** morphine 0,03 mg/kg/h SC pour une femme de 92 livres.

**Calculs :**

. . . . . . . . . . . . . . . . . . . . . . . . . . . . . . . . . . . . . . . . . . . . . . . . . . . . . . . . . . . . . . . . . . . . . . . . . . . . . . . . . . . . . . . . . . . . . . .

**B.** hydromorphone (Dilaudid)
0,1 mg/kg/h SC pour un homme
de 90 kg.

**Calculs :**

. . . . . . . . . . . . . . . . . . . . . . . . . . . . . . . . . . . . . . . . . . . . . . . . . . . . . . . . . . . . . . . . . . . . . . . . . . . . . . . . . . . . . . . . . . . . . . . . . .

**C.** midazolam (Versed) 1 mg/h SC
pour un homme de 100 kg.

**Calculs :**

. . . . . . . . . . . . . . . . . . . . . . . . . . . . . . . . . . . . . . . . . . . . . . . . . . . . . . . . . . . . . . . . . . . . . . . . . . . . . . . . . . . . . . . . . . . . . . . . . .

M **7.29** Calculez la dose quotidienne de médicament en milligrammes.

**A.** morphine 20 mcg/kg/h SC pour
un homme pesant 88 kg.

**Calculs :**

. . . . . . . . . . . . . . . . . . . . . . . . . . . . . . . . . . . . . . . . . . . . . . . . . . . . . . . . . . . . . . . . . . . . . . . . . . . . . . . . . . . . . . . . . . . . . . . . . .

**B.** midazolam (Versed) 800 mcg/h SC
pour une femme pesant 122 livres.

**Calculs :**

. . . . . . . . . . . . . . . . . . . . . . . . . . . . . . . . . . . . . . . . . . . . . . . . . . . . . . . . . . . . . . . . . . . . . . . . . . . . . . . . . . . . . . . . . . . . . . . . . .

**C.** hydromorphone (Dilaudid)
15 mcg/kg/h SC pour une homme
pesant 251 livres.

**Calculs :**

. . . . . . . . . . . . . . . . . . . . . . . . . . . . . . . . . . . . . . . . . . . . . . . . . . . . . . . . . . . . . . . . . . . . . . . . . . . . . . . . . . . . . . . . . . . . . . . . . .

D **7.30** Calculez la dose quotidienne de médicament en milligrammes.

**A.** midazolam (Versed) 500 mcg/h SC
pour un homme pesant 188 livres.

**Calculs :**

. . . . . . . . . . . . . . . . . . . . . . . . . . . . . . . . . . . . . . . . . . . . . . . . . . . . . . . . . . . . . . . . . . . . . . . . . . . . . . . . . . . . . . . . . . . . . . . . . .

**B.** scopolamine 300 mcg administré
qid SC pour une femme pesant
118 livres.

**Calculs :**

. . . . . . . . . . . . . . . . . . . . . . . . . . . . . . . . . . . . . . . . . . . . . . . . . . . . . . . . . . . . . . . . . . . . . . . . . . . . . . . . . . . . .

**C.** morphine 0,1 mg/kg/h SC pour
un homme pesant 98 livres.

**Calculs :**

. . . . . . . . . . . . . . . . . . . . . . . . . . . . . . . . . . . . . . . . . . . . . . . . . . . . . . . . . . . . . . . . . . . . . . . . . . . . . . . . . . . . .

**Ressources en ligne**
Vous éprouvez des difficultés avec l'objectif 7.11 ? Rendez-vous en ligne pour vous exercer davantage.

**OBJECTIF 7.12**    Calculer la dose de médicament correspondant au vide d'air

F   **7.31** Calculez la dose de médicament que représente le vide d'air.

**A.** Une perfusion SC de kétamine
120 mg/24 h. La fiole de kétamine a
une concentration de 500 mg/10 mL.
L'infirmière opte pour un débit de
0,4 mL/h. Le volume de la tubulure
est de 4 mL.

**Calculs :**

. . . . . . . . . . . . . . . . . . . . . . . . . . . . . . . . . . . . . . . . . . . . . . . . . . . . . . . . . . . . . . . . . . . . . . . . . . . . . . . . . . . . .

**B.** Une perfusion SC de midazolam
(Versed) 12 mg/24 h. L'infirmière
choisit un débit de 0,5 mL/h. Le
volume de la tubulure est de 5 mL.
La concentration disponible est
de 5 mg/mL.

**Calculs :**

. . . . . . . . . . . . . . . . . . . . . . . . . . . . . . . . . . . . . . . . . . . . . . . . . . . . . . . . . . . . . . . . . . . . . . . . . . . . . . . . . . . . .

**C.** Une perfusion SC de morphine 240 mg/24 h. La concentration disponible est de 50 mg/mL. Le débit choisi est de 0,4 mL/h. Le volume de la tubulure est de 8 mL.

**Calculs :**

. . . . . . . . . . . . . . . . . . . . . . . . . . . . . . . . . . . . . . . . . . . . . . . . . . . . . . . . . . . . . . . . . . . . . . . . . . . . . . . . . . . . . .

[M] **7.32** Calculez la dose de médicament correspondant au vide d'air.

**A.** Perfusion de 1 mg/h d'hydromorphone (Dilaudid) SC. La concentration de l'ampoule disponible est de 2 mg/mL. Le débit choisi est de 1 mL/h. Le volume de la tubulure est de 6 mL.

**Calculs :**

. . . . . . . . . . . . . . . . . . . . . . . . . . . . . . . . . . . . . . . . . . . . . . . . . . . . . . . . . . . . . . . . . . . . . . . . . . . . . . . . . . . . . .

**B.** Perfusion de 2 mg/h de midazolam (Versed) SC. La concentration de la fiole disponible est de 50 mg/10 mL. Le débit choisi est de 0,4 mL/h. Le volume de la tubulure est de 4 mL.

**Calculs :**

. . . . . . . . . . . . . . . . . . . . . . . . . . . . . . . . . . . . . . . . . . . . . . . . . . . . . . . . . . . . . . . . . . . . . . . . . . . . . . . . . . . . . .

**C.** Perfusion de 2 mg/h d'hydromorphone (Dilaudid) SC. La concentration de la fiole disponible est de 20 mg/mL. Le débit souhaité est de 0,4 mL/h. Le volume de la tubulure est de 5 mL.

**Calculs :**

. . . . . . . . . . . . . . . . . . . . . . . . . . . . . . . . . . . . . . . . . . . . . . . . . . . . . . . . . . . . . . . . . . . . . . . . . . . . . . . . . . . . . .

D | **7.33** Calculez la dose de médicament que représente le vide d'air.

**A.** Perfusion de 0,03 mg/kg/h de morphine SC pour une femme de 70 kg. La concentration de morphine disponible est de 10 mg/mL. On souhaite un débit de 0,4 mL/h. Le volume de la tubulure inscrit sur l'emballage est de 6 mL.

**Calculs :**

- - - - - - - - - - - - - - - - - - - - - - - - - - - - - - - - - - - - - - - - - - -

**B.** Perfusion de 0,05 mg/kg/h de kétamine SC pour un homme de 88 kg. La concentration de kétamine disponible est de 500 mg/10 mL. On souhaite un débit de 0,5 mL/h. Le volume de la tubulure est de 10 mL.

**Calculs :**

- - - - - - - - - - - - - - - - - - - - - - - - - - - - - - - - - - - - - - - - - - -

**C.** Perfusion de 0,02 mg/kg/h d'hydromorphone (Dilaudid) SC pour un homme de 74 kg. La concentration disponible est de 200 mg/20 mL. Le débit souhaité est de 0,4 mL/h. Le volume de la tubulure est de 6 mL.

**Calculs :**

- - - - - - - - - - - - - - - - - - - - - - - - - - - - - - - - - - - - - - - - - - -

**Ressources en ligne**
Vous éprouvez des difficultés avec l'objectif 7.12 ? Rendez-vous en ligne pour vous exercer davantage.

Calculer le volume de diluant nécessaire à la préparation de la perfusion dans un contexte de sédation palliative

F | **7.34** Calculez le volume de NS nécessaire à la préparation de la perfusion.

**A.** Une perfusion de kétamine SC
120 mg/24 h. La concentration
de la fiole disponible est de
500 mg/10 mL. On souhaite un
débit de 0,4 mL/h. Le volume
de la tubulure est de 4 mL.

**Calculs:**

**B.** Une perfusion de midazolam
(Versed) SC 12 mg/24 h.
Le débit souhaité est de 0,5 mL/h.
Le volume de la tubulure est de
5 mL. La concentration disponible
est de 5 mg/mL.

**Calculs:**

**C.** Une perfusion de morphine SC
240 mg/24 h. La concentration
disponible est de 50 mg/mL. Le débit
souhaité est de 0,4 mL/h. Le volume
de la tubulure est de 8 mL.

**Calculs:**

M | **7.35** Calculez le volume nécessaire à la préparation de la perfusion.

**A.** Perfusion de 1 mg/h d'hydromorphone
(Dilaudid) SC. La concentration
disponible est de 2 mg/mL. Le débit
souhaité est de 1 mL/h. Le volume
de la tubulure est de 6 mL.

**Calculs:**

**B.** Perfusion de 2 mg/h de midazolam (Versed) SC. La concentration disponible est de 50 mg/10 mL. Le débit souhaité est de 0,4 mL/h. Le volume de la tubulure est de 4 mL.

**Calculs :**

---

**C.** Perfusion de 2 mg/h d'hydromorphone (Dilaudid) SC. La concentration disponible est de 20 mg/mL. Le débit souhaité est de 0,4 mL/h. Le volume de la tubulure est de 5 mL.

**Calculs :**

---

D | **7.36** Calculez le volume nécessaire à la préparation de la perfusion.

**A.** Perfusion de 0,03 mg/kg/h de morphine SC pour une femme de 70 kg. La concentration de morphine disponible est de 10 mg/mL. On souhaite un débit de 0,4 mL/h. Le volume de la tubulure inscrit sur l'emballage est de 6 mL.

**Calculs :**

---

**B.** Perfusion de 0,05 mg/kg/h de kétamine SC pour un homme de 88 kg. La concentration de kétamine disponible est de 500 mg/10 mL. On souhaite un débit de 0,5 mL/h. Le volume de la tubulure est de 10 mL.

**Calculs :**

---

**C.** Perfusion de 0,02 mg/kg/h d'hydromorphone (Dilaudid) SC pour un homme de 74 kg. La concentration disponible est de 200 mg/20 mL. Le débit souhaité est de 0,4 mL/h. Le volume de la tubulure est de 6 mL.

**Calculs :**

---

**Ressources en ligne**
Vous éprouvez des difficultés avec l'objectif 7.13 ? Rendez-vous en ligne pour vous exercer davantage.

# Maîtriser les situations cliniques

F **7.37** Vous êtes infirmière à l'unité de médecine. À votre arrivée dans la chambre, vous constatez que la personne est inconsciente. Lorsque vous mesurez la glycémie capillaire, vous obtenez le résultat « low ». L'ordonnance collective indique d'administrer 25 g de Dextrose IV stat en 2-3 minutes. Quelle solution de dextrose allez-vous administrer ?

**A.** 100 mL de Dextrose 20 %.

**B.** 250 mL de Dextrose 10 %.

**C.** 50 mL de Dextrose 50 %.

**D.** 500 mL de Dextrose 5 %.

F **7.38** M^me Lucia Raposo, 66 ans, est hospitalisée à l'unité d'oncologie. Elle reçoit une transfusion de culot globulaire partiellement déleucocyté qui a commencé à 14 h 20. Vous avez pris votre quart de travail à 16 h 00. Quand vous vérifiez le site de perfusion, vous constatez que le site n'est plus perméable et la dame se plaint d'une douleur au site d'insertion du cathéter. Les données de la pompe volumétrique indiquent un débit de perfusion de 200 mL/h et une quantité à perfuser de 243 mL. Vous installez un nouveau cathéter et reprenez la transfusion à 16 h 36. À quelle heure la transfusion devrait-elle prendre fin ? Poursuivez-vous la transfusion ? Expliquez.

_____

_____

_____

_____

_____

_____

F | **7.39** Une femme de 39 ans reçoit une transfusion de culot globulaire débutée à 23 h 50. Le débit de la transfusion est de 100 mL/h. Au moment de réévaluer la cliente à 00 h 05, l'infirmière observe une élévation de la température, ce qui lui fait suspecter une réaction transfusionnelle. Elle cesse la transfusion et avise le médecin. Celui-ci demande combien de millilitres la dame a reçus. Le sac de culot globulaire contenait 321 mL.

F | **7.40** M. Gentilly est hospitalisé à l'unité de médecine, pour arythmie cardiaque. Au début de son quart de travail, l'infirmière effectue l'évaluation clinique des personnes sous ses soins et constate que M. Gentilly est en arrêt cardio-respiratoire. On entreprend les manœuvres de réanimation et il faut deux chocs pour le réanimer. Le médecin demande une perfusion d'antiarythmique, 150 mg d'amiodarone (Cordarone) en 10 min. Le guide de médicaments parentéral indique de diluer la Cordarone pour obtenir une concentration de 150 mg/100 mL. À quel débit l'infirmière doit-elle administrer le médicament?

M **7.41** Une infirmière travaille à l'unité de soins intensifs d'un hôpital en région. Un homme de 82 kg est admis à la suite d'un infarctus du myocarde (IDM). Le médecin prescrit un **thrombolytique**, l'alteplase (Activase), pour traiter la thrombose coronarienne et favoriser la lyse des thrombus. L'ordonnance est la suivante (**figure 7.1**).

**Figure 7.1** Ordonnance pour la perfusion d'un thrombolytique.

| | | | | |
|---|---|---|---|---|
| **MÉDICAMENTS** | Daoust Pierre<br>1956-07-19<br>26, chemin du Lac<br>Vaudreuil (Québec)<br>H9J 1Y8 | | Dossier : 323467<br><br><br>438 222-2323 | |

POIDS : 82 kg _____ lb          TAILLE : 180 cm _____ po

**ALLERGIE SUSPECTÉE :**
_____
_____

**ALLERGIE CONFIRMÉE :**
Cipro, codéine
_____

**GROSSESSE :** _____ / Semaines grossesse     ☐ **Biberon**     ☐ **Allaitement maternel**

| NOM | DOSE | VOIE | FRÉQUENCE | DURÉE | S. INF. |
|---|---|---|---|---|---|
| #1 Bolus alteplase | 15 mg | IV | STAT | 2 min | |
| Puis #2 alteplase | 0,75 mg/kg (max 50 mg) | IV | X1 | 30 min | |
| Puis #3 alteplase | 0,5 mg/kg (max 35 mg) | IV | X1 | 60 min | |
| Héparine | Selon protocole | IV | STAT | | |

| 2019-01-09 | 10 h 10 | Dr Guy-Alexis Lanielle | 210987 |
|---|---|---|---|
| Date | Heure | Signature du médecin | N° de permis |

La fiole disponible d'alteplase a une concentration de 100 mg/100 mL. Le volume de la fiole est de 100 mL.

**A.** Quel volume représente le bolus?

**B.** À quel débit sera perfusé le bolus?

**C.** Jessica, l'infirmière, programme la pompe volumétrique pour l'administration de la 2<sup>e</sup> étape. Elle demande à sa collègue d'appliquer la double vérification indépendante. Jessica calcule un débit de 100 mL/h pendant 30 minutes et Nancy obtient un débit de 123 mL/h pendant 30 minutes. Selon vous, quel débit est juste? Expliquez.

_____

_____

_____

_____

M | **7.42** Voici les ordonnances de M. Latendresse (**figures 7.2** et **7.3**). Il est 13 h 00. Le débit actuel de la perfusion d'insuline 100 unités de Novorapid dans 100 mL NaCl 0,45 % est de 6 mL/h et vous venez de vérifier sa glycémie capillaire, qui est de 11,7 mmol/L.

**Figure 7.2** Ordonnance d'alimentation parentérale.

| **ORDONNANCES ALIMENTATION PARENTÉRALE** | Jasmin Latendresse 323467<br>1942-12-21<br>12, rue de la Rivière<br>Laval (Québec)<br>438 222-2323 |
|---|---|

| Créatinine sérique : __98__ μmol/L | Poids : __92__ kg _____ lb |
|---|---|
| Voie : ☒ centrale ☐ périphérique | Taille : __180__ cm ___ pi ___ po |

**SOLUTION DE BASE :**

| | | **LPIDES :** |
|---|---|---|
| ☐ Dextrose 10 % + ac. aminés 4,25 % | ☒ Dextrose 16 % + ac. aminés 5 % | ☒ Lipides 20 % |
| ☐ Dextrose 25 % + ac. aminés 5 % | ☐ Dextrose 35 % + ac. aminés 5 % | ☐ Lipides 30 % |

| **ORDONNANCE PERMANENTE IV** | **ÉCHELLE INITIALE D'INSULINE SELON PROTOCOLE QID** | |
|---|---|---|
| ☒ **Multivitamines/oligo-éléments : DIE**<br>Neobex + vitamine C si Cl. créat. < 15 mL/min | **Glycémie capillaire (mmol/L)** | **Échelle Novolin ge Toronto**<br>☒ **Autre échelle (voir Rx indiv.)** |
| ☒ Vitamine K 2 mg 1 fois/semaine (lundi) ou ___ mg | < 10,1 | 0 unités SC ou |
| **Autres additifs (Si carence objectivée) :** | 10,1 - 13 | 4 unités SC ou |
| ☐ Acide folique 5 mg ☐ Die ou ☐ 3 fois/sem | 13,1 - 16 | 6 unités SC ou |
| ☐ Sulfate de zinc _____ mg/jour (doses au verso) | 16,1 - 19 | 8 unités SC ou |
| ☐ Autres : | > 19 | 10 unités SC ou |

| **Électrolytes** | **Unités** | **Prescription initiale** | **Modifications** |
|---|---|---|---|
| Phosphate de potassium | (mmol/L de Phosphates) | 6 | |
| Sodium (Chlorure) | (mmol/L de Sodium) | 80 | |
| Potassium (Chlorure) | (mmol/L de Potassium) | 20 | |
| Calcium (Gluconate) | (mmol/L de Calcium) | 5 | |
| Magnésium (Sulfate) | (mmol/L de Magnésium) | 6 | |
| Sodium (Acétate) | (mmol/L de Sodium) | 0 | |
| Potassium (Acétate) | (mmol/L de Potassium) | 0 | |
| Autres : | | | |

| | **DÉBITS** | | |
|---|---|---|---|
| | Date : 2019/02/09 | Date : | Date : |
| A.A. Dextrose | __70__ mL/h | _____ mL/h | _____ mL/h |
| Lipides | __8__ mL/h | _____ mL/h | _____ mL/h |

| 2019/02/09 | 10 h 10 | *Vivianne Doyon* | 920475 |
|---|---|---|---|
| Date | Heure | Signature du médecin | N° de permis |

**Figure 7.3** Ordonnance complémentaire APT.

| | | |
|---|---|---|
| **MÉDICAMENTS** | Latendresse Jasmin<br>1942-12-21<br>12, rue de la Rivière<br>Laval (Québec)<br>H9J 1Y8 | Dossier : 323467<br><br><br><br>438 222-2323 |

| | |
|---|---|
| POIDS : 92 kg _____ lb | TAILLE : 180 cm _____ po |

| | |
|---|---|
| **ALLERGIE SUSPECTÉE :**<br>_____<br>_____ | **ALLERGIE CONFIRMÉE :**<br>_____<br>_____ |

**GROSSESSE : _____ / Semaines grossesse**  ☐ **Biberon**   ☐ **Allaitement maternel**

| NOM | DOSE | VOIE | FRÉQUENCE | DURÉE | S. INF. |
|---|---|---|---|---|---|
| APT selon feuille d'ordonnance | | | | | |
| Acides aminés en continu | | IV | | | |
| Lipides 12 h/24 h de 20 h 00-8 h 00 | | IV | die | | |
| NaCl 0,45 % ajuster pour un débit total de | 125 mL/h | IV | | | |
| Échelle insuline novorapid selon glycémie | Débuter à 4 unités/h | IV | | Q 30 min ad débit inchangé X2 puis q 1 h | |
| < 6,9 mmol/L | Arrêter insuline et | aviser md. | | | |
| 7,0-10,0 mmol/L | +1 unité/h | | | | |
| 10,1-13,0 mmol/L | +2 unités/h | | | | |
| 13,1-16,0 mmol/L | +3 unités/h | | | | |
| 16,1-19,9 mmol/L | +4 unités/h | | | | |
| > 19,9 mmol/l | Aviser md | | | | |

| 2019-01-09 | 10 h 10 | Dʳᵉ Vivianne Doyon | 920475 |
|---|---|---|---|
| Date | Heure | Signature du médecin | N° de permis |

**A.** À quel débit perfuse le NaCl 0,45 % avant l'ajustement de la perfusion d'insuline ?

_____

_____

**B.** À quel débit devez-vous maintenant administrer la perfusion de NaCl 0,45 % ?

---

M | **7.43** M. Zhoug, 66 ans, 200 lb se présente aux urgences pour détresse respiratoire. L'équipe soignante se prépare pour une intubation à séquence rapide. Pendant que l'inhalothérapeute assiste la respiration avec le ballon-masque, le médecin dicte à l'infirmière les ordonnances verbales suivantes : étomidate un sédatif/hypnotique 0,3 mg/kg IV STAT et succinylcholine (Anectine), un bloqueur neuromusculaire 1,5 mg/kg IV STAT.

L'étomidate est un sédatif, il doit donc être administré avant la succinylcholine, qui est un bloqueur neuromusculaire, qui paralysera M. Zhoug. Celui-ci se trouverait endormi avant d'avoir les muscles paralysés. Si on administrait les médicaments dans l'ordre inverse, M. Zhoug serait paralysé tout en demeurant éveillé, ce qui rendrait l'expérience traumatisante pour lui.

**A.** Quelle dose d'étomidate l'infirmière doit-elle administrer ?

**B.** Quel volume doit-elle prélever dans le flacon multidose d'étomidate si la concentration est de 20 mg/10 mL ?

**C.** Quelle dose de succinylcholine l'infirmière doit-elle administrer ?

**D.** Quel volume doit-elle prélever dans le flacon multidose de succinylcholine si la concentration est de 200 mg/10 mL ?

D | **7.44** M. Johnson est hospitalisé à l'unité des soins intensifs pour une crise hypertensive. Au moment de son admission, sa pression artérielle était de 220/124 mm Hg. Son poids est de 185 lb. Le médecin a prescrit du nitroprusside (Nipride) (**figure 7.4**), un vasodilatateur utilisé pour abaisser la pression artérielle et permettre de la maintenir à un niveau acceptable.

La fiole de 2 mL d'une concentration de 50 mg/2 mL est diluée dans une solution de D 5 % dans l'eau afin d'obtenir une concentration finale de 50 mg/500 mL. La dose maximale est de 0,01 mg/kg/min. L'augmentation de débit se fait par intervalles de 0,2 mcg/kg/min.

**Figure 7.4** Ordonnance pour la perfusion de nitroprusside.

| MÉDICAMENTS | Johnson Stanley    Dossier : 10125<br>1975-02-22<br>1589, rue Jolicœur<br>Saint-Lazare (Québec)<br>J9T 1Y8    450 424-7741 | | | | |
|---|---|---|---|---|---|
| POIDS : 185 lb _____ kg | TAILLE : 176 cm | | | | |
| ALLERGIE SUSPECTÉE :<br>iode<br>_____ | ALLERGIE CONFIRMÉE :<br>_____<br>_____ | | | | |
| GROSSESSE : _____ / Semaines grossesse | ☐ **Biberon** | | ☐ **Allaitement maternel** | | |
| **NOM** | **DOSE** | **VOIE** | **FRÉQUENCE** | **DURÉE** | **S. INF.** |
| *Nitroprusside ajuster q 5 min pour maintenir TAS < 170* | *0,3 mcg/ kg/min* | *IV* | *STAT* | | |
| | | | | | |
| *2019-08-26* | *13 h 36* | *D^re Jessica-Zoé Paradis* | | *2040204* | |
| Date | Heure | Signature du médecin | | N° de permis | |

**A.** Quel est le débit initial de la perfusion ?

Après l'ajustement du débit de la perfusion, la pression artérielle était de 182/100 au cours de la dernière heure et le débit de perfusion est actuellement de 403 mL/h. L'infirmière augmente le débit de perfusion à 505 mL/h pendant l'heure qui suit afin d'abaisser la pression artérielle jusqu'à la valeur prescrite par le médecin.

**B.** L'infirmière a-t-elle pris la bonne décision? Justifiez.

D **7.45** M. Rodriguez est atteint d'un cancer cérébral. Il est admis à l'unité de soins palliatifs. Il présente plusieurs symptômes : douleur incontrôlable et intraitable, sécrétions bronchiques abondantes, dyspnée progressive et détresse psychologique. Le médecin traitant, en accord avec la famille, émet une ordonnance pour une sédation palliative continue.

Voir l'ordonnance (**figure 7.5**) à la page suivante.

L'infirmière doit commencer la perfusion SC pour 24 heures. Elle prévoit perfuser le médicament au débit de 1 mL/h. Voici les fioles pour injection disponibles :

- morphine (Morphine) 15 mg/mL
- morphine (Morphine) 50 mg/mL
- midazolam (Versed) 10 mg/mL
- scopolamine (Hyoscine) 0,6 mg/mL

**Figure 7.5** Ordonnance de Monsieur Rodriguez.

| ORDONNANCE MÉDICALE DE FIN DE VIE | Alphonse Rodriguez          4132 |
|---|---|
| Poids : __69__ kg        Allergie : __Ø_____ | 1955-03-30<br>50, rue Parent<br>Mont-Laurier (Québec)<br>J0T 2A8 |

morphine ☒ s/c         hydromorphone ☐ s/c         autre : _____

_____0,25_____ mg/kg/h en perfusion continue  OU _____ mg q _____ h

Entredoses de _____2,5_____ mg en bolus PRN avec période réfractaire de _____60_____ minutes.

lorazéparn ☐ s/c              midazolam ☒ s/c         autre : _____

_____0,75_____ mg/h en perfusion continue  OU _____ mg q _____ h

Entredoses de _____ mg en bolus PRN avec période réfractaire de _____ minutes.

scopolamine ☒ s/c              glycopyrrolate ☐ s/c

_____ mg/h en perfusion continue  OU _____0,03_____ mg q _____1_____ h PRN

Entredoses de _____ mg en bolus PRN avec période réfractaire de _____ minutes.

Signature médecin : *Julie-Anne Paradis* _____        Date : *2019/02/02* _____

**A.** Quelle est la dose de 24 heures de chacun des médicaments à insérer dans la perfusion ?

**B.** Quelle est la dose de chacun des médicaments à ajouter pour le vide d'air de 6 mL ?

**C.** Quels sont les volumes à prélever pour chaque médicament à insérer dans la perfusion ?

**D.** Quel est le volume de NaCl 0,9 % à insérer dans le sac ?

**Ressources en ligne**
Évaluez votre connaissance et votre maîtrise du contenu de ce chapitre grâce à des exercices supplémentaires de difficulté progressive. Cette révision de l'ensemble des notions est une excellente préparation à un examen.

## Testez vos connaissances

### 1.1

**A.** $6\dfrac{7}{8} \div \dfrac{4}{5} = \dfrac{55}{8} \div \dfrac{4}{5} = \dfrac{55}{8} \times \dfrac{5}{4} = \dfrac{275}{32} = 8\dfrac{19}{32}$

**B.** $\dfrac{5}{6} + \dfrac{7}{8} + \dfrac{1}{4} = \dfrac{20}{24} + \dfrac{21}{24} + \dfrac{6}{24} = \dfrac{47}{24} = 1\dfrac{23}{24}$

**C.** $\dfrac{7}{9} \times \dfrac{3}{5} = \dfrac{21}{45} = \dfrac{7}{15}$

**D.** $0,5 - 0,14 = \begin{array}{r} 0,50 \\ -\,0,14 \\ \hline 0,36 \end{array}$

**E.** $2,86 \times 0,45 = \begin{array}{r} 2,86 \\ \times\,0,45 \\ \hline 1430 \\ +\,11440 \\ \hline 1,2870 \end{array}$

**F.** $10,64 \div 4,2 =$

$$
\begin{array}{r|l}
10,64 & 4,20 \\
\end{array}
$$

$$
\begin{array}{r|l}
1064 & 420 \\
-840 & 2,533 \\
\hline
2240 & \\
-2100 & \\
\hline
1400 & \\
-1260 & \\
\hline
1400 & \\
-1260 & \\
\hline
\text{etc.} &
\end{array}
$$

- - -

**G.** $3,94 = 3,9\,;\ 5,67 = 5,7$

- - -

**H.** $0,365 \times 100 = 36,5$ La réponse est 36,5 %.

- - -

**I.** $\dfrac{11}{13}$

$$
\begin{array}{r|l}
110 & 13 \\
-104 & 0,846 \\
\hline
60 & \\
-52 & \\
\hline
80 & \\
-78 & \\
\hline
2 &
\end{array}
$$

- - -

**J.** Effectuez un produit croisé.

$$\frac{24}{32} = \frac{x}{12}$$

$$\frac{12 \times 24}{32} = \frac{288}{32} = x$$

$$x = 9$$

- - -

## 1.2

**A.** 2000 mg = _____2_____ g

**B.** 2,75 L = _____2750_____ mL

**C.** 1450 mcg = _____1,450_____ mg

**D.** 2 onces = _____60_____ mL

**E.** 450 mL = _____0,45_____ L

**F.** 1,5 kg = _____1500_____ g

**G.** 12 oz = _____360_____ mL

**H.** 4 c. à thé = _____20_____ mL

**I.** 5 c. à table = _____75_____ mL

**J.** 3,465 kg = _____7,623_____ livres

## 1.3

**A.** 0,125    (0,251)    0,025    _____0,3_____

**B.** (0,53)    0,05    0,15    _____0,5_____

**C.** 0,01    0,001    (0,11)    _____0,1_____

**D.** 1,465    (1,654)    1,546    _____1,7_____

**E.** 2,053    2,452    (2,564)    _____2,6_____

## 1.4

**A.** 0,67 + 1,82 = 2,49

**B.** 5,48 − 2,78 = 2,7

**C.** 3,45 − 3,23 = 0,22

**D.** 27,88 + 78,6 = 106,48

**E.** 0,951 − 0,788 = 0,163

**F.** 8,99 + 10,678 = 19,668

**G.** 1,896 + 0,522 = 2,418

**H.** 12,567 − 8,453 = 4,114

**I.** 2,148 + 5,657 = 7,805

**J.** 2,03 + 0,678 + 1,508 = 4,216

**1.5**

**A.** 2,8 × 4,6 = 12,88

**D.** 3,4 × 4,2 = 14,28

**B.** 8 × 1,6 = 12,8

**E.** 9,7 × 0,35 = 3,395

**C.** 11,3 × 3,4 = 38,42

**F.** 18 × 1,09 = 19,62

**1.6**

**A.** 1250 ÷ 60 = 20,83

$$
\begin{array}{r|l}
1250 & 60 \\
\underline{-120} & 20,83 \\
50 & \\
\underline{-0} & \\
500 & \\
\underline{-480} & \\
200 & \\
\underline{-180} & \\
20 &
\end{array}
$$

La réponse que nous cherchons est 20,8, car il faut arrondir au dixième.

**ÉTAPE 1** Cherchez le nombre de fois que le diviseur (60) est contenu dans la partie gauche du dividende (125). Ce nombre est 2 ; inscrivez-le au quotient et soustrayez le produit obtenu (2 × 60 = 120) du dividende.

**ÉTAPE 2** Établissez le reste temporaire : 125 − 120 = 5.

**ÉTAPE 3** Abaissez le chiffre suivant pour établir le nouveau dividende : 50.

**ÉTAPE 4** Cherchez le nombre de fois que le diviseur est contenu dans le nouveau dividende : 0.

**ÉTAPE 5** Inscrivez le nombre (0) au quotient : 20.

**ÉTAPE 6** Soustrayez le produit obtenu : 50.

**ÉTAPE 7** Assurez-vous que le reste temporaire est inférieur au diviseur : 50 < 60.

Abaissez un premier zéro artificiel en plaçant une virgule dans le quotient et poursuivez la division jusqu'au centième (si nécessaire), puis arrondissez au dixième.

**Réponse :** 20,83, arrondi à 20,8

**B.** $78 \div 4 = 19{,}5$

**E.** $0{,}666 \div 0{,}03 = 22{,}2$

**C.** $3{,}64 \div 4 = 0{,}91$

**F.** $0{,}028 \div 0{,}07 = 0{,}4$

**D.** $1{,}59 \div 0{,}3 = 5{,}3$

**G.** $26 \div 3{,}24 = 8{,}02$

## 1.7

**A.** $\dfrac{3}{6} = \dfrac{6}{12}$   Mettre au même dénominateur : $\dfrac{3 \times 2}{6 \times 2} = \dfrac{6}{12}$

**B.** $\dfrac{9}{12} < \dfrac{8}{10}$   Mettre au même dénominateur : $\dfrac{9 \times 10}{12 \times 10} \quad \dfrac{8 \times 12}{10 \times 12} \quad \dfrac{90}{120} < \dfrac{96}{120}$

**C.** $\dfrac{4}{18} < \dfrac{12}{20}$   Mettre au même dénominateur : $\dfrac{4 \times 20}{18 \times 20} \quad \dfrac{12 \times 18}{20 \times 18} \quad \dfrac{80}{360} < \dfrac{216}{360}$

**D.** $\dfrac{29}{30} > \dfrac{56}{60}$   Mettre au même dénominateur : $\dfrac{29 \times 2}{30 \times 2} \quad \dfrac{56}{60} \quad \dfrac{58}{60} > \dfrac{56}{60}$

**E.** $\dfrac{89}{100} > \dfrac{77}{99}$   Mettre au même dénominateur : $\dfrac{89 \times 99}{100 \times 99} \quad \dfrac{77 \times 100}{99 \times 100} \quad \dfrac{8811}{9900} > \dfrac{7700}{9900}$

## 1.8

**A.** $\dfrac{9 \div 9}{27 \div 9} = \dfrac{1}{3}$

**D.** $\dfrac{30 \div 6}{48 \div 6} = \dfrac{5}{8}$

**B.** $\dfrac{60 \div 20}{100 \div 20} = \dfrac{3}{5}$

**E.** $\dfrac{45 \div 5}{50 \div 5} = \dfrac{9}{10}$

**C.** $\dfrac{18 \div 18}{36 \div 18} = \dfrac{1}{2}$

**1.9**

**A.** $\dfrac{5}{6} \times \dfrac{4}{7} = \dfrac{20}{42}$ ou $\dfrac{10}{21}$

**B.** $\dfrac{5}{9} \times \dfrac{1}{2} = \dfrac{5}{18}$

**C.** $\dfrac{1}{25} \times \dfrac{9}{10} = \dfrac{9}{250}$

**D.** $\dfrac{8}{9} \times \dfrac{2}{5} = \dfrac{16}{45}$

**E.** $5\dfrac{2}{3} \times \dfrac{7}{10} = \dfrac{17}{3} \times \dfrac{7}{10} = \dfrac{119}{30}$

Conversion du nombre mixte :

$119 \div 30 = 3\dfrac{29}{30}$

**F.** $3\dfrac{1}{8} \times 4\dfrac{1}{2} = \dfrac{25}{8} \times \dfrac{9}{2} = \dfrac{225}{16}$

Conversion du nombre mixte :

$225 \div 16 = 14\dfrac{1}{16}$

**1.10**

**A.** $\dfrac{11}{13} - \dfrac{7}{13}$

Comme les deux fractions ont le même dénominateur, vous n'avez pas besoin de trouver un dénominateur commun.

Vous pouvez donc soustraire les numérateurs : $\dfrac{11 - 7}{13} = \dfrac{4}{13}$

Aucune conversion n'est nécessaire puisque la fraction est déjà réduite à sa plus simple expression.

**B.** $\dfrac{5}{6} + \dfrac{1}{4}$

Comme les deux fractions n'ont pas le même dénominateur, vous devez trouver un dénominateur commun. Pour ce faire, trouvez le plus petit commun multiple (PPCM) de 6 et de 4, c'est-à-dire le plus petit nombre divisible à la fois par 6 et 4.

Convertissez les fractions en douzièmes : $\dfrac{5}{6} = \dfrac{10}{12}$ et $\dfrac{1}{4} = \dfrac{3}{12}$

Maintenant que les fractions ont le même dénominateur, additionnez les numérateurs :

$$\frac{10 + 3}{12} = \frac{13}{12}$$

Convertissez le nombre rationnel en nombre fractionnaire : $13 \div 12 = 1\frac{1}{12}$

---

**C.** $\frac{2}{3} + \frac{7}{8}$

$$\frac{2}{3} = \frac{16}{24} \text{ et } \frac{7}{8} = \frac{21}{24}$$

$$\frac{16 + 21}{24} = \frac{37}{24}$$

$$37 \div 24 = 1\frac{13}{24}$$

---

**D.** $\frac{7}{8} - \frac{1}{3}$

Comme les deux fractions n'ont pas le même dénominateur, vous devez trouver un dénominateur commun. Pour ce faire, trouvez le PPCM de 8 et de 3.

Convertissez les fractions en vingt-quatrièmes : $\frac{7}{8} = \frac{21}{24}$ et $\frac{1}{3} = \frac{8}{24}$

Maintenant que les fractions ont le même dénominateur, soustrayez les numérateurs :

$$\frac{21 - 8}{24} = \frac{13}{24}$$

---

**E.** $\frac{2}{3} - \frac{2}{5}$

$$\frac{2}{3} = \frac{10}{15} \text{ et } \frac{2}{5} = \frac{6}{15}$$

$$\frac{10 - 6}{15} = \frac{4}{15}$$

Aucune conversion n'est nécessaire puisque la fraction est déjà à sa plus simple expression.

---

**1.11**

**A.** $\dfrac{4}{5} \div \dfrac{7}{10}$

Inversez le diviseur et multipliez : $\dfrac{4}{5} \times \dfrac{10}{7} = \dfrac{40}{35}$

Simplifiez la fraction en divisant le numérateur et le dénominateur par 5.
Convertissez le nombre rationnel en nombre fractionnaire :

$$\dfrac{40}{35} = \dfrac{8}{7} = 1\dfrac{1}{7}$$

**B.** $\dfrac{8}{9} \div \dfrac{1}{2}$

$$\dfrac{8}{9} \times \dfrac{2}{1} = \dfrac{16}{9}$$

$$\dfrac{16}{9} = 1\dfrac{7}{9}$$

**C.** $6\dfrac{3}{4} \div \dfrac{7}{8}$

$$\dfrac{27}{4} \div \dfrac{7}{8}$$

$$\dfrac{27}{4} \times \dfrac{8}{7} = \dfrac{216}{28} \qquad \text{Simplifiez :} \quad \dfrac{27}{1} \times \dfrac{2}{7} = \dfrac{54}{7} = 7\dfrac{5}{7}$$

**D.** $\dfrac{11}{12} \div 3\dfrac{1}{3}$

$$\dfrac{11}{12} \div \dfrac{10}{3}$$

$$\dfrac{11}{12} \times \dfrac{3}{10} = \dfrac{33}{120} \qquad \text{Simplifiez :} \quad \dfrac{11}{4} \times \dfrac{1}{10} = \dfrac{11}{40}$$

**E.** $\dfrac{13}{17} \div 6\dfrac{1}{3}$

$$\dfrac{13}{17} \div \dfrac{19}{3}$$

$$\dfrac{13}{17} \times \dfrac{3}{19} = \dfrac{39}{323}$$

---

**F.** $\dfrac{3}{7} \div 5\dfrac{5}{6}$

$$\dfrac{3}{7} \div \dfrac{35}{6}$$

$$\dfrac{3}{7} \times \dfrac{6}{35} = \dfrac{18}{245}$$

---

**1.12**

**A.** $\dfrac{10}{20} = \dfrac{x}{5}$

$$x = \dfrac{5 \times 10}{20}$$

$$x = \dfrac{50}{20} \quad 50 \div 20 = 2,5$$

$$x = 2,5$$

**B.** $\dfrac{1}{3} = \dfrac{x}{18}$

$$x = \dfrac{18 \times 1}{3}$$

$$x = \dfrac{18}{3} \quad 18 \div 3 = 6$$

$$x = 6$$

**C.** $x = 3,5$

**D.** $x = 4,5$

**E.** $x = 2$

**F.** $x = 25$

**G.** $x = 12$

**H.** $x = 10$

**I.** $x = 11,1$

**J.** $x = 3,37$

**1.13**

**A.** 0,5 g = _____500_____ mg

**B.** 4 kg = _____4000_____ g

**C.** 225 mg = _____0,225_____ g

**D.** 1,555 mg = _____1555_____ mcg

**E.** 0,125 mg = _____125_____ mcg

**F.** 0,008 g = _____8_____ mg

**G.** 0,1 mg = _____100_____ mcg

**H.** 0,02 g = _____20_____ mg

**I.** 0,153 g = _____153 000_____ mcg

**J.** 9 mcg = _____0,009_____ mg

**1.14**

**A.** 3000 mL = _____3_____ L

**B.** 150 mL = _____0,15_____ L

**C.** 4,8 L = _____4800_____ mL

**D.** 8000 mL = _____8_____ L

**E.** 100 mL = _____0,1_____ L

**F.** 2,5 L = _____2500_____ mL

**G.** 775 mL = _____0,775_____ L

**H.** 0,6 L = _____600_____ mL

**I.** 0,15 L = _____150_____ mL

**J.** 0,2 L = _____200_____ mL

**1.15**

**A.** $\frac{4}{5}$ = 0,8

**B.** $\frac{6}{7}$ = 0,857 arrondi à 0,86

**C.** $\frac{1}{2}$ = 0,5

**D.** $\frac{7}{9}$ = 0,77$\overline{7}$ arrondi à 0,78

**E.** $3\frac{1}{3}$ = 3,33$\overline{3}$ arrondi à 3,33

**F.** $\frac{15}{32}$ = 0,46875 arrondi à 0,47

**G.** $\frac{46}{68}$ = 0,6764 arrondi à 0,68

**H.** $4\frac{3}{4}$ = 4,75

**I.** $6\frac{5}{8}$ = 6,625 arrondi à 6,63

**J.** $11\frac{9}{10}$ = 11,9

**1.16**

| Nombre décimal | Fraction | Pourcentage |
|:---:|:---:|:---:|
| 0,08 | $\dfrac{8}{100}$ | 8 % |
| 0,5 | $\dfrac{1}{2}$ | 50 % |
| 0,27 | $\dfrac{27}{100}$ | 27 % |
| 0,48 | $\dfrac{48}{100}$ | 48 % |
| 0,4 | $\dfrac{16}{40}$ | 40 % |
| 0,000 37 | $\dfrac{3,7}{10\ 000}$ | 0,037 % |

**1.17**

**A.** 2 c. à thé = 10 mL

**B.** 6 onces = 180 mL

**C.** 200 livres = 90,91 kg

Note : on exprimera généralement le poids d'une personne au dixième près, donc 90,91 kg est arrondi à 90,9 kg. Chez les enfants dont le poids est donné en grammes, par exemple 4560 g, le poids peut être arrondi au centième, soit 4,56 kg.

**D.** 4 onces = 113,5 g

$$\frac{16 \text{ onces}}{454 \text{ g}} = \frac{4 \text{ onces}}{x \text{ g}} \qquad \frac{4 \ \cancel{\text{onces}} \times 454 \text{ g}}{16 \ \cancel{\text{onces}}} = 113,5 \text{ g}$$

**E.** 30 gtt = 2 mL

**F.** $\frac{1}{2}$ livre = 227 g

**G.** 3 c. à soupe = 45 mL

**H.** 5 pieds 3 pouces = 157,5 cm

$$\frac{1 \text{ pied}}{30 \text{ cm}} = \frac{5 \text{ pieds}}{x \text{ cm}} \qquad \frac{5 \text{ pieds} \times 30 \text{ cm}}{1 \text{ pied}} = 150 \text{ cm}$$

$$\frac{1 \text{ pouce}}{2,5 \text{ cm}} = \frac{3 \text{ pouces}}{x \text{ cm}} \qquad \frac{3 \text{ pouces} \times 2,5 \text{ cm}}{1 \text{ pouce}} = 7,5 \text{ cm}$$

Réponse : 150 cm + 7,5 cm = 157,5 cm

**I.** 9 livres et 3 onces = 4176,1363 g

$$\frac{1 \text{ lb}}{16 \text{ oz}} = \frac{x \text{ lb}}{3 \text{ oz}} \qquad \frac{3 \text{ oz} \times 1 \text{ lb}}{16 \text{ oz}} = 0,1875 \text{ lb}$$

$$9 \text{ lb} + 0,1875 \text{ lb} = 9,1875 \text{ lb}$$

$$\frac{2,2 \text{ lb}}{1 \text{ kg}} = \frac{9,1875 \text{ lb}}{x \text{ kg}} \qquad \frac{1 \text{ kg} \times 9,1875 \text{ lb}}{2,2 \text{ lb}} = 4,1761363 \text{ kg}$$

Réponse : 4176,1363 g

**J.** 6 pieds 2 pouces = 185 cm

$$\frac{1 \text{ pied}}{30 \text{ cm}} = \frac{6 \text{ pieds}}{x \text{ cm}} \qquad \frac{6 \text{ pieds} \times 30 \text{ cm}}{1 \text{ pied}} = 180 \text{ cm}$$

$$\frac{1 \text{ pouce}}{2,5 \text{ cm}} = \frac{2 \text{ pouces}}{x \text{ cm}} \qquad \frac{2 \text{ pouces} \times 2,5 \text{ cm}}{1 \text{ pouce}} = 5 \text{ cm}$$

Réponse : 180 cm + 5 cm = 185 cm

1.18

**A.** 0,17 h = 10 min

$$\frac{1\ h}{60\ min} = \frac{0,17\ h}{x\ min} \qquad \frac{0,17\ \cancel{h} \times 60\ min}{1\ \cancel{h}} = 10,2\ min$$

Réponse : 10,2 min ; 2 étant inférieur à 5, il faut arrondir à la baisse à 10 min

**B.** 0,35 h = 21 min

$$\frac{1\ h}{60\ min} = \frac{0,35\ h}{x\ min} \qquad \frac{0,35\ \cancel{h} \times 60\ min}{1\ \cancel{h}} = 21\ min$$

Réponse : 21 min

**C.** 0,55 h = 33 min

$$\frac{1\ h}{60\ min} = \frac{0,55\ h}{x\ min} \qquad \frac{0,55\ \cancel{h} \times 60\ min}{1\ \cancel{h}} = 33\ min$$

Réponse : 33 min

**D.** 0,25 h = 15 min

$$\frac{1\ h}{60\ min} = \frac{0,25\ h}{x\ min} \qquad \frac{0,25\ \cancel{h} \times 60\ min}{1\ \cancel{h}} = 15\ min$$

Réponse : 15 min

**E.** 2,48 h = 2 heures et 29 minutes

$$\frac{1\ h}{60\ min} = \frac{0,48\ h}{x\ min} \qquad \frac{0,48\ \cancel{h} \times 60\ min}{1\ \cancel{h}} = 28,8\ min$$

Réponse : 28,8 min ; 8 étant supérieur à 5, il faut arrondir à la hausse à 29 min

Il faut donc additionner le 2 heures aux 29 minutes ; la réponse est donc 2 heures et 29 minutes.

**F.** 1,45 h = 87 min

$$\frac{1\ h}{60\ min} = \frac{1,45\ h}{x\ min} \qquad \frac{1,45\ \cancel{h} \times 60\ min}{1\ \cancel{h}} = 87\ min$$

Réponse : 87 min

**G.** 6,45 h = 6 heures et 27 minutes

$$\frac{1\ h}{60\ min} = \frac{0,45\ h}{x\ min} \qquad \frac{0,45\ \cancel{h} \times 60\ min}{1\ \cancel{h}} = 27\ min$$

Réponse : il faut garder le 6 h, et le 0,45 h est l'équivalent de 27 min ; la réponse complète est donc 6 heures et 27 minutes.

**H.** 3,78 h = 227 min

$$\frac{1\ h}{60\ min} = \frac{3,78\ h}{x\ min} \qquad \frac{3,78\ \cancel{h} \times 60\ min}{1\ \cancel{h}} = 226,8\ min$$

Réponse : 226,8 min ; 8 étant supérieur à 5, il faut arrondir à la hausse à 227 min

**I.** 5,89 h = 353 min

$$\frac{1\ h}{60\ min} = \frac{5,89\ h}{x\ min} \qquad \frac{5,89\ \cancel{h} \times 60\ min}{1\ \cancel{h}} = 353,4\ min$$

Réponse : 353,4 min ; 4 étant inférieur à 5, il faut arrondir à la baisse à 353 min

**J.** 4,15 h = 249 min

$$\frac{1\ h}{60\ min} = \frac{4,15\ h}{x\ min} \qquad \frac{4,15\ \cancel{h} \times 60\ min}{1\ \cancel{h}} = 249\ min$$

Réponse : 249 min

## 2.1

| | | | | | |
|---|---|---|---|---|---|
| **A.** | Robinul | commercial | **F.** | naproxène | générique |
| **B.** | naloxone | générique | **G.** | Indéral | commercial |
| **C.** | amitriptyline | générique | **H.** | furosémide | générique |
| **D.** | Entrophen | commercial | **I.** | PMS-Pamidronate | commercial |
| **E.** | moxifloxacine | générique | **J.** | Naprosyn | commercial |

## 2.2

**A.**

1. Nom générique : **atomoxétine**

2. Nom commercial : **Strattera**

3. Nom du fabricant : **Lilly**

4. Teneur du médicament : **10 mg par capsule**

5. Quantité totale de médicament : **28 capsules**

6. Présentation du médicament : **capsules**

7. Dose recommandée : **Non inscrit sur l'emballage. Consulter la notice de l'emballage.**

8. DIN : **02262800**

**B.**

1. Nom générique : ***mésylate de saquinavir***

2. Nom commercial : ***Invirase***

3. Nom du fabricant : ***Roche***

4. Teneur du médicament : ***200 mg par gélule***

5. Quantité totale de médicament : ***270 gélules***

6. Présentation du médicament : ***gélules***

7. Dose recommandée : ***5 gélules (1000 mg) en association avec une capsule de ritonavir (100 mg), 2 fois par jour.***

8. Consignes de conservation : ***conserver dans un contenant bien fermé entre 15 °C et 30 °C.***

9. Précautions : ***doit être pris dans les 2 h suivant un repas. L'innocuité et l'efficacité chez les enfants de moins de 16 ans n'ont pas été établies.***

---

**C.**

1. Nom générique : ***tartrate de rispéridone***

2. Nom commercial : ***APO-Risperidone***

3. Nom du fabricant : ***Apotex inc.***

4. Concentration du médicament : ***1 mg/mL***

5. Quantité totale de médicament : ***30 mL***

6. Présentation du médicament : ***solution orale***

7. Dose recommandée : *La dose initiale, l'ajustement posologique et la dose maximale varient largement selon l'indication et chez les personnes âgées.*

8. Consignes de conservation : *Entreposer à la température ambiante de 15 °C à 30 °C. Protéger de la lumière et du gel.*

9. Précautions : *Garder hors de la portée des enfants.*

10. DIN : *02280396*

---

**2.3**

### ORDONNANCE COLLECTIVE
### INITIER L'ADMINISTRATION DE L'ACÉTAMINOPHÈNE

Établissement : Centre de santé et de services sociaux
Numéro de l'ordonnance collective : 001-01
Période de validité : 2019-04-01 au 2022-04-01

**Clientèle visée**
- Enfants de 5 kg et plus, ainsi que les adultes du CISSS qui présentent des signes et symptômes d'hyperthermie ou de douleur légère à modérée non progressive. **(Réponse à la question a)**

**Activités réservées**
- Évaluer la condition physique et mentale d'une personne symptomatique.
- Exercer une surveillance clinique de la condition des personnes dont l'état de santé présente des risques, incluant le monitorage et les ajustements du plan thérapeutique infirmier.
- Administrer et ajuster des médicaments ou d'autres substances, lorsqu'ils font l'objet d'une ordonnance. **(Réponse à la question e)**

**Professionnels autorisés**
Les infirmières œuvrant dans les installations du CISSS.

**Indications**
Personnes présentant des signes et symptômes suggestifs d'hyperthermie ou de la douleur légère à modérée.

**Hyperthermie** **(Réponse à la question b)**
- Clientèle adulte et enfant de 5 kg et plus :
  - Température buccale ≥ à 38,0 °C
  - Température rectale ≥ à 38,5 °C
- Clientèle gériatrique de plus de 65 ans :
  - Température buccale ou rectale > 37,8 °C
- Clientèle en fin de vie :
  - La fièvre étant fréquente en fin de vie, la mesure de la température corporelle n'est pas requise.

**Intention ou cible thérapeutique**
- Soulager l'inconfort occasionné par l'hyperthermie.
- Soulager les symptômes de douleur légère à modérée non progressive.

**Contre-indications**
- Allergie médicamenteuse connue à l'acétaminophène.
- Personne sous chimiothérapie ou neutropénique.
- Antécédent ou suspicion de cirrhose, encéphalopathie hépatique ou ascite.
- Intoxication médicamenteuse.
- Hépatite aiguë ou insuffisance hépatique : AST, ALT et/ou bilirubine : plus de 3 fois la valeur normale.
- Dose maximale quotidienne d'acétaminophène atteinte (4 g/24 h chez l'adulte ou 75 mg/kg/24 h chez l'enfant de 43 kg et moins).
- Céphalées intenses accompagnées ou non de vomissements, de troubles de la vision, d'une augmentation de la tension artérielle, d'une diminution du pouls et de signes neurologiques associés.

**Directives**
1. Dans tous les cas, évaluer le risque de surdosage à l'acétaminophène :
   - S'assurer qu'il n'y a pas de prise concomitante avec d'autres médicaments qui contiennent de l'acétaminophène, tels que Atasol, Atasol-30, Tramacet, Percocet, Tempra, Robaxacet, etc.
   - Évaluer s'il y a eu prise d'acétaminophène dans les 4 h avant l'application de l'ordonnance collective.
2. Pour la clientèle de plus de 43 kg ou adulte : **(Réponse à la question c)**
   - Administrer acétaminophène 1000 mg PO ou IR aux 6 heures PRN.
   - Maximum 4000 mg/24 h.
3. Pour la clientèle de 43 kg et moins ou pédiatrique : **(Réponse à la question d)**
   - Administrer l'acétaminophène en solution orale 15 mg/kg PO ou en suppositoire par voie IR aux 4 heures PRN.

**Limites ou situations exigeant une consultation médicale obligatoire**
Aviser le médecin si les symptômes de fièvre ou de douleur persistent plus de 24 h.

**Rédigé par**
Marise Bien-Aimé, conseillère clinique DSI   2020-01-15

**Approuvé par**
Dre Carole Turmel, médecin répondante du contenu scientifique   2020-03-12
Francine Patenaude, directrice des soins infirmiers   2020-03-12
Dr Jean-Pierre Leblanc, président du CMDP   2020-03-12

**2.4**

**A.** Françoise Tremblay
DDN : 1961-07-01
furosémide 40 mg PO **_DIE (fréquence d'administration)_**
_Dre Brigitte Labbé 04 187, 2019-02-09 17 h 30_

............................................................................................

**B.** Joseph Santos
DDN : 1953-11-24
morphine 10 mg **_SC (voie d'administration)_** q 4 h régulier
_Dre Paule Lacombe 88 187, 2019-01-30 11 h 30_

............................................................................................

**C.** Jeannine Arbour
DDN : 1949-03-16
ramipril **_2,5 mg (dose)_** PO BID si TA systolique ≥ 120 et TA diastolique ≥ 80
_Sophie Lalonde IPSSA 81 6965, 2019-02-12 9 h 10_

............................................................................................

**D.** Paul Martin
DDN : 1958-01-30
ofloxacine gouttes ophtalmiques,
2 gtt **_(œil droit, voie d'administration)_** q 4 h régulier
_Dr Robert Martineau 76 212, 2018-12-14 15 h 45_

............................................................................................

**E.** Xavier Dupont
DDN : 2017-12-28
Motrin 100 mg en suspension toutes les 6 h si T° ≥ 38,5° rectale
_Francis Gauthier IPSPL 81 6458_, **2019-04-05 12 h 20 (date et heure de l'ordonnance)**

............................................................................................

## 2.5

**A.** hs — au coucher

**B.** TID — trois fois par jour

**C.** IV — intraveineux

**D.** LA — longue action

**E.** stat — immédiatement

**F.** q — chaque, toutes, tous

**G.** ac — avant les repas

**H.** DIE — une fois par jour, chaque jour

**I.** ad — jusqu'à

**J.** SL — sublinguale

## 2.6

**A.** Deux fois par jour — BID, bid

**B.** Milligramme — mg

**C.** Intrarectale — IR, ir, I/R

**D.** Après les repas — pc

**E.** À volonté — ad lib

**F.** Avec — $\overline{c}$

**G.** Quatre fois par jour — QID, qid

**H.** Sans — $\overline{s}$

**I.** Chaque 2 heures — q 2 h

**J.** Millilitre — mL

## 2.7

**A.** Quelle(s) allergie(s) la personne présente-t-elle ?

*prégabaline et ampicilline*

**B.** Quel médicament est administré TID ?

*dimenhydrate (nom générique), Gravol (nom commercial)*

**C.** Quel médicament se présente sous forme de capsule?

*venlafaxine (nom générique), Effexor (nom commercial)*

**D.** Quelle est la dose de dimenhydrate administrée TID?

*50 mg*

**E.** Quelle est la quantité totale de naproxène en milligrammes (mg) administrée quotidiennement?

*1000 mg ou 1 g*

**F.** L'heure d'administration du naproxène à 8 h 00 a été encerclée. Expliquez pourquoi?

*La dose par la voie orale n'a pas été administrée, car reçue par la voie IR*

**G.** Dans le nom commercial Effexor XR, que signifient les lettres XR?

*Extended release/libération prolongée*

**H.** Quelle infirmière a administré le médicament pantoprazole?

*Caroline Lamarre*

**I.** Pourquoi ne doit-on pas écraser ou couper le comprimé de venlafaxine?

*Augmentation de la vitesse d'absorption par l'organisme/une augmentation rapide de la concentration sanguine du médicament*

**J.** À quelle heure sera administrée la prochaine dose de Gravol?

*11 h 00*

**A.**

| Bon médicament | Bon moment |
|---|---|
| Bonne dose | Bonne personne |
| Bonne voie d'administration | Bonne raison clinique |

**B.**

Bon médicament : **clopidogrel (Plavix)**

Bonne dose : **75 mg**

Bonne voie d'administration : **en comprimé, voie orale**

Bon moment : **8 h 00**

Bonne personne : **Vérification de l'identité de la personne à l'aide de deux indicateurs valides, le nom et le prénom ainsi que la date de naissance ou le numéro de dossier. M$^{me}$ Germaine Desrosiers, 1938-08-29, #689825**

Bonne raison clinique : **Il est noté au dossier que M$^{me}$ Desrosiers a déjà été traitée pour un AVC. Le clopidogrel est un antiplaquettaire administré pour prévenir les épisodes vasculaires ischémiques chez les personnes avec des antécédents d'AVC.**

**C.** Non, le médicament ne peut pas être administré, car la voie d'administration n'est pas indiquée dans l'ordonnance et l'intervalle à respecter entre la 1$^{re}$ et la 2$^{e}$ dose n'est pas précisé. Le prochlorpérazine peut être administré par la voie orale (PO), intrarectale (IR), intramusculaire (IM) et intraveineuse (IV).

Notez que la voie d'administration influe sur l'intervalle à respecter entre les doses.

**D.**

| mg : milligramme | HS : au coucher |
|---|---|
| PO : per os/par la bouche/par la voie orale | PRN : au besoin |

**E.**

| Médicaments | Nuit (00 h 00-07 h 59) Heure Initiales | Jour (8 h 00-15 h 59) Heure Initiales | Soir (16 h 00-23 h 59) Heure Initiales | Validité |
|---|---|---|---|---|
| Médicament : docusate de sodium<br><br>Dose : 200 mg<br><br>Voie : PO<br><br>Intervalle : HS PRN | | | | |

**F.** Au début d'un traitement, il peut être recommandé d'administrer une dose plus forte « dose initiale d'attaque » afin que le médicament entre dans la circulation sanguine en plus grande quantité.

---

**2.9**

**A.**

**1.** Quel médicament est administré HS ?                    rosuvastatine (Crestor)

**2.** Quel médicament est administré BID ?                   acébutolol (Sectral)

**3.** Quel médicament doit être administré ac ?              insuline Novorapid

**4.** Quelle est la dose quotidienne d'acébutolol administrée ?     400 mg

**5.** Quelle est l'indication thérapeutique de la morphine ?   Pour soulager la douleur

**B.**

1. La présence d'allergies/intolérances : La FADM indique une intolérance à la morphine. Larissa aurait dû constater cette inscription à la FADM. Elle aurait pu valider auprès de la personne si cette information était bien exacte avant d'administrer le médicament. De plus, la personne devrait porter à son poignet un bracelet rouge qui indique la présence d'allergies/intolérances. Cette information était également inscrite à la FADM.

2. Puisque la FADM est remplacée par une nouvelle feuille à minuit, Larissa aurait dû vérifier l'heure d'administration de la dernière dose de morphine sur la FADM précédente afin de s'assurer que la fréquence d'administration était respectée.

**C.** La Loi sur les services de santé et les services sociaux stipule qu'une personne doit être informée de tout accident susceptible d'entraîner des conséquences sur son état de santé ou sur son bien-être ; l'infirmière a donc l'obligation d'informer de son erreur la personne concernée ou son représentant.

**D.** Jonathan doit s'assurer que le comprimé n'est pas recouvert d'un enrobage gastrorésistant qui empêche le milieu acide de dissoudre le comprimé et protège la muqueuse de l'estomac. Le fait d'altérer ce type d'enrobage qui recouvre un comprimé peut également modifier la vitesse d'absorption du médicament par l'organisme. S'il n'y a pas d'enrobage, Jonathan peut couper le comprimé de metformine.

**E.** Il est possible d'utiliser une concentration différente de celle indiquée sur la FADM, mais la quantité à administrer sera différente de celle inscrite sur le formulaire. L'infirmier doit s'assurer de bien calculer la quantité à administrer afin de respecter la dose prescrite. Ce type de substitution augmente le risque d'erreur lors de la préparation. De plus, l'infirmier doit respecter les bonnes pratiques de soins et respecter la quantité maximale qui peut être administrée en une seule injection. Si la quantité à prélever est trop petite, il peut être difficile de préparer une quantité exacte de médicament, ce qui pourrait modifier la dose administrée.

**3.1**

**A.** 10 mL

**B.** 16 mL

**C.** 4 c. à thé

**D.** 1 c. à soupe

**E.** $\frac{3}{4}$ once

**F.** $\frac{1}{4}$ once

3.2

**A.** 1,4 mL

**B.** 0,9 mL

**C.** 2,33 mL, arrondi
à 2,3 mL

**D.** 1,65 mL, arrondi
à 1,7 mL

**E.** 2,752 mL, arrondi
à 2,8 mL

**F.** 1,258 mL, arrondi
à 1,3 mL

3.3

**A.** 0,15 mL

**B.** 0,76 mL

**C.** 0,47 mL

**D.** 0,823 mL, arrondi
à 0,82 mL

**E.** 0,325 mL, arrondi
à 0,33 mL

**F.** 0,278 mL, arrondi
à 0,28 mL

## 3.4

**A.** _____ A _____ 2 c. à soupe

**B.** _____ C _____ $\dfrac{1}{2}$ c. à thé

**C.** _____ C _____ 1 mL

**D.** _____ A _____ 4 mL

**E.** _____ C _____ 2,29 mL

**F.** _____ A _____ $\dfrac{3}{4}$ oz

**G.** _____ B _____ 0,5 mL

**H.** _____ A _____ 6 c. à thé

**I.** _____ B _____ 0,667 mL

**J.** _____ A _____ 60 mL

**K.** _____ C _____ 1,25 mL

**L.** _____ A _____ 20 mL

**M.** _____ B _____ 0,825 mL

**N.** _____ C _____ 2,12 mL

## 3.5

**A.** Quantité à administrer en co. $= \dfrac{375 \text{ mg}}{250 \text{ mg}} \times 1$ co.

Simplifiez l'équation : divisez le numérateur et le dénominateur par 125.

$$\text{Quantité à administrer en co.} = \dfrac{^3\cancel{375 \text{ mg}}}{^2\cancel{250 \text{ mg}}} \times 1 \text{ co.}$$

Quantité à administrer : $\dfrac{3}{2}$ comprimés

Quantité à administrer : 1,5 comprimé

**B.** Quantité à administrer en caps. $= \dfrac{200 \text{ mg}}{100 \text{ mg}} \times 1$ caps.

Quantité à administrer : 2 capsules

**C.** Quantité à administrer en co. $= \dfrac{25 \text{ mg}}{50 \text{ mg}} \times 1 \text{ co.}$

Quantité à administrer : 0,5 comprimé

.............................................................................................................

**D.** Quantité à administrer en co. $= \dfrac{30 \text{ mmol}}{20 \text{ mmol}} \times 1 \text{ co.}$

Quantité à administrer : 1,5 comprimé

.............................................................................................................

**E.** Quantité à administrer en co. $= \dfrac{12,5 \text{ mg}}{5 \text{ mg}} \times 1 \text{ co.}$

Quantité à administrer : 2,5 comprimés

.............................................................................................................

**F.** Quantité à administrer en co. $= \dfrac{0,5 \text{ mg}}{1,0 \text{ mg}} \times 1 \text{ co.}$

Quantité à administrer : 0,5 comprimé

.............................................................................................................

**G.** Quantité à administrer en co. $= \dfrac{120 \text{ mg}}{40 \text{ mg}} \times 1 \text{ co.}$

Quantité à administrer : 3 comprimés

.............................................................................................................

**H.** Convertir la dose prescrite :

Dose en milligrammes × 1000 = Dose en microgrammes

0,15 mg × 1000 = 150 mcg

Quantité à administrer en co. $= \dfrac{150 \text{ mcg}}{50 \text{ mcg}} \times 1 \text{ co.}$

Quantité à administrer : 3 comprimés

.............................................................................................................

**I.** Convertir la dose prescrite :

$$\text{Dose en grammes} \times 1000 = \text{Dose en milligrammes}$$

$$0,5 \text{ g} \times 1000 = 500 \text{ mg}$$

$$\text{Quantité à administrer en co.} = \frac{500 \text{ mg}}{250 \text{ mg}} \times 1 \text{ co.}$$

Quantité à administrer : 2 comprimés

...........................................................................................................................

**J.** Convertir la dose prescrite :

$$\text{Dose en grammes} \times 1000 = \text{Dose en milligrammes}$$

$$1 \text{ g} \times 1000 = 1000 \text{ mg}$$

$$\text{Quantité à administrer en gélules} = \frac{1000 \text{ mg}}{200 \text{ mg}} \times 1 \text{ gélule}$$

Quantité à administrer : 5 gélules

...........................................................................................................................

### 3.6

**A. Calculs :**

$$\frac{2 \text{ mg}}{1 \text{ co.}} = \frac{3 \text{ mg}}{x \text{ co.}}$$

$$2 \text{ mg} \times x \text{ co.} = 3 \text{ mg} \times 1 \text{ co.}$$

$$\frac{2 \text{ mg} \times x \text{ co.}}{2 \text{ mg}} = \frac{3 \text{ mg} \times 1 \text{ co.}}{2 \text{ mg}}$$

Simplifiez l'équation et isolez l'élément recherché, c'est-à-dire $x$ :

$$\frac{2 \text{ mg } x \text{ co.}}{2 \text{ mg}} = \frac{3 \text{ mg co.}}{2 \text{ mg}}$$

$$x = 1,5 \text{ co.}$$

$x$ (quantité à administrer en co.) = 1,5 comprimé

...........................................................................................................................

B. **Calculs:**

$$\frac{20 \text{ mg}}{1 \text{ co.}} = \frac{40 \text{ mg}}{x \text{ co.}}$$

20 mg × x co. = 40 mg × 1 co.

x (quantité à administrer en co.) = 2 comprimés

C. **Calculs:**

$$\frac{10 \text{ mg}}{1 \text{ co.}} = \frac{40 \text{ mg}}{x \text{ co.}}$$

10 mg × x co. = 40 mg × 1 co.

x (quantité à administrer en caps.) = 4 capsules

D. **Calculs:**

$$\frac{10 \text{ mg}}{1 \text{ co.}} = \frac{5 \text{ mg}}{x \text{ co.}}$$

10 mg × x co. = 5 mg × 1 co.

x (quantité à administrer en co.) = 0,5 comprimé

E. **Calculs:**

$$\frac{5 \text{ mg}}{1 \text{ co.}} = \frac{12,5 \text{ mg}}{x \text{ co.}}$$

5 mg × x co. = 12,5 mg × 1 co.

x (quantité à administrer en co.) = 2,5 comprimés

F. **Calculs:** Convertir la dose prescrite:
Dose en grammes × 1000 = Dose en milligrammes
1 g × 1000 = 1000 mg

$$\frac{250 \text{ mg}}{1 \text{ gélule}} = \frac{1000 \text{ mg}}{x \text{ gélule}}$$

250 mg × x gélule = 1000 mg × 1 gélule

x (quantité à administrer en gélule ) = 4 gélules

**G.** **Calculs :** Convertir la dose prescrite :

Dose en microgrammes/1000 = Dose en milligrammes
750 mcg/1000 = 0,75 mg

$$\frac{0,5 \text{ mg}}{1 \text{ co.}} = \frac{0,75 \text{ mg}}{x \text{ co.}}$$

0,5 mg × x co. = 0,75 mg × 1 co.

x (quantité à administrer en co.) = 1,5 comprimé

........................................................................................

**H.** **Calculs :** Convertir la dose prescrite :

Dose en grammes × 1000 = Dose en milligrammes
0,6 g × 1000 = 600 mg

$$\frac{300 \text{ mg}}{1 \text{ co.}} = \frac{600 \text{ mg}}{x \text{ co.}}$$

300 mg × x co. = 600 mg × 1 co.

x (quantité à administrer en co.) = 2 comprimés

........................................................................................

**I.** **Calculs :**

$$\frac{0,5 \text{ mg}}{1 \text{ co.}} = \frac{2 \text{ mg}}{x \text{ co.}}$$

0,5 mg × x co. = 2 mg × 1 co.

x (quantité à administrer en co.) = 4 comprimés

........................................................................................

**J.** **Calculs :** Convertir la dose prescrite :

Dose en milligrammes × 1000 = Dose en microgrammes
0,125 mg × 1000 = 125 mcg

$$\frac{50 \text{ mcg}}{1 \text{ co.}} = \frac{125 \text{ mcg}}{x \text{ co.}}$$

50 mcg × x co. = 125 mg × 1 co.

x (quantité à administrer en co.) = 2,5 comprimés

........................................................................................

3.7

**A.** **Calculs :** Quantité à administrer (en mL) = $\dfrac{30 \text{ mg}}{10 \text{ mg}} \times 1 \text{ mL}$

Simplifiez l'équation : divisez le numérateur et le dénominateur par 10.

Quantité à administrer (en mL) = $\dfrac{\overset{3}{\cancel{30 \text{ mg}}}}{\underset{1}{\cancel{10 \text{ mg}}}} \times 1 \text{ mL}$

Quantité à administrer : 3 mL

**B.** **Calculs :** Quantité à administrer (en mL ) = $\dfrac{500 \text{ mg}}{125 \text{ mg}} \times 5 \text{ mL}$

Simplifiez l'équation : divisez le numérateur et le dénominateur par 50.

Quantité à administrer (en mL) = $\dfrac{\overset{4}{\cancel{500 \text{ mg}}}}{\underset{1}{\cancel{125 \text{ mg}}}} \times 5 \text{ mL}$

Quantité à administrer : 20 mL

**C.** **Calculs :** Quantité à administrer (en mL) = $\dfrac{300 \text{ mg}}{15 \text{ mg}} \times 1 \text{ mL}$

Quantité à administrer : 20 mL

**D.** **Calculs :** Quantité à administrer (en mL) = $\dfrac{20 \text{ mg}}{5 \text{ mg}} \times 5 \text{ mL}$

Quantité à administrer : 20 mL

**E.** **Calculs:** Quantité à administrer (en mL) = $\dfrac{40 \text{ mg}}{5 \text{ mg}} \times 5 \text{ mL}$

Quantité à administrer: 40 mL

**F.** **Calculs:** Quantité à administrer (en mL) = $\dfrac{600\,000 \text{ unités}}{100\,000 \text{ unités}} \times 1 \text{ mL}$

Quantité à administrer: 6 mL

**G.** **Calculs:** Quantité à administrer (en mL) = $\dfrac{8 \text{ mg}}{4 \text{ mg}} \times 5 \text{ mL}$

Quantité à administrer: 10 mL

**H.** **Calculs:** Convertir la dose prescrite:
Dose en grammes × 1000 = Dose en milligrammes
0,4 g × 1000 = 400 mg

Quantité à administrer (en mL) = $\dfrac{400 \text{ mg}}{100 \text{ mg}} \times 2,5 \text{ mL}$

Quantité à administrer: 10 mL

**I.** **Calculs:** Convertir la dose prescrite:
Dose en microgrammes/1000 = Dose en milligrammes
125 mcg/1000 = 0,125 mg

Quantité à administrer (en mL) = $\dfrac{0,125 \text{ mg}}{0,05 \text{ mg}} \times 1 \text{ mL}$

Quantité à administrer: 2,5 mL

**J.** **Calculs :** Convertir la dose prescrite :

Dose en grammes × 1000 = Dose en milligrammes

0,6 g × 1000 = 600 mg

$$\text{Quantité à administrer (en mL)} = \frac{600 \text{ mg}}{300 \text{ mg}} \times 5 \text{ mL}$$

Quantité à administrer : 10 mL

**3.8**

**A.**

$$\frac{160 \text{ mg}}{5 \text{ mL}} = \frac{500 \text{ mg}}{x \text{ mL}}$$

160 mg × x mL = 500 mg × 5 mL

x (quantité à administrer en mL) = 15,6 mL

**B.**

$$\frac{15 \text{ mg}}{1 \text{ mL}} = \frac{150 \text{ mg}}{x \text{ mL}}$$

15 mg × x mL = 150 mg × 1 mL

x (quantité à administrer en mL) = 10 mL

**C.**

$$\frac{125 \text{ mg}}{5 \text{ mL}} = \frac{300 \text{ mg}}{x \text{ mL}}$$

125 mg × x mL = 300 mg × 5 mL

x (quantité à administrer en mL) = 12 mL

**D.**

$$\frac{1 \text{ mg}}{1 \text{ mL}} = \frac{2 \text{ mg}}{x \text{ mL}}$$

1 mg × x mL = 2 mg × 1 mL

x (quantité à administrer en mL) = 2 mL

**E.**

$$\frac{25 \text{ mg}}{1 \text{ mL}} = \frac{250 \text{ mg}}{x \text{ mL}}$$

$$25 \text{ mg} \times x \text{ mL} = 250 \text{ mg} \times 1 \text{ mL}$$

$$x \text{ (quantité à administrer en mL)} = 10 \text{ mL}$$

**F.**

$$\frac{250 \text{ mg}}{5 \text{ mL}} = \frac{775 \text{ mg}}{x \text{ mL}}$$

$$250 \text{ mg} \times x \text{ mL} = 775 \text{ mg} \times 5 \text{ mL}$$

$$x \text{ (quantité à administrer en mL)} = 15,5 \text{ mL}$$

**G.**

$$\frac{20 \text{ mg}}{5 \text{ mL}} = \frac{30 \text{ mg}}{x \text{ mL}}$$

$$20 \text{ mg} \times x \text{ mL} = 30 \text{ mg} \times 5 \text{ mL}$$

$$x \text{ (quantité à administrer en mL)} = 7,5 \text{ mL}$$

**H.**

$$\frac{50 \text{ mg}}{1 \text{ mL}} = \frac{375 \text{ mg}}{x \text{ mL}}$$

$$50 \text{ mg} \times x \text{ mL} = 375 \text{ mg} \times 1 \text{ mL}$$

$$x \text{ (quantité à administrer en mL)} = 7,5 \text{ mL}$$

**I.**

$$\frac{10 \text{ mg}}{5 \text{ mL}} = \frac{25 \text{ mg}}{x \text{ mL}}$$

$$10 \text{ mg} \times x \text{ mL} = 25 \text{ mg} \times 5 \text{ mL}$$

$$x \text{ (quantité à administrer en mL)} = 12,5 \text{ mL}$$

J.
$$\frac{20 \text{ mg}}{5 \text{ mL}} = \frac{30 \text{ mg}}{x \text{ mL}}$$

20 mg × $x$ mL = 30 mg × 5 mL

$x$ (quantité à administrer en mL) = 7,5 mL

---

**3.9**

La dose à administrer est de 6 mg puisque la veille, M^me Bérubé a reçu 5 mg. C'est la seule dose possible qui respecte la séquence 6 mg-6 mg-~~5 mg~~-6 mg-6 mg-~~5 mg~~-6 mg-6 mg et ainsi de suite.

---

**3.10**

Afin d'éviter les erreurs reliées à la préparation et de s'assurer de l'exactitude de la dose administrée, l'infirmière doit privilégier l'administration de comprimés entiers et éviter de les couper.

Megan utilisera donc **1 comprimé de 4 mg** et **1 comprimé de 2 mg** pour une **dose totale de 6 mg**.

---

**3.11**

Quantité à administrer (en mL) = $\dfrac{0,5 \text{ mg}}{5 \text{ mg}} \times 5 \text{ mL}$

Quantité à administrer : 0,5 mL

---

**3.12**

$$\frac{5 \text{ mg}}{5 \text{ mL}} = \frac{0,5 \text{ mg}}{x \text{ mL}}$$

$$5 \text{ mg} \times x \text{ mL} = 0,5 \text{ mg} \times 5 \text{ mL}$$

$$x \text{ (quantité à administrer en mL)} = 0,5 \text{ mL}$$

**3.13**

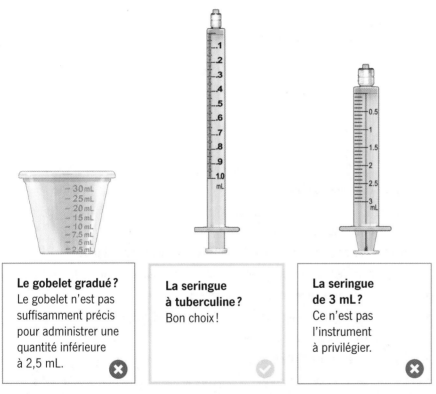

**Le gobelet gradué ?**
Le gobelet n'est pas suffisamment précis pour administrer une quantité inférieure à 2,5 mL. ✖

**La seringue à tuberculine ?**
Bon choix ! ✔

**La seringue de 3 mL ?**
Ce n'est pas l'instrument à privilégier. ✖

L'hydromorphone est un puissant analgésique opioïde prescrit pour soulager la douleur d'intensité modérée à intense. La plus grande vigilance est requise au moment de la préparation afin de s'assurer de l'exactitude de la dose. La seringue à tuberculine est donc un meilleur choix puisqu'elle permet de prélever la dose d'hydromorphone avec une plus grande précision.

**3.14**

La seringue à tuberculine.

**3.15**

ÉTAPE 1   Collecter les données

Vérifiez la validité de l'ordonnance et recherchez les informations pertinentes pour administrer une dose sécuritaire.

- Date et heure de la rédaction de l'ordonnance : **2019-10-19, 18 h 00**
- Nom, prénom de la personne et date de naissance : **Nguyen Kim, 1938-04-01**
- Nom générique ou commercial du médicament : **digoxine**
- Dose en grammes ou milligrammes du médicament : **6 mcg/kg**
- Voie d'administration du médicament : **PO**
- Moment ou fréquence de l'administration du médicament : **stat**
- Signature de la personne autorisée à prescrire le médicament : **D^re Paule Dubé**

Données pertinentes : le poids de M^me Nguyen est de 137,5 livres.

**ÉTAPE 2** Analyser les données

- Repérez les données pertinentes qui serviront au calcul de la dose administrée :
la dose prescrite, la teneur du médicament et la quantité du médicament disponible.

- Comparez la dose prescrite avec le médicament disponible afin de vous assurer
que les unités de mesure sont les mêmes : la dose prescrite est en microgrammes
et le médicament disponible est en milligrammes. Il faudra effectuer la conversion :

$$1000 \text{ mcg} = 1 \text{ mg}$$

- Vérifiez la pertinence d'utiliser le poids (en kilogrammes) ou certains résultats
d'analyses sanguines pour effectuer les calculs : il faut calculer la dose à administrer
en fonction du poids de la personne en kilogrammes.

Convertir le poids exprimé en livres en kilogrammes : 1 kg = 2,2 lb

$$\frac{137,5 \text{ livres}}{2,2} = 62,5 \text{ kg}$$

À partir du poids exprimé en kilogrammes, il est maintenant possible de déterminer
la dose à administrer :

$$6 \text{ mcg} \times 62,5 = 375 \text{ mcg}$$

- Comparez à nouveau la dose prescrite avec le médicament disponible et procédez
à la conversion :

$$375 \text{ mcg}/1000 = 0,375 \text{ mg}$$

**ÉTAPE 3** Planifier la préparation

Choisissez une méthode de calcul de dose appropriée au contexte selon les
données analysées : la méthode de la formule ou la méthode du rapport-proportion ?
La méthode de la formule sera privilégiée pour calculer la quantité à administrer.

- Sélectionnez les données nécessaires au calcul.
Dose prescrite (convertie) : 0,375 mg
Teneurs du médicament disponibles : 0,0625 mg, 0,125 mg et 0,25 mg
Quantité du médicament disponible : 1 comprimé

**ÉTAPE 4** Calculer la dose

Transcrivez la formule et remplacez les inconnues de la formule par les données
pertinentes en n'oubliant pas d'inscrire les unités de mesure. Vous devez procéder
ainsi pour les différents comprimés disponibles :

$$\frac{\text{Dose prescrite (mg)} \times \text{Volume ou quantité du médicament disponible (co.)}}{\text{Teneur du médicament disponible (mg)}} = \text{Quantité à administrer (co.)}$$

Effectuer les calculs à l'aide de la méthode de la formule afin de déterminer le nombre de comprimés à préparer en fonction des comprimés disponibles :

Utilisation des comprimés de 0,0625 mg

$$\frac{0,375 \text{ mg}}{0,0625 \text{ mg}} \times 1 \text{ co.} = \text{Quantité à administrer (co.)}$$

Quantité à administrer : 6 comprimés

Utilisation des comprimés de 0,125 mg

$$\frac{0,375 \text{ mg}}{0,125 \text{ mg}} \times 1 \text{ co.} = \text{Quantité à administrer (co.)}$$

Quantité à administrer : 3 comprimés

Utilisation des comprimés de 0,25 mg

$$\frac{0,375 \text{ mg}}{0,25 \text{ mg}} \times 1 \text{ co.} = \text{Quantité à administrer (co.)}$$

Quantité à administrer : 1,5 comprimé

### ÉTAPE 5 Vérifier le résultat obtenu

Pour l'administration d'une dose précise et exacte, il est recommandé de ne pas fractionner les comprimés lorsque c'est possible. Également, il est d'usage courant d'utiliser la concentration qui assure l'ingestion de la plus petite quantité de comprimés par la personne.

L'infirmière peut administrer 3 comprimés de 0,125 mg de digoxine à M^me Nguyen pour une dose totale de 0,375 mg, mais elle devrait privilégier l'administration de la plus petite quantité de comprimé. **L'administration de 1,5 comprimé de 0,25 mg est donc un meilleur choix.**

Y a-t-il une solution de rechange qui permet d'administrer une dose plus précise ? Lors du fractionnement des comprimés, il est possible que les 2 parties du comprimé ne soient pas tout à fait identiques ce qui occasionne une diminution de la précision de la dose administrée. On pourrait également administrer **1 comprimé de 0,25 mg et 1 comprimé de 0,125 mg pour une dose totale de 0,375 mg de digoxine.** Ainsi, le nombre de comprimés administrés est toujours de 2 et la dose est précise. Par contre, il faut être très vigilant afin de choisir les bons comprimés parmi ceux disponibles, et ainsi administrer la dose exacte.

## 3.16

Si vous avez utilisé la méthode de la formule :

$$\text{Quantité à administrer (mL)} = \frac{0,375 \text{ mg}}{0,05 \text{ mg}} \times 1 \text{ mL}$$

Quantité à administrer : 7,5 mL

Si vous avez utilisé la méthode du rapport-proportion :

$$\frac{0,05 \text{ mg}}{1 \text{ mL}} = \frac{0,375 \text{ mg}}{x \text{ mL}}$$

$$0,05 \text{ mg} \times x \text{ mL} = 0,375 \text{ mg} \times 1 \text{ mL}$$

$$x \text{ quantité à administrer (mL)} = 7,5 \text{ mL}$$

## 3.17

Bien que le gobelet puisse contenir amplement la quantité de solution déterminée (7,5 mL), compte tenu de la nature du médicament, il est recommandé d'utiliser une seringue pouvant contenir jusqu'à 10 mL de liquide. La digoxine est un médicament utilisé pour ralentir la fréquence cardiaque ; il importe d'être très précis au moment de la préparation du médicament. La mesure avec une seringue est plus sûre qu'avec le gobelet gradué.

**4.1**

**A.** 2,08 mL, arrondi à 2,1 mL

**B.** 1,9

**C.** 1,68 mL, arrondi à 1,7 mL

**D.** 2,55 mL, arrondi à 2,6 mL

**E.** 1,23 mL, arrondi à 1,2 mL

**F.** 2,11 mL, arrondi à 2,1 mL

**G.** 1,76 mL, arrondi
à 1,8 mL

**H.** 2,43 mL, arrondi
à 2,4 mL

**4.2**

**A.** 0,623 mL, arrondi
à 0,62 mL

**B.** 0,141 mL, arrondi
à 0,14 mL

**C.** 0,899 mL, arrondi
à 0,90 mL

**D.** 0,501 mL, arrondi à 0,50 mL

**E.** 0,929 mL, arrondi à 0,93 mL

**F.** 0,722 mL, arrondi à 0,72 mL

**G.** 0,366 mL, arrondi à 0,37 mL

**H.** 0,488 mL, arrondi à 0,49 mL

## 4.3

**A.** 15 unités

**B.** 66 unités

**C.** 34 unités

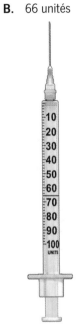

**D.** 18 unités

**E.** 29 unités

**F.** 42 unités

**G.** 12 unités

**H.** 46 unités

**I.** 8 unités

**J.** 17 unités

**K.** 22 unités

**L.** 33 unités

**M.** 65 unités

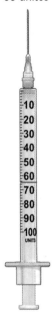

**N.** 74 unités

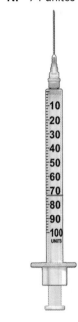

**4.4**

**A.** 0,66 mL    **B.** 24 unités    **C.** 1,8 mL    **D.** 2,3 mL

**4.5**

**A.** **Médicament prescrit :** Valium 10 mg IM STAT
**Médicament disponible :** diazépam (Valium) à 5 mg/mL

$$\frac{10 \text{ mg}}{5 \text{ mg}} \times 1 \text{ mL}$$

$$\frac{10 \text{ \cancel{mg}}}{5 \text{ \cancel{mg}}} \times 1 \text{ mL} = 2 \text{ mL}$$

Vous prélevez 2 mL de diazépam d'une fiole dont la concentration est de 5 mg/mL.

**B.** **Médicament prescrit :** Decadron 2 mg IM BID
**Médicament disponible :** dexaméthasone (Decadron) à 4 mg/mL

$$\frac{2 \text{ mg}}{4 \text{ mg}} \times 1 \text{ mL}$$

$$\frac{2 \cancel{\text{ mg}}}{4 \cancel{\text{ mg}}} \times 1 \text{ mL} = 0,5 \text{ mL}$$

Vous prélevez 0,5 mL de dexaméthasone d'une fiole dont la concentration est de 4 mg/mL.

**C.** **Médicament prescrit :** atropine 0,3 mg IM STAT
**Médicament disponible :** atropine à 0,4 mg/mL

$$\frac{0,3 \text{ mg}}{0,4 \text{ mg}} \times 1 \text{ mL}$$

$$\frac{0,3 \cancel{\text{ mg}}}{0,4 \cancel{\text{ mg}}} \times 1 \text{ mL} = 0,75 \text{ mL}$$

Vous prélevez 0,75 mL d'atropine d'une fiole dont la concentration est de 0,4 mg/mL.

**D.** **Médicament prescrit :** Solu-Medrol 60 mg IM DIE
**Médicament disponible :** méthylprednisolone (Solu-Medrol) à 80 mg/mL.

$$\frac{60 \text{ mg}}{80 \text{ mg}} \times 1 \text{ mL}$$

$$\frac{60 \cancel{\text{ mg}}}{80 \cancel{\text{ mg}}} \times 1 \text{ mL} = 0,75 \text{ mL}$$

Vous prélevez 0,75 mL de méthylprednisolone d'une fiole dont la concentration est de 80 mg/mL.

**E.** **Médicament prescrit:** Épinéphrine 0,5 mg SC STAT
**Médicament disponible:** adrénaline (Épinéphrine) à 1 mg/mL

$$\frac{0,5 \text{ mg}}{1 \text{ mg}} \times 1 \text{ mL}$$

$$\frac{0,5 \cancel{\text{ mg}}}{1 \cancel{\text{ mg}}} \times 1 \text{ mL} = 0,5 \text{ mL}$$

Vous prélevez 0,5 mL d'adrénaline d'une ampoule dont la concentration est de 1 mg/mL.

**F.** **Médicament prescrit:** Solu-Cortef 60 mg IV DIE
**Médicament disponible:** hydrocortisone (Solu-Cortef) à 100 mg/mL

$$\frac{60 \text{ mg}}{100 \text{ mg}} \times 1 \text{ mL}$$

$$\frac{60 \cancel{\text{ mg}}}{100 \cancel{\text{ mg}}} \times 1 \text{ mL} = 0,6 \text{ mL}$$

Vous prélevez 0,6 mL d'hydrocortisone d'une fiole dont la concentration est de 100 mg/mL.

## 4.6

**A.** **Médicament prescrit:** furosémide 60 mg IV BID
**Médicament disponible:** furosémide à 10 mg/mL

$$\frac{60 \text{ mg}}{10 \text{ mg}} \times 1 \text{ mL}$$

$$\frac{60 \cancel{\text{ mg}}}{10 \cancel{\text{ mg}}} \times 1 \text{ mL} = 6 \text{ mL}$$

Vous prélevez 6 mL d'une fiole de furosémide dont la concentration est de 10 mg/mL.

**B.** **Médicament prescrit :** midazolam 4 mg IV STAT
**Médicament disponible :** midazolam à 5 mg/mL

$$\frac{4 \text{ mg}}{5 \text{ mg}} \times 1 \text{ mL}$$

$$\frac{4 \text{ mg}}{5 \text{ mg}} \times 1 \text{ mL} = 0,8 \text{ mL}$$

Vous prélevez 0,8 mL d'une fiole de midalozam dont la concentration est de 5 mg/mL.

**C.** **Médicament prescrit :** morphine 6 mg S/C q 4 h PRN
**Médicament disponible :** morphine à 10 mg/mL

$$\frac{6 \text{ mg}}{10 \text{ mg}} \times 1 \text{ mL}$$

$$\frac{6 \text{ mg}}{10 \text{ mg}} \times 1 \text{ mL} = 0,6 \text{ mL}$$

Vous prélevez 0,6 mL d'une ampoule de morphine dont la concentration est de 10 mg/mL.

**D.** **Médicament prescrit :** mépéridine 75 mg IM q 3-4 h PRN
**Médicament disponible :** mépéridine à 100 mg/mL

$$\frac{75 \text{ mg}}{100 \text{ mg}} \times 1 \text{ mL}$$

$$\frac{75 \text{ mg}}{100 \text{ mg}} \times 1 \text{ mL} = 0,75 \text{ mL}$$

Vous prélevez 0,75 mL d'une ampoule de mépéridine dont la concentration est de 100 mg/mL.

E. **Médicament prescrit :** Anexate 0,2 mg IV STAT
   **Médicament disponible :** flumazénil (Anexate) à 0,1 mg/mL

$$\frac{0,2 \text{ mg}}{0,1 \text{ mg}} \times 1 \text{ mL}$$

$$\frac{0,2 \text{ mg}}{0,1 \text{ mg}} \times 1 \text{ mL} = 2 \text{ mL}$$

Vous prélevez 2 mL d'une fiole multidose de flumazénil dont la concentration est de 0,1 mg/mL.

## 4.7

A. **Médicament prescrit :** héparine 6000 unités SC DIE
   **Médicament disponible :** héparine à 10 000 unités/mL

$$\frac{6000 \text{ unités}}{10\,000 \text{ unités}} \times 1 \text{ mL}$$

$$\frac{6000 \text{ unités}}{10\,000 \text{ unités}} \times 1 \text{ mL} = 0,6 \text{ mL}$$

Vous prélevez 0,6 mL d'une fiole d'héparine dont la concentration est de 10 000 unités/mL.

B. **Médicament prescrit :** Toradol 45 mg IM q 4 à 6 h PRN
   **Médicament disponible :** kétorolac (Toradol) à 30 mg/mL

$$\frac{45 \text{ mg}}{30 \text{ mg}} \times 1 \text{ mL}$$

$$\frac{45 \text{ mg}}{30 \text{ mg}} \times 1 \text{ mL} = 1,5 \text{ mL}$$

Vous prélevez 1,5 mL d'une fiole de kétorolac dont la concentration est de 30 mg/mL.

**C.** **Médicament prescrit :** morphine 3 mg SC q 4 h
**Médicament disponible :** morphine à 10 mg/mL

$$\frac{3 \text{ mg}}{10 \text{ mg}} \times 1 \text{ mL}$$

$$\frac{3 \text{ mg}}{10 \text{ mg}} \times 1 \text{ mL} = 0,3 \text{ mL}$$

Vous prélevez 0,3 mL d'une fiole de morphine dont la concentration est de 10 mg/mL.

**D.** **Médicament prescrit :** Dilaudid 1,5 mg SC q 1 h PRN
**Médicament disponible :** hydromorphone (Dilaudid) à 2 mg/mL

$$\frac{1,5 \text{ mg}}{2 \text{ mg}} \times 1 \text{ mL}$$

$$\frac{1,5 \text{ mg}}{2 \text{ mg}} \times 1 \text{ mL} = 0,75 \text{ mL}$$

Vous prélevez 0,75 mL d'une ampoule d'hydromorphone dont la concentration est de 2 mg/mL.

**E.** **Médicament prescrit :** Zantac 50 mg IV STAT
**Médicament disponible :** ranitidine (Zantac) à 25 mg/mL

$$\frac{50 \text{ mg}}{25 \text{ mg}} \times 1 \text{ mL}$$

$$\frac{50 \text{ mg}}{25 \text{ mg}} \times 1 \text{ mL} = 2 \text{ mL}$$

Vous prélevez 2 mL d'une fiole de ranitidine dont la concentration est de 25 mg/mL.

**4.8**

**A.** **Médicament prescrit:** Ancef 1,5 g IV q 8 h
**Médicament disponible:** céfalozine (Ancef) à 1000 mg/mL

Convertissez les grammes en milligrammes: 1 g vaut 1000 mg, donc 1,5 g = 1500 mg.

$$\frac{1500 \text{ mg}}{1000 \text{ mg}} \times 1 \text{ mL} = 1{,}5 \text{ mL}$$

La réponse est 1,5 mL.

**B.** **Médicament prescrit:** fentanyl 0,1 mg IV STAT
**Médicament disponible:** fentanyl (Fentanyl) à 50 mcg/mL

Convertissez les milligrammes en microgrammes: 1 mg vaut 1000 mcg, donc 0,1 mg = 100 mcg.

$$\frac{100 \text{ mcg}}{50 \text{ mcg}} \times 1 \text{ mL} = 2 \text{ mL}$$

La réponse est 2 mL.

**C.** **Médicament prescrit:** Claforan 1 g IV BID
**Médicament disponible:** céfotaxime (Claforan) à 500 mg/mL

Convertissez les grammes en milligrammes: 1 g vaut 1000 mg.

$$\frac{1000 \text{ mg}}{500 \text{ mg}} \times 1 \text{ mL} = 2 \text{ mL}$$

La réponse est 2 mL.

**D. Médicament prescrit:** cyanocobalamine 1000 mcg IM une fois par mois
**Médicament disponible:** vitamine B$_{12}$(cyanocobalamine) à 5 mg/mL

Convertissez les microgrammes en milligrammes: 1000 mcg = 1 mg.

$$\frac{1 \text{ mg}}{5 \text{ mg}} \times 1 \text{ mL} = 0,2 \text{ mL}$$

La réponse est 0,2 mL.

**E. Médicament prescrit:** Ampicin 250 mg IM STAT
**Médicament disponible:** ampicilline (Ampicin) à 2 g/10 mL

Convertissez les milligrammes en grammes: 1 g vaut 1000 mg, donc 0,25 g = 250 mg.

$$\frac{0,25 \text{ g}}{2 \text{ g}} \times 10 \text{ mL} = 1,25 \text{ mL}$$

La réponse est 1,25 mL.

**4.9**

**A. Médicament prescrit:** Atarax 50 mg IM q 4-6 h PRN
**Médicament disponible:** hydroxyzine (Atarax) à 50 mg/mL

$$\frac{50 \text{ mg}}{1 \text{ mL}} = \frac{50 \text{ mg}}{x}$$

$$\frac{50 \text{ mg } x}{50 \text{ mg}} = \frac{50 \text{ mg} \times 1 \text{ mL}}{50 \text{ mg}}$$

$$x = 1 \text{ mL}$$

**B.** **Médicament prescrit :** Benadryl 25 mg IM q 6 h
**Médicament disponible :** diphenhydramine (Benadryl) à 50 mg/mL

$$\frac{50 \text{ mg}}{1 \text{ mL}} = \frac{25 \text{ mg}}{x}$$

$$\frac{\cancel{50 \text{ mg}}\, x}{\cancel{50 \text{ mg}}} = \frac{25 \cancel{\text{ mg}} \times 1 \text{ mL}}{50 \cancel{\text{ mg}}}$$

$$x = 0,5 \text{ mL}$$

**C.** **Médicament prescrit :** Haldol 2 mg IM STAT
**Médicament disponible :** halopéridol (Haldol) à 5 mg/mL

$$\frac{5 \text{ mg}}{1 \text{ mL}} = \frac{2 \text{ mg}}{x}$$

$$\frac{\cancel{5 \text{ mg}}\, x}{\cancel{5 \text{ mg}}} = \frac{2 \cancel{\text{ mg}} \times 1 \text{ mL}}{5 \cancel{\text{ mg}}}$$

$$x = 0,4 \text{ mL}$$

**D.** **Médicament prescrit :** Garamycin 60 mg IV q 8 h
**Médicament disponible :** gentamycine (Garamycin) à 40 mg/mL

$$\frac{40 \text{ mg}}{1 \text{ mL}} = \frac{60 \text{ mg}}{x}$$

$$\frac{\cancel{40 \text{ mg}}\, x}{\cancel{40 \text{ mg}}} = \frac{60 \cancel{\text{ mg}} \times 1 \text{ mL}}{40 \cancel{\text{ mg}}}$$

$$x = 1,5 \text{ mL}$$

**E.** **Médicament prescrit:** Novo-Clindamycine 250 mg IM STAT
**Médicament disponible:** clindamycine (Novo-Clindamycine) à 150 mg/mL

$$\frac{150 \text{ mg}}{1 \text{ mL}} = \frac{250 \text{ mg}}{x}$$

$$\frac{\cancel{150 \text{ mg}}\, x}{\cancel{150 \text{ mg}}} = \frac{250 \cancel{\text{ mg}} \times 1 \text{ mL}}{150 \cancel{\text{ mg}}}$$

$x = 1{,}66 \text{ mL}$, arrondi à $1{,}7 \text{ mL}$

**F.** **Médicament prescrit:** Lasix 80 mg IV BID
**Médicament disponible:** furosémide (Lasix) à 10 mg/mL

$$\frac{10 \text{ mg}}{1 \text{ mL}} = \frac{80 \text{ mg}}{x}$$

$$\frac{\cancel{10 \text{ mg}}\, x}{\cancel{10 \text{ mg}}} = \frac{80 \text{ mg} \times 1 \text{ mL}}{10 \text{ mg}}$$

$x = 8 \text{ mL}$

**G.** **Médicament prescrit:** scopolamine 0,3 mg S/C q 1 h PRN
**Médicament disponible:** scopolamine à 0,4 mg/mL

$$\frac{0{,}4 \text{ mg}}{1 \text{ mL}} = \frac{0{,}3 \text{ mg}}{x}$$

$$\frac{\cancel{0{,}4 \text{ mg}}\, x}{\cancel{0{,}4 \text{ mg}}} = \frac{0{,}3 \cancel{\text{ mg}} \times 1 \text{ mL}}{0{,}4 \cancel{\text{ mg}}}$$

$x = 0{,}75 \text{ mL}$

**4.10**

A. **Médicament prescrit:** furosémide 20 mg TID
   **Médicament disponible:** furosémide à 10 mg/mL

$$\frac{10 \text{ mg}}{1 \text{ mL}} = \frac{20 \text{ mg}}{x}$$

$$\frac{\cancel{10 \text{ mg}} \; x}{\cancel{10 \text{ mg}}} = \frac{20 \text{ mg} \times 1 \text{ mL}}{10 \text{ mg}}$$

$$x = 2 \text{ mL}$$

B. **Médicament prescrit:** midazolam 4,2 mg IM STAT
   **Médicament disponible:** midazolam à 5 mg/mL

$$\frac{5 \text{ mg}}{1 \text{ mL}} = \frac{4,2 \text{ mg}}{x}$$

$$\frac{\cancel{5 \text{ mg}} \; x}{\cancel{5 \text{ mg}}} = \frac{4,2 \text{ mg} \times 1 \text{ mL}}{5 \text{ mg}}$$

$$x = 0,84 \text{ mL}$$

C. **Médicament prescrit:** héparine 4500 unités IV STAT
   **Médicament disponible:** héparine (Hepalean) à 10 000 unités/mL

$$\frac{10 \ 000 \text{ unités}}{1 \text{ mL}} = \frac{4500 \text{ unités}}{x}$$

$$\frac{\cancel{10 \ 000 \text{ unités}} \; x}{\cancel{10 \ 000 \text{ unités}}} = \frac{\cancel{45}00 \text{ unités} \times 1 \text{ mL}}{10 \ \cancel{000} \text{ unités}}$$

$$x = 0,45 \text{ mL}$$

**D. Médicament prescrit :** morphine 1,5 mg IV q 1 h PRN
**Médicament disponible :** morphine à 10 mg/mL

$$\frac{10 \text{ mg}}{1 \text{ mL}} = \frac{1,5 \text{ mg}}{x}$$

$$\frac{\cancel{10 \text{ mg}}\ x}{\cancel{10 \text{ mg}}} = \frac{1,5 \text{ mg} \times 1 \text{ mL}}{10 \text{ mg}}$$

$$x = 0,15 \text{ mL}$$

**E. Médicament prescrit :** mépéridine 25 mg IM q 3 h PRN
**Médicament disponible :** mépéridine à 100 mg/mL

$$\frac{100 \text{ mg}}{1 \text{ mL}} = \frac{25 \text{ mg}}{x}$$

$$\frac{\cancel{100 \text{ mg}}\ x}{\cancel{100 \text{ mg}}} = \frac{25 \text{ mg} \times 1 \text{ mL}}{100 \text{ mg}}$$

$$x = 0,25 \text{ mL}$$

**4.11**

**A. Médicament prescrit :** Lanoxin 0,125 mg IV q 8 h
**Médicament disponible :** digoxine (Lanoxin) à 0,25 mg/mL

$$\frac{0,25 \text{ mg}}{1 \text{ mL}} = \frac{0,125 \text{ mg}}{x}$$

$$\frac{\cancel{0,25 \text{ mg}}\ x}{\cancel{0,25 \text{ mg}}} = \frac{0,125 \text{ mg} \times 1 \text{ mL}}{0,25 \text{ mg}}$$

$$x = 0,5 \text{ mL}$$

**B.** **Médicament prescrit :** Haldol 3 mg IM TID
**Médicament disponible :** halopéridol (Haldol) à 5 mg/mL

$$\frac{5\ mg}{1\ mL} = \frac{3\ mg}{x}$$

$$\frac{\cancel{5\ mg}\ x}{\cancel{5\ mg}} = \frac{3\ mg \times 1\ mL}{5\ mg}$$

$$x = 0,6\ mL$$

**C.** **Médicament prescrit :** Lupron 3,75 mg IM une fois par mois
**Médicament disponible :** leuprolide (Lupron) à 5 mg/mL

$$\frac{5\ mg}{1\ mL} = \frac{3,75\ mg}{x}$$

$$\frac{\cancel{5\ mg}\ x}{\cancel{5\ mg}} = \frac{3,75\ mg \times 1\ mL}{5\ mg}$$

$$x = 0,75\ mL$$

**D.** **Médicament prescrit :** atropine 1 mg IV STAT
**Médicament disponible :** atropine à 0,5 mg/5 mL

$$\frac{0,5\ mg}{5\ mL} = \frac{1\ mg}{x}$$

$$\frac{\cancel{0,5\ mg}\ x}{\cancel{0,5\ mg}} = \frac{1\ mg \times 5\ mL}{0,5\ mg}$$

$$x = 10\ mL$$

**E.** **Médicament prescrit :** fentanyl 120 mcg IV STAT
**Médicament disponible :** fentanyl à 50 mcg/mL

$$\frac{50\ mcg}{1\ mL} = \frac{120\ mcg}{x}$$

$$\frac{\cancel{50\ mcg}\ x}{\cancel{50\ mcg}} = \frac{\cancel{120}\ mcg \times 1\ mL}{\cancel{50}\ mcg}$$

$$x = 2,4\ mL$$

**4.12**

A. **Médicament prescrit :** Biquin Durules 0,2 g IM STAT
   **Médicament disponible :** quinidine (Biquin Durules) à 80 mg/mL

Convertissez les grammes en milligrammes : 1 g vaut 1000 mg, donc 0,2 g = 200 mg.

$$\frac{80 \text{ mg}}{1 \text{ mL}} = \frac{200 \text{ mg}}{x}$$

$$\frac{\cancel{80 \text{ mg}} \; x}{\cancel{80 \text{ mg}}} = \frac{20\cancel{0} \text{ mg} \times 1 \text{ mL}}{8\cancel{0} \text{ mg}}$$

$$x = 2,5 \text{ mL}$$

B. **Médicament prescrit :** Vancocin 1,5 g IV q 12 h
   **Médicament disponible :** chlorhydrate de vancomycine (Vancocin) à 500 mg/mL

Convertissez les grammes en milligrammes : 1 g vaut 1000 mg, donc 1,5 g = 1500 mg.

$$\frac{500 \text{ mg}}{1 \text{ mL}} = \frac{1500 \text{ mg}}{x}$$

$$\frac{\cancel{500 \text{ mg}} \; x}{\cancel{500 \text{ mg}}} = \frac{150\cancel{0} \text{ mg} \times 1 \text{ mL}}{50\cancel{0} \text{ mg}}$$

$$x = 3 \text{ mL}$$

C. **Médicament prescrit :** Solu-Medrol 0,25 g IV q 4 h
   **Médicament disponible :** méthylprednisolone (Solu-Medrol) à 1000 mg/mL

Convertissez les grammes en milligrammes : 1 g vaut 1000 mg, donc 0,25 g = 250 mg.

$$\frac{1000 \text{ mg}}{1 \text{ mL}} = \frac{250 \text{ mg}}{x}$$

$$\frac{\cancel{1000 \text{ mg}} \; x}{\cancel{1000 \text{ mg}}} = \frac{25\cancel{0} \text{ mg} \times 1 \text{ mL}}{100\cancel{0} \text{ mg}}$$

$$x = 0,25 \text{ mL}$$

**D. Médicament prescrit:** fentanyl 0,2 mg IV STAT
   **Médicament disponible:** fentanyl à 50 mcg/mL

Convertissez les milligrammes en microgrammes: 1 mg vaut 1000 mcg, donc 0,2 mg = 200 mcg.

$$\frac{50 \text{ mcg}}{1 \text{ mL}} = \frac{200 \text{ mcg}}{x}$$

$$\frac{\cancel{50 \text{ mcg}} \; x}{\cancel{50 \text{ mcg}}} = \frac{200 \text{ mcg} \times 1 \text{ mL}}{50 \text{ mcg}}$$

$$x = 4 \text{ mL}$$

**E. Médicament prescrit:** Rocephin 250 mg IM STAT
   **Médicament disponible:** ceftriaxone (Rocephin) à 1 g/mL

Convertissez les milligrammes en grammes: 1 g vaut 1000 mg donc 250 mg = 0,25 g.

$$\frac{1 \text{ g}}{1 \text{ mL}} = \frac{0,25 \text{ g}}{x}$$

$$\frac{\cancel{1 \text{ g}} \; x}{\cancel{1 \text{ g}}} = \frac{0,25 \text{ g} \times 1 \text{ mL}}{1 \text{ g}}$$

$$x = 0,25 \text{ mL}$$

## 4.13

**ÉTAPE 1** **Collecter les données**

- Date et heure de la validité de la FADM: *2019-06-06 à 00 h 00 au 2019-06-06 à 23 h 59*
- Nom, prénom de la personne et date de naissance: *Joseph, Josiane, née le 30 avril 1990*
- Nom générique ou commercial du médicament: *ceftriaxone (Rocephin)*
- Dose en grammes ou milligrammes du médicament: *250 mg*
- Voie d'administration du médicament: *intramusculaire*
- Moment ou fréquence de l'administration du médicament: *15 h 00*

- La ceftriaxone est un antibiotique de la gamme des céphalosporines, à cette dose, il est administré pour traiter une ITSS (infection transmissible sexuellement et par le sang). M^me Joseph présente une allergie à la pénicilline, la ceftriaxone n'est pas un antibiotique de la gamme des pénicillines et peut donc être administrée de façon sécuritaire.

- Il n'est pas nécessaire d'utiliser le poids, ni certains résultats d'analyses sanguines pour établir le calcul de la dose.

### ÉTAPE 2  Analyser les données

- La dose prescrite, la teneur et le volume du médicament disponible.
- Les unités de la dose prescrite et de la teneur sont les mêmes.

### ÉTAPE 3  Planifier la préparation

- Dose prescrite : 250 mg
- Teneur (mg) : 1000 mg
- Volume (mL) : 5 mL

### ÉTAPE 4  Calculer la dose

**Méthode de la formule:**

$$\text{Volume à administrer (mL)} = \frac{\text{Dose prescrite (mg)} \times \text{Volume du médicament disponible (mL)}}{\text{Teneur du médicament disponible (mL)}}$$

$$\text{Volume à administrer (mL)} = \frac{250 \text{ mg}}{1000 \text{ mg}} \times 5 \text{ mL}$$

$$\text{Volume à administrer (mL)} = 1{,}25 \text{ mL}$$

Vous prélevez 1,25 mL de la fiole de ceftriaxone d'une teneur de 1000 mg/5 mL pour administrer la dose de 250 mg par voie intramusculaire.

**Méthode du rapport-proportion :**

$$\frac{\text{Dose prescrite (mg)}}{x \text{ (mL)}} = \frac{\text{Teneur en médicament disponible (mg)}}{\text{Volume du médicament disponible (mL)}}$$

$$\frac{1000 \text{ mg}}{5 \text{ mL}} = \frac{250 \text{ mg}}{x}$$

Effectuez le produit croisé $\dfrac{1000 \text{ mg}}{5 \text{ mL}} \diagup \diagdown \dfrac{250 \text{ mg}}{x}$

$$\frac{\cancel{1000 \text{ mg}} \; x}{\cancel{1000 \text{ mg}}} = \frac{\cancel{250} \; \cancel{\text{mg}} \times 5 \text{ mL}}{\cancel{1000} \; \cancel{\text{mg}}}$$

$$x = \frac{\cancel{1250} \text{ mL}}{\cancel{1000}}$$

$$x = 1,25 \text{ mL}$$

La réponse est 1,25 mL. Vous prélevez donc 1,25 mL de ceftriaxone d'une fiole dont la teneur est de 1000 mg/5 mL pour administrer la dose prescrite de 250 mg par voie intramusculaire.

### ÉTAPE 5  Vérifier le résultat

- Validez le résultat obtenu.

- Si vous avez utilisé la méthode du rapport-proportion, vérifiez votre calcul en remplaçant le x dans l'équation par la réponse obtenue :

$$\frac{1000 \text{ mg}}{5 \text{ mL}} = \frac{250 \text{ mg}}{1,25 \text{ mL}}$$

$$1000 \times 1,25 = 250 \times 5$$

$$1250 = 1250$$

- Utilisez votre jugement pour déterminer si le résultat obtenu est vraisemblable : effectivement, ce résultat est plausible et conforme, car il respecte la posologie recommandée pour une dose de ceftriaxone chez une personne adulte pour traiter une ITSS.

Pour préparer cette injection IM, vous devez prévoir le matériel nécessaire :

- une seringue de 3 mL ;

- une aiguille de longueur et de calibre appropriés pour une injection IM ;

- un tampon d'alcool ;

- une étiquette pour identifier le médicament préparé (nom, dose, voie, heure) et portant le nom et le prénom du destinataire, ainsi que sa date de naissance ou le numéro du dossier.

4.14

### ÉTAPE 1 Collecter les données

- Date et heure de la validité de la FADM : *2019-11-23, 00 h 00 au 2019-11-23, 23 h 59*
- Nom, prénom de la personne et date de naissance : *Bergman, Candice, née le 17 août 1944*
- Nom générique ou commercial du médicament : *hydromorphone (Dilaudid)*
- Dose en grammes ou milligrammes du médicament : *3 mg*
- Voie d'administration du médicament : *sous-cutanée*
- Moment ou fréquence de l'administration du médicament : *toutes les 4 heures, au besoin si présence de douleur*

- L'**hydromorphone** est un analgésique opioïde administré pour soulager les douleurs modérées à intenses. Il est 8 h 05, madame a reçu une dose d'hydromorphone à 3 h 15, elle peut recevoir une autre dose puisque la fréquence d'administration est toutes les 4 heures, au besoin. La fréquence prescrite est respectée. La dose de 3 mg est une dose conforme et sécuritaire pour une personne adulte. M^me Bergman présente une allergie à l'aspirine et n'a pas d'allergie connue à l'hydromorphone.

- Il n'est pas nécessaire d'utiliser le poids ou certains résultats d'analyses sanguines pour déterminer la dose requise.

### ÉTAPE 2 Analyser les données

- La dose requise, la teneur et le volume du médicament disponible.
- Il n'y a pas de conversion à effectuer puisque la dose et la teneur se présentent dans les mêmes unités.

### ÉTAPE 3 Planifier la préparation

- Dose prescrite : 3 mg
- Teneur (mg) : 2 mg
- Volume (mL) : 1 mL

ÉTAPE 4 **Calculer la dose**

## Méthode de la formule

$$\text{Volume à administrer (mL)} = \frac{\text{Dose prescrite (mg)} \times \text{Volume du médicament disponible (mL)}}{\text{Teneur du médicament disponible (mg)}}$$

- Remplacez les inconnues de la formule par les données pertinentes en n'oubliant pas d'inscrire les unités de mesure.

$$\text{Volume à administrer (mL)} = \frac{3 \text{ mg} \times 1 \text{ mL}}{2 \text{ mg}}$$

- Effectuez le calcul :

$$\text{Volume à administrer (mL)} = \frac{3 \ \cancel{\text{mg}} \times 1 \text{ mL}}{2 \ \cancel{\text{mg}}}$$

$$\text{Volume à administrer (mL)} = 1,5 \text{ mL}$$

- Obtenez un résultat contenant une valeur numérique et une unité de mesure : la quantité de médicament à administrer (en mL) à M$^{me}$ Bergman, est de 1,5 mL d'hydromorphone dont la concentration est de 2 mg/mL, par voie sous-cutanée.

## Méthode du rapport-proportion

$$\frac{\text{Teneur du médicament disponible (mg)}}{\text{Volume du médicament disponible (mL)}} = \frac{\text{Dose prescrite (mg)}}{x \ (\text{mL})}$$

- Remplacez les inconnues de la formule par les données pertinentes en n'oubliant pas d'inscrire les unités de mesure.

- Effectuez le calcul selon la méthode du rapport-proportion afin de déterminer la valeur de l'inconnue $x$, c'est-à-dire la quantité à administrer en millilitres.

$$\frac{2 \text{ mg}}{1 \text{ mL}} = \frac{3 \text{ mg}}{x \ (\text{mL})}$$

Effectuez le produit croisé :

$$\frac{2 \text{ mg}}{1 \text{ mL}} \diagdown\!\!\!\diagup \frac{3 \text{ mg}}{x}$$

$$2 \text{ mg } x = 3 \text{ mg} \times 1 \text{ mL}$$

$$\frac{\cancel{2 \text{ mg}} \ x}{\cancel{2 \text{ mg}}} = \frac{3 \ \cancel{\text{mg}} \times 1 \text{ mL}}{2 \ \cancel{\text{mg}}}$$

$$x = 1,5 \text{ mL}$$

- Obtenez un résultat contenant une valeur numérique et une unité de mesure : M$^{me}$ Bergman doit recevoir 1,5 mL d'hydromorphone d'une concentration de 2 mg/mL afin de respecter la dose prescrite de 3 mg.

### ÉTAPE 5  Vérifier le résultat obtenu

- Si vous avez utilisé la méthode du rapport proportion, vérifiez votre calcul en remplaçant la valeur de x dans l'équation par la réponse obtenue.

$$\frac{2 \text{ mg}}{1 \text{ mL}} = \frac{3 \text{ mg}}{1,5 \text{ mL}}$$

$$2 \times 1,5 = 3 \times 1$$

$$3 = 3$$

- Utilisez votre jugement pour déterminer si le résultat obtenu est vraisemblable : effectivement, ce résultat est plausible et conforme, car il respecte la posologie recommandée pour une dose d'hydromorphone chez une personne adulte.

Puisqu'il s'agit d'une injection parentérale par voie sous-cutanée, vous devez prévoir le matériel nécessaire :

- une seringue de 3 mL ;

- une aiguille de longueur et de calibre appropriés pour une injection sous-cutanée ;

- un tampon d'alcool ;

- une étiquette pour identifier le médicament préparé (nom, dose, voie, heure) et portant le nom et le prénom du destinataire, ainsi que sa date de naissance ou son numéro de dossier.

**4.15**

| Médicaments | Perfusions | Réponses |
|---|---|---|
| Céfazoline 1 g | D 5 % + chlorure de potassium 20 mmol/L | Compatible |
| Azithromycine 500 mg | D 5 % + héparine 50 unités/mL | Compatible |
| Ampicilline 2 g | Lactate Ringer | Données contradictoires signalées dans la documentation scientifique |
| Phénytoïne 100 mg | NaCl 0,9 % | Données contradictoires signalées dans la documentation scientifique |
| Ceftriaxone 1000 mg | Lactate Ringer | Incompatible |

| Médicaments | Perfusions | Réponses |
|---|---|---|
| Ciprofloxacine 400 mg | D 5 % NaCl 0,45 % + chlorure de potassium 20 mmol/L | Compatible |
| Phénytoïne 75 mg | D 5 % | Incompatible |
| Furosémide 60 mg | D 5 % + héparine 50 unités/mL | Données contradictoires concernant le furosémide et le D 5 %, mais compatible avec l'héparine |
| Diphenhydramine 50 mg | D 5 % NaCl 0,45 % | Compatible |
| Midazolam 5 mg | Perfusion de morphine 5 mg/mL (ACP)* | Données contradictoires signalées dans la documentation scientifique |
| Pantoprazole 40 mg | D 5 % NaCl 0,45 % | Aucune donnée, association non recommandée |
| Gentamicine 80 mg | D 5 % NaCl 0,45 % + chlorure de potassium 40 mmol/L | Compatible |

\* **ACP** signifie analgésie contrôlée par le patient

## 4.16

**A.** Amphotéricine B

**B.** Ceftriaxone

**C.** Methylprednisolone

**D.** Bicarbonate de sodium

## 4.17

**A.** Énalaprilate

**B.** Levofloxacine

**C.** Ranitidine

**D.** Solution de nutrition parentérale

### 4.18

A. _____Caspafongine_____    B. _____Phenytoine_____

### 4.19

**ÉTAPE 1** Collecter les données

**A.**

- Date et heure de la validité de la FADM : *valide du 2019-06-15 à 00 h 00 au 2019-06-15 à 23 h 59*
- Nom, prénom de la personne et date de naissance : *Gomez, Miguel, né le 24 décembre 1971*
- Nom générique des médicaments : *morphine et scopolamine*
- Dose en milligrammes des médicaments : *morphine 8 mg et scopolamine 0,3 mg*
- Voie d'administration des médicaments : *intramusculaire*
- Moment ou fréquence de l'administration des médicaments : *la dose précédente a été reçue à 04 h 50 et la fréquence d'administration est toutes les 4 heures. L'infirmière peut préparer et administrer une nouvelle dose dès 8 h 50 selon l'évaluation de la douleur.*

**B.** La morphine et la scopolamine sont compatibles dans la même seringue, l'injection doit être administrée dans les 15 minutes suivant la préparation.

**C.** Miguel Gomez est allergique à l'ibuprofène ; il n'y a pas de contre-indication à administrer la morphine et la scopolamine.

**ÉTAPE 2** Analyser les données

**D.** Les données recherchées sont : la dose prescrite, la teneur du médicament disponible et le volume pour chacun des deux médicaments à préparer.

**E.** Aucune conversion n'est nécessaire puisque la dose et la teneur sont présentées dans les mêmes unités, soit en milligrammes par millilitre (mg/mL).

---

**ÉTAPE 3**  **Planifier la préparation**

**F.**  Scopolamine

Dose prescrite :                                          0,3 mg

Teneur du médicament disponible :            0,4 mg

Volume du médicament disponible :           1 mL

---

**G.**  Morphine

Dose prescrite :                                          8 mg

Teneur du médicament disponible :            10 mg

Volume du médicament disponible :           1 mL

---

**ÉTAPE 4**  **Calculer la dose**

**H.  Méthode du rapport-proportion**

Scopolamine :

Transcrivez le rapport-proportion :

$$\frac{\text{Teneur du médicament disponible (mg)}}{\text{Volume du médicament disponible (mL)}} = \frac{\text{Dose prescrite (mg)}}{x \text{ (mL)}}$$

$$\frac{0,4 \text{ mg}}{1 \text{ mL}} = \frac{0,3 \text{ mg}}{x \text{ mL}}$$

Effectuez le calcul :

$$x \text{ mL} \times 0,4 \text{ mg} = 0,3 \text{ mg} \times 1 \text{ mL}$$

$$x = \frac{0,3 \text{ mg} \times 1 \text{ mL}}{0,4 \text{ mg}}$$

Obtenez un résultat comprenant une valeur numérique et une unité de mesure :

$$x = 0,75 \text{ mL}$$

Morphine :

Transcrivez le rapport-proportion :

$$\frac{\text{Teneur du médicament disponible (mg)}}{\text{Volume du médicament disponible (mL)}} = \frac{\text{Dose prescrite (mg)}}{x \text{ (mL)}}$$

$$\frac{10 \text{ mg}}{1 \text{ mL}} = \frac{8 \text{ mg}}{x \text{ mL}}$$

Effectuez le calcul :

$$x \text{ mL} \times 10 \text{ mg} = 8 \text{ mg} \times 1 \text{ mL}$$

$$x = \frac{8 \text{ mg} \times 1 \text{ mL}}{10 \text{ mg}}$$

Obtenez un résultat comprenant une valeur numérique et une unité de mesure :

$$x = 0,8 \text{ mL}$$

**I.** Le volume total correspond à : 0,8 mL + 0,75 mL = 1,55 mL

**ÉTAPE 5**  **Vérifier le résultat obtenu**

**J.** Scopolamine

$$\frac{0,4 \text{ mg}}{1 \text{ mL}} = \frac{0,3 \text{ mg}}{0,75 \text{ mL}}$$

$$0,4 \times 0,75 = 1 \times 0,3$$

$$0,3 = 0,3$$

Morphine

$$\frac{10 \text{ mg}}{1 \text{ mL}} = \frac{8 \text{ mg}}{0,8 \text{ mL}}$$

$$10 \times 0,8 = 1 \times 8$$

$$8 = 8$$

**K.** Seringue A, format de 3 mL, puisque le volume prélevé est supérieur à 1 mL.

**4.20**

**A.** Transcrivez le rapport-proportion et remplacez les inconnues par les données pertinentes :

$$\frac{\text{Teneur du médicament disponible (mg)}}{\text{Volume du médicament disponible (mL)}} = \frac{x \text{ (mg)}}{1 \text{ mL}}$$

$$\frac{750 \text{ mg}}{3 \text{ mL}} = \frac{x \text{ mg}}{1 \text{ mL}}$$

Effectuez le calcul :

$$x \text{ mg} \times 3 \text{ mL} = 750 \text{ mg} \times 1 \text{ mL}$$

$$x = \frac{750 \text{ mg} \times 1 \text{ mL}}{3 \text{ mL}}$$

Obtenez un résultat comprenant une valeur numérique et une unité de mesure :

$$x = 250 \text{ mg}$$

La concentration est de 250 mg par mL.

---

**B.** Transcrivez le rapport-proportion et remplacez les inconnues par les données pertinentes :

$$\frac{\text{Teneur du médicament disponible (mg)}}{\text{Volume du médicament disponible (mL)}} = \frac{x \text{ (mg)}}{1 \text{ mL}}$$

$$\frac{750 \text{ mg}}{8,3 \text{ mL}} = \frac{x \text{ mg}}{1 \text{ mL}}$$

Effectuez le calcul :

$$x \text{ mg} \times 8,3 \text{ mL} = 750 \text{ mg} \times 1 \text{ mL}$$

$$x = \frac{750 \text{ mg} \times 1 \text{ mL}}{8,3 \text{ mL}}$$

Obtenez un résultat comprenant une valeur numérique et une unité de mesure :

$$x = 90,36 \text{ mg}$$

La concentration est de 90,36 mg/mL.

---

**C.** Transcrivez le rapport-proportion et remplacez les inconnues par les données pertinentes :

$$\frac{\text{Teneur du médicament disponible (mg)}}{\text{Volume du médicament disponible (mL)}} = \frac{x \text{ (mg)}}{1 \text{ mL}}$$

Convertir : 1,5 g × 1000 mg/1 g = 1500 mg

$$\frac{1500 \text{ mg}}{16 \text{ mL}} = \frac{x \text{ mg}}{1 \text{ mL}}$$

Effectuez le calcul :

$$x \text{ mg} \times 16 \text{ mL} = 1500 \text{ mg} \times 1 \text{ mL}$$

$$x = \frac{1500 \text{ mg} \times 1 \text{ mL}}{16 \text{ mL}}$$

Obtenez un résultat comprenant une valeur numérique et une unité de mesure :

$$x = 93,75 \text{ mg}$$

La concentration est de 93,75 mg/mL.

**4.21**

Il faut reconstituer chaque fiole de 500 mg avec 14 mL de glucose 5 % pour obtenir un volume total de 15 mL par fiole. Il faudra prendre deux fioles de 500 mg pour obtenir la dose de 1 g. On aura donc ajouté 14 mL dans chacune des fioles, obtenu un volume total de 15 mL pour chacune des fioles, ce qui donne un volume de 30 mL pour 1 g de solution reconstituée. Ces 30 mL sont ensuite dilués dans 140 mL de solution de dextrose 5 %. Ce qui donne un volume total de 170 mL.

$$\frac{\text{Teneur du médicament disponible (mg)}}{\text{Volume du médicament disponible (mL)}} = \frac{x \text{ (mg)}}{1 \text{ mL}}$$

$$\frac{1000 \text{ mg}}{170 \text{ mL}} = \frac{x \text{ mg}}{1 \text{ mL}}$$

Effectuez le calcul :

$$x \text{ mg} \times 170 \text{ mL} = 1 \text{ mL} \times 1000 \text{ mg}$$

$$x = \frac{1 \text{ mL} \times 1000 \text{ mg}}{170 \text{ mL}}$$

Obtenez un résultat comprenant une valeur numérique et une unité de mesure :

$$x = 5{,}88 \text{ arrondi à } 5{,}9 \text{ mg}$$

La concentration de la solution est de 5,9 mg/mL.

........................................................................

## 4.22

**A.** Convertir le poids en kilogrammes :

$$\frac{2{,}2 \text{ lb}}{1 \text{ kg}} = \frac{209 \text{ lb}}{x \text{ kg}}$$

$$x \text{ kg} \times 2{,}2 \text{ lb} = 209 \text{ lb} \times 1 \text{ kg}$$

$$x = \frac{209 \cancel{\text{lb}} \times 1 \text{ kg}}{2{,}2 \cancel{\text{lb}}}$$

$$x = 95 \text{ kg}$$

L'ordonnance indique que vous devez administrer 80 unités par kilogramme :

80 unités × 95 kg = 7600 unités

La dose équivaut à 7600 unités que vous devez administrer par voie IV.

........................................................................

**B. Méthode du rapport-proportion**

$$\frac{\text{Teneur du médicament disponible (unités)}}{\text{Volume du médicament disponible (mL)}} = \frac{\text{Dose prescrite (unités)}}{x \text{ (mL)}}$$

$$\frac{1000 \text{ unités}}{1 \text{ mL}} = \frac{7600 \text{ unités}}{x \text{ mL}}$$

Effectuez le calcul :

$$x \text{ mL} \times 1000 \text{ unités} = 1 \text{ mL} \times 7600 \text{ unités}$$

$$x = \frac{1 \text{ mL} \times 7600 \cancel{\text{ unités}}}{1000 \cancel{\text{ unités}}}$$

Obtenez un résultat comprenant une valeur numérique et une unité de mesure :

$$x = 7,6 \text{ mL}$$

Pour respecter la dose de 7600 unités, vous devez prélever 7,6 mL d'une solution d'héparine dont la concentration est de 1000 unités/mL.

**C.** L'ordonnance indique d'administrer une dose maximale de 8000 unités. En consultant un guide de médicaments, dans la section Posologie, vous constatez qu'il est conforme d'administrer 7600 unités d'héparine par voie intraveineuse, puisque cette dose ne dépasse pas la dose maximale recommandée.

**4.23**

**A.** Eau stérile pour préparation injectable (PPI).

**B.** Reconstituer avec un volume de 2,5 mL.

**C.** Méthode du rapport-proportion à partir de la concentration pour calculer le volume requis pour administrer la dose de 750 mg :

Convertir 1 g = 1000 mg

Établissez la concentration de la solution (arrondir à l'unité) :

$$\frac{1000 \text{ mg}}{3 \text{ mL}} = 333 \text{ mg/mL}$$

Calculez le volume requis en fonction de la concentration obtenue :

Transcrivez le rapport proportion et remplacez les inconnues par les données pertinentes sans oublier d'y inscrire les unités de mesure :

$$\frac{\text{Teneur du médicament disponible (mg)}}{\text{Volume du médicament disponible (mL)}} = \frac{\text{Dose prescrite (mg)}}{x \text{ (mL)}}$$

$$\frac{333 \text{ mg}}{\text{mL}} = \frac{750 \text{ mg}}{x \text{ mL}}$$

Effectuez le calcul :

$$x \text{ mL} \times 333 \text{ mg} = 1 \text{ mL} \times 750 \text{ mg}$$

$$x \text{ mL} = 1 \text{ mL} \times \frac{750 \text{ mg}}{333 \text{ mg}}$$

Obtenez un résultat comprenant une valeur numérique et une unité de mesure :

$$x = 2,25 \text{ mL}$$

Pour administrer une dose de 750 mg, vous devez prélever un volume de céfazoline reconstitué de 2,25 mL, à partir d'une fiole dont la concentration est de 333 mg/mL. Cependant, la graduation de la seringue de 3 mL ne permet pas de prélever avec précision 2,25 mL, on doit donc arrondir le volume à 2,3 mL.

---

### 4.24

**A.** La concentration en mg/mL des solutions reconstituées, puis diluées.

**Méthode de la formule :**

Teneur 500 mg :

$$x = \frac{500 \text{ mg}}{10 \text{ mL}}$$

$$x = 50 \text{ mg/mL}$$

Teneur 1 g :

conversion : 1 g = 1000 mg

$$x = \frac{1000 \text{ mg}}{10 \text{ mL}}$$

$$x = 100 \text{ mg/mL}$$

Teneur 2 g :

conversion : 2 g = 2000 mg

$$x = \frac{200\cancel{0} \text{ mg}}{2\cancel{0} \text{ mL}}$$

$$x = 100 \text{ mg/mL}$$

**Méthode du rapport-proportion :**

Teneur 500 mg :

$$\frac{500 \text{ mg}}{10 \text{ mL}} = \frac{x \text{ mg}}{1 \text{ mL}}$$

$$x \text{ mg} \times 10 \text{ mL} = 1 \text{ mL} \times 500 \text{ mg}$$

$$x = \frac{50\cancel{0} \text{ mg} \times 1 \text{ mL}}{1\cancel{0} \text{ mL}}$$

$$x = 50 \text{ mg/mL}$$

Teneur 1 g :

conversion : 1 g = 1000 mg

$$\frac{1000 \text{ mg}}{10 \text{ mL}} = \frac{x \text{ mg}}{1 \text{ mL}}$$

$$x \text{ mg} \times 10 \text{ mL} = 1 \text{ mL} \times 1000 \text{ mg}$$

$$x = \frac{100\cancel{0} \text{ mg} \times 1 \cancel{\text{ mL}}}{1\cancel{0} \cancel{\text{ mL}}}$$

$$x = 100 \text{ mg/mL}$$

Teneur 2 g :

conversion : 2 g = 2000 mg

$$\frac{2000 \text{ mg}}{20 \text{ mL}} = \frac{x \text{ mg}}{1 \text{ mL}}$$

$$x \text{ mg} \times 20 \text{ mL} = 2000 \text{ mg} \times 1 \text{ mL}$$

$$x = \frac{200\cancel{0} \text{ mg} \times 1 \text{ mL}}{2\cancel{0} \text{ mL}}$$

$$x = 100 \text{ mg/mL}$$

- - - - - - - - - - - - - - - - - - - - - - - - - - - - - - - - - - - - - - - - - - - - - - - - - - - - - - -

**B.** La teneur appropriée est de 1000 mg. La teneur de 500 mg n'est pas suffisante pour administrer la dose prescrite et la teneur de 2 g mène à une perte inutile de médicament.

**Méthode de la formule**

Teneur 1000 mg (concentration de 100 mg/mL)

$$\text{Volume à administrer (mL)} = \frac{\text{Dose prescrite (mg)}}{\text{Teneur du médicament (mg)}} \times \text{Volume du médicament disponible}$$

$$\text{Volume à administrer (mL)} = \frac{750 \text{ mg}}{100 \text{ mg}} \times 1 \text{ mL}$$

$$\text{Volume à administrer (mL)} = 7,5 \text{ mL}$$

**Méthode du rapport-proportion**

$$\frac{\text{Teneur du médicament disponible (unités)}}{\text{Volume du médicament disponible (mL)}} = \frac{\text{Dose prescrite (unités)}}{x \text{ (mL)}}$$

$$\frac{100 \text{ mg}}{1 \text{ mL}} = \frac{750 \text{ mg}}{x \text{ mL}}$$

$$x \text{ mL} \times 100 \text{ mg} = 750 \text{ mg} \times 1 \text{ mL}$$

$$x = \frac{750 \text{ mg} \times 1 \text{ mL}}{100 \text{ mg}}$$

$$x = 7,5 \text{ mL}$$

Pour administrer une dose de 750 mg d'ampicilline par voie IV en perfusion intermittente, vous devez prélever 7,5 mL d'une fiole dont la concentration est de 100 mg/mL.

........................................................................

**4.25**

**A.** Établissez la concentration : $\frac{250 \text{ mg}}{2,5 \text{ mL}} = 100 \text{ mg/mL}$

$$\text{Volume à administrer (mL)} = \frac{250 \text{ mg}}{100 \text{ mg}} \times 1 \text{ mL}$$

$$\frac{25}{10} \times 1 \text{ mL} = 2,5 \text{ mL}$$

........................................................................

**B.** Écrivez le problème :

$$\frac{60 \text{ mg}}{40 \text{ mg}} \times 1 \text{ mL} = 1,5 \text{ mL}$$

........................................................................

**C.** Convertissez:

$$\frac{750 \text{ mcg} \times 1 \text{ mg}}{1000 \text{ mcg}} = 0,75 \text{ mg}$$

Écrivez le problème:

$$\frac{0,75 \text{ mg}}{0,5 \text{ mg}} \times 2 \text{ mL} = 3 \text{ mL}$$

. . . . . . . . . . . . . . . . . . . . . . . . . . . . . . . . . . . . . . . . . . . . . . . . . . . . . . . . . . . . . . .

**D.** Convertissez: 0,3 g × 1000 mg/1 g = 300 mg

Écrivez le problème:

$$\frac{300 \text{ mg}}{100 \text{ mg}} \times 1 \text{ mL} = 3 \text{ mL}$$

. . . . . . . . . . . . . . . . . . . . . . . . . . . . . . . . . . . . . . . . . . . . . . . . . . . . . . . . . . . . . . .

**E.** Écrivez le problème:

$$\frac{1,5 \text{ mg}}{2 \text{ mg}} \times 1 \text{ mL} = 0,75 \text{ mL}$$

. . . . . . . . . . . . . . . . . . . . . . . . . . . . . . . . . . . . . . . . . . . . . . . . . . . . . . . . . . . . . . .

**4.26**

**A.** Effectuez la conversion: 0,5 mg × 1000 mcg/mg = 500 mcg

Écrivez le problème:

$$\frac{150 \text{ mcg} \times 10 \text{ mL}}{500 \text{ mcg}}$$

$$\frac{150 \text{ mcg} \times 10 \text{ mL}}{500 \text{ mcg}} = 3 \text{ mL}$$

Vous administrerez 3 mL de lévothyroxine.

. . . . . . . . . . . . . . . . . . . . . . . . . . . . . . . . . . . . . . . . . . . . . . . . . . . . . . . . . . . . . . .

**B.** Écrivez le problème :

$$\frac{250 \text{ mg}}{225 \text{ mg}} \times 1 \text{ mL}$$

$$\frac{250 \text{ \sout{mg}}}{225 \text{ \sout{mg}}} \times 1 \text{ mL} = 1,1 \text{ mL}$$

Vous administrerez 1,1 mL de céfazoline.

**C.** Écrivez le problème :

$$\frac{250 \text{ mg}}{500 \text{ mg}} \times 2 \text{ mL}$$

$$\frac{250 \text{ \sout{mg}}}{500 \text{ \sout{mg}}} \times 2 \text{ mL} = 1 \text{ mL}$$

Vous administrerez 1 mL d'ampicilline.

**D.** Écrivez le problème :

$$\frac{250 \text{ \sout{mg}}}{225 \text{ \sout{mg}}} \times 1 \text{ mL} = 1,11 \text{ mL}$$

Vous administrerez 1,1 mL de ceftriaxone.

**E.** Écrivez le problème :

$$\frac{4 \text{ \sout{mg}}}{5 \text{ \sout{mg}}} \times 1 \text{ mL} = 0,8 \text{ mL}$$

Vous administrerez 0,8 mL de diazépam.

**F.** Effectuez la conversion :

$$\frac{0,02 \text{ g} \times 1000 \text{ mg}}{1 \text{ g}} = 20 \text{ mg}$$

Écrivez le problème :

$$\frac{20 \cancel{\text{ mg}}}{5 \cancel{\text{ mg}}} \times 1 \text{ mL} = 4 \text{ mL}$$

**4.27**

**A.** Effectuez la conversion :

$$\frac{0,5 \text{ g} \times 1000 \text{ mg}}{1 \text{ g}} = 500 \text{ mg}$$

$$\frac{500 \text{ mg}}{1 \text{ mL}} = \frac{350 \text{ mg}}{x}$$

$$x \text{ mL} \times 500 \text{ mg} = 1 \text{ mL} \times 350 \text{ mg}$$

$$x \text{ mL} = \frac{1 \text{ mL} \times 350 \cancel{\text{ mg}}}{500 \cancel{\text{ mg}}}$$

$$x = 0,7 \text{ mL}$$

**B.** Effectuez la conversion :

$$\frac{0,5 \text{ g} \times 1000 \text{ mg}}{1 \text{ g}} = 500 \text{ mg}$$

$$\frac{230 \text{ mg}}{1 \text{ mL}} = \frac{500 \text{ mg}}{x}$$

$$x \text{ mL} \times 230 \text{ mg} = 1 \text{ mL} \times 500 \text{ mg}$$

$$x \text{ mL} = \frac{1 \text{ mL} \times 500 \cancel{\text{ mg}}}{230 \cancel{\text{ mg}}}$$

$$x = 2,17 \text{ mL, arrondi à 2,2 mL}$$

**C.**

$$\frac{250 \text{ mg}}{1 \text{ mL}} = \frac{500 \text{ mg}}{x}$$

$$x \text{ mL} \times 250 \text{ mg} = 1 \text{ mL} \times 500 \text{ mg}$$

$$x \text{ mL} = \frac{1 \text{ mL} \times 500 \text{ mg}}{250 \text{ mg}}$$

$$x = 2 \text{ mL}$$

**D.** Effectuez la conversion :

$$\frac{1 \text{ g} \times 1000 \text{ mg}}{1 \text{ g}} = 1000 \text{ mg}$$

$$\frac{400 \text{ mg}}{1 \text{ mL}} = \frac{1000 \text{ mg}}{x}$$

$$x \text{ mL} \times 400 \text{ mg} = 1 \text{ mL} \times 1000 \text{ mg}$$

$$x \text{ mL} = \frac{1 \text{ mL} \times 1000 \text{ mg}}{400 \text{ mg}}$$

$$x = 2,5 \text{ mL}$$

**E.** Conversion : 1 g × 1000 mg/1 g = 1000 mg

Concentration :

$$\frac{1000 \text{ mg}}{10 \text{ mL}} = 100 \text{ mg/mL}$$

$$\frac{100 \text{ mg}}{1 \text{ mL}} = \frac{1000 \text{ mg}}{x}$$

$$x \text{ mL} \times 100 \text{ mg} = 1 \text{ mL} \times 1000 \text{ mg}$$

$$x \text{ mL} = \frac{1 \text{ mL} \times 1000 \text{ mg}}{100 \text{ mg}}$$

$$x = 10 \text{ mL}$$

**4.28**

| Types d'insulines et quantités | Insuline prandiale | Insuline basale |
|---|---|---|
| Insuline Humulin 30/70 : 50 unités | Insuline Humulin R : 30 % × 50 unités = 15 unités | Insuline Humulin N : 70 % × 50 unités = 35 unités |
| Insuline Novolin ge 40/60 : 35 unités | Insuline Novolin ge Toronto : 40 % × 35 unités = 14 unités | Insuline Novolin ge NPH : 60 % × 35 unités = 21 unités |
| Insuline Novolin 50/50 : 66 unités | Insuline Novolin ge Toronto : 50 % × 66 unités = 33 unités | Insuline Novolin ge NPH : 50 % × 66 unités = 33 unités |

**4.29**

**A.** Le produit B)

© Novo Nordisk. Reproduit avec permission.

Explications : L'insuline Novolin ge Toronto est une insuline humaine biosynthétique à action rapide ; le début d'action est rapide, soit 30 minutes, le pic d'action se situe entre 2 et 4 heures et sa durée est de 6 à 8 heures. L'insuline Novolin ge NPH est une insuline humaine biosynthétique à action intermédiaire ; le début d'action se produit de 1 à 2 heures après l'injection ; le pic se situe entre 6 et 12 heures et sa durée est de 18 à 24 heures. C'est cette deuxième insuline qu'il faut choisir.

**B.** Tracez un trait sur la seringue
appropriée pour indiquer
la quantité requise.

4.30

**A.** Le produit B)

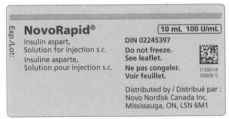

© Novo Nordisk. Reproduit avec permission.

Explications : L'insuline Levemir est une insuline analogue détémir à action prolongée ;
son début d'action se situe entre 1 h et 1 h 30 après l'injection et sa durée est
d'environ 24 heures. L'insuline NovoRapid est une insuline analogue asparte (à action
très rapide) ; son début d'action se situe entre 10 et 20 minutes après l'injection, son
pic d'action se situe entre 1 h et 1 h 30 et sa durée est entre 3 et 5 heures. C'est cette
deuxième insuline qu'il faut choisir.

**B.** Tracez un trait sur la seringue pour indiquer la quantité requise.

4.31

**A.** 8,3 mmol/L à 8 h 10 : insuline Novolin ge Toronto 8 unités sans ajout de *Doses d'insuline SC selon algorithme*, plus insuline Novolin ge NPH 22 unités, pour un total de 30 unités à prélever dans la seringue.

**B.** 11,7 mmol/L à 11 h 50 : insuline Novolin ge Toronto 4 unités selon *Doses d'insuline SC selon algorithme*, pour un total de 4 unités à prélever dans la seringue.

C. 6,9 mmol/L à 16 h 55 : insuline Novolin ge NPH 16 unités et insuline Novolin ge Toronto 4 unités, aucune insuline à ajouter selon *Doses d'insuline SC selon algorithme*.

.......................................................................................................

D. 15,4 mmol/L à 21 h 35 : insuline Novolin ge Toronto 3 unités, selon *Doses d'insulines SC selon algorithme* puisqu'il faut administrer une demi-dose au moment du coucher pour diminuer le risque d'hypoglycémie nocturne.

.......................................................................................................

### 4.32

L'insuline Levemir est une insuline détémir, une insuline analogue à action prolongée. On ne doit pas la mélanger avec une insuline à action rapide puisqu'elle pourrait ralentir le début ou la durée d'action de l'autre insuline.

.......................................................................................................

### 4.33

A. L'insuline Novolin ge Toronto doit être administrée environ 30 minutes avant le repas puisque c'est une insuline régulière (action rapide) (**tableau 4.6** du manuel, p. 136). L'infirmière doit préparer et administrer l'insuline vers 7 h 40, puisque le repas est servi vers 8 h 10.

.......................................................................................................

B. Insuline Novolin ge NPH : 34 unités

Insuline Novolin ge Toronto : 18 unités

Insuline Novolin ge Toronto (selon algorithme) : 4 unités

Total : 56 unités

.......................................................................................................

**C.** Seringue de 100 unités.

**D.** 18 unités sur une base régulière
et 4 unités selon l'algorithme,
donc 22 unités d'insuline Novolin ge
Toronto ou insuline à action rapide
et 34 unités d'insuline Novolin ge
NPH ou insuline à action intermédiaire,
pour un total de 56 unités à prélever
dans la seringue.

**E.** La dose d'insuline à action rapide Novolin ge Toronto à administrer selon :
*Doses d'insuline SC selon algorithme* correspond à 8 unités. Il n'y a pas de dose
d'insuline à administrer sur une base régulière.

**F.** L'algorithme des doses d'insuline SC en unités indique que si le résultat de la
glycémie capillaire se situe entre 16,1 et 19 mmol/L, il faudrait ajouter 8 unités
d'insuline Novolin ge Toronto à la dose d'insuline régulière.

**4.34**

| | Insuline prandiale | Insuline selon algorithme | Insuline basale | Quantité totale d'insuline |
|---|---|---|---|---|
| **A.** 7 h 35 : glycémie de 17,2 mmol/L | 18 unités | 8 unités | 34 unités | 60 unités |
| **B.** 12 h 15 : glycémie de 15,4 mmol/L | | 6 unités | | 6 unités |
| **C.** 16 h 45 : glycémie de 8,2 mmol/L | 7 unités | 0 unité | 12 unités | 19 unités |
| **D.** 21 h 10 : glycémie de 10,1 mmol/L | | 2 unités | | 2 unités |

**4.35**

Nom générique :
insuline détémir

**4.36**

$$\frac{0,75 \text{ mg} \times 1000 \text{ mcg}}{1 \text{ mg}} = 750 \text{ mcg}$$

$$\frac{75\cancel{0} \ \cancel{\text{mcg}}}{100\cancel{0} \ \cancel{\text{mcg}}} \times 1 \text{ mL} = 0,75 \text{ mL}$$

Nom générique :
cyanocobalamine

**4.37**

$$\frac{20 \ \cancel{mg}}{25 \ \cancel{mg}} \times 1 \ mL = 0,8 \ mL$$

Nom commercial :
Nozinan

**4.38**

$$\frac{7,5 \ \cancel{mg}}{10 \ \cancel{mg}} \times 1 \ mL = 0,75 \ mL$$

Nom générique :
morphine

**4.39**

Reconstitution : ajouter 2,5 mL d'eau stérile PPI pour un volume total de 3 mL et une concentration de 333 mg/mL.

$$\frac{250 \text{ mg}}{333 \text{ mg}} \times 1 \text{ mL} = 0,75 \text{ mL}$$

**4.40**

**A.**

- Date et heure de la validité de la FADM : *du 2019-09-10 à 00 h 00 au 2019-09-10 à 23 h 59*
- Nom, prénom de la personne et date de naissance : *Cloutier, Marion, née le 24 février 1951*
- Nom générique du médicament : *céfotaxime*
- Dose en gramme du médicament : *1 g*
- Voie d'administration du médicament : *intraveineuse*
- Moment ou fréquence de l'administration du médicament : *aux 8 h, soit à 6 h 00, 14 h 00 et 22 h 00.*

Vous devez également vérifier la compatibilité des médicaments intraveineux qu'il faut administrer par intraveineuse directe (IVD) et la perfusion de D 5 % NaCl 0,45S + chlorure de potassium 20 mmol/L, ainsi que la présence d'allergies. L'antibiotique céfotaxime est compatible avec la perfusion et peut être administré à une personne allergique aux pénicillines puisque cet antibiotique ne fait pas partie de cette famille d'antibiotiques.

**B.** L'antibiotique céfotaxime doit être reconstitué avec 9,6 mL d'eau stérile pour préparation injectable (PPI).

**C.** Le volume total (VT) est de 10 mL.

**D.** L'infirmière l'administre par voie intraveineuse directe (IVD) en 3 à 5 minutes.

## 4.41

En consultant la FADM, la dernière dose de morphine, un analgésique opioïde administré pour soulager la douleur modérée à sévère, a été reçue à 01 h 10. La morphine 7 mg, peut être administrée aux 4 heures pour soulager une douleur. Il est 06 h 00, la fréquence d'administration est respectée.

**A.**

$$\text{Volume à administrer (mL)} = \frac{\text{Dose prescrite (mg)}}{\text{Teneur du médicament (mg)}} \times \text{Volume du médicament disponible (mL)}$$

$$\frac{7 \text{ mg}}{10 \text{ mg}} \times 1 \text{ mL} = x \text{ mL}$$

$$x = 0,7 \text{ mL}$$

**B.** La seringue de 1 mL à tuberculine est le meilleur choix puisqu'elle permet de prélever le volume avec une plus grande précision.

**C.** HR signifie Haut Risque, cela indique que l'infirmière doit appliquer une double vérification indépendante. Grâce à cette procédure, elle s'assure de ne pas commettre une erreur qui pourrait avoir des conséquences néfastes. Pour ce faire, elle doit demander à une autre infirmière d'effectuer la vérification de chacun des éléments de préparation et d'administration de la morphine : vérification de l'ordonnance, du choix du produit, de la dose, du moment et de la voie d'administration. Une fois cette vérification terminée, l'infirmière vérificatrice appose sa signature sur le formulaire approprié.

**4.42**

Il faut attendre qu'elle ait terminé son repas, évaluer la quantité de nourriture ingérée pour prélever et administrer la bonne quantité d'insuline NovoRapid. Selon l'ordonnance, M<sup>me</sup> Cloutier doit recevoir une dose réduite de 50 % si elle mange 25 % à 50 % de son repas, et si elle n'a mangé que 25 % du repas, il ne faut pas lui administrer d'insuline. Le résultat de la glycémie est de 7,9 mmol/L, il n'y a pas d'ajustement d'insuline en fonction de l'algorithme.

Selon l'ordonnance d'insuline SC, vous devez préparer une dose d'insuline détémir (Levemir) de 52 unités à administrer au coucher. Vous devez également préparer une dose d'insuline selon *Algorithme des doses d'insulines en unités (échelle 2 – dose modérée)* équivalente à 2 unités puisque la dose, selon l'algorithme au moment du coucher, doit être réduite de moitié. Chacune des doses d'insuline devra être préparée séparément dans une seringue distincte puisque l'insuline analogue détémir à action prolongée ne doit pas être mélangée avec d'autres insulines pour éviter d'altérer le début et la durée d'action de l'autre insuline.

## 4.43

**A.** Pour administrer 1,5 g, vous devez reconstituer la fiole d'ampicilline 2 g, avec 10 mL d'eau pour PPI. Vous obtenez un volume total de 11 mL et une teneur de 2,0 g/11 mL. La fiole de 2 g est le meilleur choix puisqu'il évite des manipulations par rapport au choix d'une fiole de 1 g plus une fiole de 500 mg.

Pour calculer la dose requise, vous utilisez :

**Méthode du rapport-proportion :**

$$\frac{\text{Teneur du médicament disponible (mg)}}{\text{Volume du médicament disponible (mL)}} = \frac{\text{Dose prescrite (mg)}}{x \text{ (mL)}}$$

$$\frac{2 \text{ g}}{11 \text{ mL}} = \frac{1,5 \text{ g}}{x \text{ mL}}$$

$$x \text{ mL} \times 2 \text{ g} = 11 \text{ mL} \times 1,5 \text{ g}$$

$$x = \frac{11 \text{ mL} \times 1,5 \text{ g}}{2 \text{ g}}$$

$$x = 8,25 \text{ mL}$$

Pour administrer la dose de 1,5 g IV, vous prélevez 8,3 mL d'une fiole reconstituée dont la concentration est de 2 g/11 mL. Le volume de 8,25 mL a été arrondi à 8,3 mL étant donné que les seringues de 10 mL et de 20 mL ne permettent pas la précision au centième. Par la suite, vous devez compléter la dilution avec du NaCl 0,9 % jusqu'à 20 mL, puis vous l'administrez en perfusion intermittente selon les directives du guide de préparation.

**B.** 1,5 g × 6 doses = 9 g/jour

....................

**4.44**

**A.** ÉTAPE 1 Collecter les données

Vérifiez la présence de toutes les informations pour établir la validité de l'ordonnance :

- Date et heure de la validité de l'ordonnance : ***du 29 novembre 2019 à 09 h 00***
- Nom, prénom de la personne et date de naissance : ***Miele, Jacob, né le 21 octobre 1959***
- Nom générique du médicament : ***daltéparine***
- Dose en unités par kilogramme du médicament : ***120 unités par kilogramme***
- Voie d'administration du médicament : ***sous-cutanée***
- Moment ou fréquence de l'administration du médicament : ***aux 12 heures***
- Signature de la personne autorisée à prescrire le médicament : ***D^r Charles Essiambre***

Informations concernant la situation clinique : ce médicament est un anticoagulant, antithrombotique de la classe des héparines de faible poids moléculaire (HFPM). Il est administré dans le traitement de l'angine instable ou de l'infarctus du myocarde sans dépasser 10 000 unités par dose pendant un maximum de 6 jours.

Vérifiez toutes les autres données pertinentes : la personne pèse 132 livres. Vous devez convertir en kilogrammes le poids indiqué en livres puisque la dose prescrite est établie en fonction du poids en kilogramme.

....................

**B.** ÉTAPE 2 **Analyser les données**

Repérez les données pertinentes au calcul : dose prescrite : soit le nombre d'unités par kilogramme, teneur du produit disponible et volume, poids en kilogrammes.

Comparez la dose prescrite avec le médicament disponible : les unités de mesure sont les mêmes : unité pour la dose et unité pour le produit disponible. Il n'y a pas de conversion à effectuer.

Convertir le poids en kilogrammes :

$$\frac{2,2 \text{ lb}}{1 \text{ kg}} = \frac{132 \text{ lb}}{x \text{ kg}}$$

$$x \text{ kg} \times 2,2 \text{ lb} = 132 \text{ lb} \times 1 \text{ kg}$$

$$x = 60 \text{ kg}$$

Vous devez utiliser le poids en kilogrammes pour déterminer la dose requise : l'ordonnance indique que vous devez administrer 120 unités par kilogramme.

................................................................................

**C.** ÉTAPE 3 **Planifier la préparation**

Choisissez une méthode de calcul de dose appropriée selon les données analysées :

• La méthode de la formule

• La méthode du rapport-proportion

Sélectionnez les données nécessaires au calcul :

• Dose prescrite : 120 unités par kilogramme

• Teneur du produit disponible : 7500 unités

• Volume du produit disponible : 0,3 mL

• Poids en kilogrammes : 60 kg

................................................................................

## D. ÉTAPE 4 Calcul de la dose

Calcul de la dose de daltéparine requise : 120 unités × 60 kg = 7200 unités

**Méthode de la formule :**

$$\text{Volume à administrer (mL)} = \frac{\text{Dose prescrite (unités)} \times \text{Volume du médicament disponible (mL)}}{\text{Teneur du médicament disponible (unités)}}$$

$$\text{Volume à administrer (mL)} = \frac{7200 \text{ unités} \times 0,3 \text{ mL}}{7500 \text{ unités}}$$

$$\text{Volume à administrer (mL)} = \frac{72\cancel{00} \text{ unités} \times 0,3 \text{ mL}}{75\cancel{00} \text{ unités}}$$

$$\text{Volume à administrer : } 0,288 \text{ mL}$$

**Méthode du rapport-proportion :**

$$\frac{\text{Teneur du médicament disponible (unités)}}{\text{Volume du médicament disponible (mL)}} = \frac{\text{Dose prescrite (unités)}}{x \text{ (mL)}}$$

$$\frac{7500 \text{ unités}}{0,3 \text{ mL}} = \frac{7200 \text{ unités}}{x \text{ mL}}$$

$$x \text{ mL} \times 7500 \text{ unités} = 0,3 \text{ mL} \times 7200 \text{ unités}$$

$$x = \frac{0,3 \text{ mL} \times 72\cancel{00} \text{ unités}}{75\cancel{00} \text{ unités}}$$

$$x = 0,288 \text{ mL}$$

Pour respecter la dose de 7200 unités, vous devez administrer 0,29 mL d'une solution de daltéparine dont la concentration est de 7500 unités/0,3 mL.

**E.** **ÉTAPE 5** **Valider le résultat obtenu**

$$\frac{7500 \text{ unités}}{0,3 \text{ mL}} = \frac{7200 \text{ unités}}{0,288 \text{ mL}}$$

$$7500 \times 0,288 = 0,3 \times 7200$$

$$2160 = 2160$$

- Utilisez votre jugement pour déterminer si le résultat obtenu est vraisemblable. Effectivement, ce résultat est plausible et conforme, car il respecte la dose maximale sécuritaire recommandée : cette injection ne dépasse pas 10 000 unités par dose comme on le précise à la section posologie d'un guide de médicaments. Cette dose est appropriée, administrée par voie SC pour le traitement de l'angine instable ou de l'infarctus du myocarde et elle est différente d'une dose administrée en prophylaxie pour prévenir les divers troubles thromboemboliques à la suite d'interventions chirurgicales.

Puisqu'il s'agit de l'administration d'un médicament injectable dans une seringue préremplie par le fabricant, vous devez ajouter, aux informations relatives au médicament, une étiquette d'identification avec le nom et prénom de la personne, sa date de naissance ou son numéro de dossier. Ces informations permettent d'effectuer une double vérification de la personne avant l'administration du médicament.

**5.1**

**A.** $\dfrac{500 \text{ mL}}{4 \text{ h}} = 125 \dfrac{\text{mL}}{\text{h}}$

**C.** $\dfrac{240 \text{ mL}}{3 \text{ h}} = 80 \dfrac{\text{mL}}{\text{h}}$

**B.** $\dfrac{1200 \text{ mL}}{6 \text{ h}} = 200 \dfrac{\text{mL}}{\text{h}}$

**5.2**

**A.** Convertir 3 L en millilitres, puis : $\dfrac{3000 \text{ mL}}{24 \text{ h}} = 125 \dfrac{\text{mL}}{\text{h}}$

**B.** Convertir 2,4 L en millilitres, puis : $\dfrac{2400 \text{ mL}}{24 \text{ h}} = 100 \dfrac{\text{mL}}{\text{h}}$

**C.** Convertir 0,5 L en millilitres, puis : $\dfrac{500 \text{ mL}}{1 \text{ h}} = 500 \dfrac{\text{mL}}{\text{h}}$

**5.3**

**A.** Convertir 2 L en millilitres, puis : $\dfrac{2000 \text{ mL}}{3 \text{ h}} = \dfrac{666,\overline{6} \text{ mL}}{\text{h}}$

Ensuite, arrondir pour obtenir $667 \dfrac{\text{mL}}{\text{h}}$

**B.** Convertir 0,25 L en millilitres, puis : $\dfrac{250 \text{ mL}}{0,5 \text{ h}} = 500 \dfrac{\text{mL}}{\text{h}}$

**C.** Convertir 1 et $\dfrac{1}{2}$ L en millilitres, puis : $\dfrac{1500 \text{ mL}}{2 \text{ h}} = 750 \dfrac{\text{mL}}{\text{h}}$

### 5.4

**Méthode de la formule**

**A.** $\dfrac{150 \text{ mL}}{45 \text{ min}} \times 60\, \dfrac{\text{min}}{\text{h}} = 200\, \dfrac{\text{mL}}{\text{h}}$

**B.** $\dfrac{50 \text{ mL}}{30 \text{ min}} \times 60\, \dfrac{\text{min}}{\text{h}} = 100\, \dfrac{\text{mL}}{\text{h}}$

**C.** $\dfrac{100 \text{ mL}}{30 \text{ min}} \times 60\, \dfrac{\text{min}}{\text{h}} = 200\, \dfrac{\text{mL}}{\text{h}}$

**D.** $\dfrac{250 \text{ mL}}{60 \text{ min}} \times 60\, \dfrac{\text{min}}{\text{h}} = 250\, \dfrac{\text{mL}}{\text{h}}$

**E.** $\dfrac{20 \text{ mL}}{30 \text{ min}} \times 60\, \dfrac{\text{min}}{\text{h}} = 40\, \dfrac{\text{mL}}{\text{h}}$

**Méthode du rapport-proportion**

**A.** $\dfrac{150 \text{ mL}}{45 \text{ min}} = \dfrac{200 \text{ mL}}{60 \text{ min}} = \dfrac{200 \text{ mL}}{1 \text{ h}}$

**B.** $\dfrac{50 \text{ mL}}{30 \text{ min}} = \dfrac{100 \text{ mL}}{60 \text{ min}} = \dfrac{100 \text{ mL}}{\text{h}}$

**C.** $\dfrac{100 \text{ mL}}{30 \text{ min}} = \dfrac{200 \text{ mL}}{60 \text{ min}} = \dfrac{200 \text{ mL}}{\text{h}}$

**D.** $\dfrac{250 \text{ mL}}{60 \text{ min}} = \dfrac{250 \text{ mL}}{60 \text{ min}} = \dfrac{250 \text{ mL}}{\text{h}}$

**E.** $\dfrac{20 \text{ mL}}{30 \text{ min}} = \dfrac{40 \text{ mL}}{60 \text{ min}} = \dfrac{40 \text{ mL}}{\text{h}}$

### 5.5

**A.** $\dfrac{150 \text{ mL}}{60 \text{ min}} \times 15\, \dfrac{\text{gtt}}{\text{mL}} = 37,5\, \dfrac{\text{gtt}}{\text{min}}$, arrondi à 38 gouttes/min

**B.** $\dfrac{100 \text{ mL}}{60 \text{ min}} \times 10\, \dfrac{\text{gtt}}{\text{mL}} = 16,\overline{6} \text{ gtt/min}$, arrondi à 17 gouttes/min

**C.** $\dfrac{75 \text{ mL}}{60 \text{ min}} \times 20\, \dfrac{\text{gtt}}{\text{mL}} = 25\, \dfrac{\text{gtt}}{\text{min}}$

### 5.6

**A.** $\dfrac{125 \cancel{\text{ mL}}}{^{3}\cancel{60} \text{ min}} \times \dfrac{^{1}\cancel{20} \text{ gtt}}{\cancel{\text{mL}}} = 41,6\overline{6} \text{ gtt/min}$, arrondi à 42 gtt/min

**B.** $\dfrac{1000 \; \cancel{mL}}{72\cancel{0} \; min} \times \dfrac{1\cancel{0} \; gtt}{\cancel{mL}} = 13,\overline{8} \; \dfrac{gtt}{min}$, arrondi à 14 gtt/min

**C.** $\dfrac{50 \; \cancel{mL}}{6\cancel{0} \; min} \times \dfrac{6\cancel{0} \; gtt}{\cancel{mL}} = 50 \; \dfrac{gtt}{min}$

**5.7**

**A.** $\dfrac{75 \; \cancel{mL}}{\overset{4}{\cancel{60}} \; min} \times \dfrac{\overset{1}{\cancel{15}} \; gtt}{1 \; \cancel{mL}} = 18,75$ gtt/min, arrondi à 19 gtt/min

**B.** $\dfrac{1000 \; \cancel{mL}}{48\cancel{0} \; min} \times \dfrac{1\cancel{0} \; gtt}{\cancel{mL}} = 20,8$ gtt/min, arrondi à 21 gtt/min

**C.** $\dfrac{50 \; \cancel{mL}}{6\cancel{0} \; min} \times \dfrac{6\cancel{0} \; gtt}{\cancel{mL}} = 50 \; \dfrac{gtt}{min}$

**D.** $\dfrac{200 \; \cancel{mL}}{\overset{4}{\cancel{60}} \; min} \times \dfrac{\overset{1}{\cancel{15}} \; gtt}{\cancel{mL}} = 50 \; \dfrac{gtt}{min}$

**E.** $\dfrac{\overset{4}{\cancel{80}} \; mL}{\overset{3}{\cancel{60}} \; min} \times \dfrac{10 \; gtt}{\cancel{mL}} = 13,\overline{3}$ gtt/min, arrondi à 13 gtt/min

**F.** $\dfrac{6\cancel{0} \; \cancel{mL}}{6\cancel{0} \; min} \times \dfrac{60 \; gtt}{1 \; \cancel{mL}} = 60 \; \dfrac{gtt}{min}$

G. $\dfrac{83 \text{ mL}}{^4 \cancel{60} \text{ min}} \times \dfrac{^1 \cancel{15} \text{ gtt}}{1 \text{ mL}} = 20{,}75$ gtt/min, arrondi à 21 gtt/min

H. $\dfrac{100 \text{ mL}}{30 \text{ min}} \times \dfrac{20 \text{ gtt}}{1 \text{ mL}} = 66{,}\overline{6}$ gtt/min, arrondi à 67 gtt/min

I. $\dfrac{250 \text{ mL}}{^4 \cancel{60} \text{ min}} \times \dfrac{^1 \cancel{15} \text{ gtt}}{1 \text{ mL}} = 62{,}5$ gtt/min, arrondi à 63 gtt/min

J. $\dfrac{100 \text{ mL}}{45 \text{ min}} \times \dfrac{10 \text{ gtt}}{1 \text{ mL}} = 22{,}2$ gtt/min, arrondi à 22 gtt/min

## 5.8

A. $^4 \cancel{500} \text{ mL} \times \dfrac{60 \text{ min}}{^1 \cancel{125} \text{ mL}} = 240$ min, converti en 4 h 00

B. $1000 \text{ mL} \times \dfrac{^3 \cancel{60} \text{ min}}{^4 \cancel{80} \text{ mL}} = 750$ min, converti en 12 h 30

C. $\dfrac{200 \text{ mL}}{60 \text{ min}} = \dfrac{100 \text{ mL}}{x \text{ min}}$

$x \text{ min} = \dfrac{60 \text{ min} \times \cancel{100} \text{ mL}}{\cancel{200} \text{ mL}} = 30$ min, converti en 0 h 30

D. $\dfrac{80 \text{ mL}}{60 \text{ min}} = \dfrac{50 \text{ mL}}{x \text{ min h}}$

$x \text{ min} = \dfrac{^3 \cancel{60} \text{ min} \times 50 \cancel{\text{ mL}}}{^4 \cancel{80} \text{ mL}} = 37{,}5$ min, converti et tronqué en 0 h 37

**5.9**

**A.** $250 \; \text{mL} \times \dfrac{\overset{3}{\cancel{60}} \text{ min}}{\underset{2}{\cancel{40}} \; \cancel{\text{mL}}} = 375$ min, converti en 6 h 15

6 h 15 + 15 h 20 = 21 h 35

**B.** $1000 \; \cancel{\text{mL}} \times \dfrac{\overset{2}{\cancel{60}} \text{ min}}{\underset{5}{\cancel{150}} \; \cancel{\text{mL}}} = 400$ min, converti en 6 h 40

ou $\dfrac{1000 \text{ mL}}{\dfrac{150 \text{ mL}}{1 \text{ h}}} = 1000 \text{ mL} \times \dfrac{1 \text{ h}}{150 \text{ mL}} = 6,\overline{6}$

10 h 00 + 6 h 40 = 16 h 40

**C.** $600 \; \cancel{\text{mL}} \times \dfrac{60 \text{ min}}{75 \; \cancel{\text{mL}}} = 480$ min, converti en 8 h 00

23 h 30 + 8 h 00 = 7 h 30

**5.10**

**A.** $900 \; \cancel{\text{mL}} \times \dfrac{60 \text{ min}}{125 \; \cancel{\text{mL}}} = 432$ min, converti en 7 h 12

ou $\dfrac{125 \text{ mL}}{1 \text{ h}} = \dfrac{900 \text{ mL}}{x \text{ h}} = 7,2$ h

00 h 20 + 7 h 12 = 7 h 32

**B.** $\dfrac{150 \text{ mL}}{60 \text{ min}} = \dfrac{300 \text{ mL}}{x \text{ min}}$

ou $\dfrac{60 \text{ min} \times {}^{2}\cancel{300 \text{ mL}}}{{}^{1}\cancel{150 \text{ mL}}}$ = 120 min, converti en 2 h 00

12 h 00 + 2 h 00 = 14 h 00

.............................................................................................

**C.** $\dfrac{80 \text{ mL}}{60 \text{ min}} = \dfrac{500 \text{ mL}}{x \text{ min}}$

ou $\dfrac{{}^{3}\cancel{60} \text{ min} \times 500 \cancel{\text{ mL}}}{{}^{4}\cancel{80 \text{ mL}}}$ = 375 min, converti en 6 h 15

13 h 52 + 6 h 15 = 20 h 07

.............................................................................................

## 5.11

**A.** $70 \dfrac{\text{unités}}{\cancel{\text{kg}}} \times 82 \cancel{\text{kg}}$ = 5740 unités, mais on administrera la dose maximale

de 5000 unités.

.............................................................................................

**B.** $150 \dfrac{\text{unités}}{\cancel{\text{kg}}} \times 63 \cancel{\text{kg}}$ = 9450 unités

.............................................................................................

**C.** $110 \cancel{\text{lb}} \times \dfrac{\text{kg}}{2,2 \cancel{\text{lb}}}$ = 50 kg

$80 \dfrac{\text{unités}}{\cancel{\text{kg}}} \times 50 \cancel{\text{kg}}$ = 4000 unités

.............................................................................................

## 5.12

**A.** $12\cancel{00}\dfrac{\cancel{\text{unités}}}{\text{heure}} \times \dfrac{^1\cancel{250}\,\text{mL}}{^1\cancel{25\,000}\;\cancel{\text{unités}}} = 12\,\dfrac{\text{mL}}{\text{heure}}$

.......................................................................................................

**B.** $1000\dfrac{\cancel{\text{unités}}}{\text{h}} \times \dfrac{^1\cancel{500}\,\text{mL}}{^{50}\cancel{25\,000}\;\cancel{\text{unités}}} = 20\,\dfrac{\text{mL}}{\text{heure}}$

.......................................................................................................

**C.** $14\cancel{00}\dfrac{\cancel{\text{unités}}}{\text{h}} \times \dfrac{^1\cancel{250}\,\text{mL}}{^1\cancel{25\,000}\;\cancel{\text{unités}}} = 14\,\dfrac{\text{mL}}{\text{heure}}$

.......................................................................................................

**D.** $95\cancel{0}\dfrac{\cancel{\text{unités}}}{\text{h}} \times \dfrac{^1\cancel{250}\,\text{mL}}{^{10}\cancel{25\,000}\;\cancel{\text{unités}}} = 9,5\,\dfrac{\text{mL}}{\text{heure}}$

(La pompe volumétrique permet l'utilisation de dixièmes de millilitres.)

.......................................................................................................

**E.** $89\cancel{0}\dfrac{\cancel{\text{unités}}}{\text{h}} \times \dfrac{^1\cancel{500}\,\text{mL}}{^5\cancel{25\,000}\;\cancel{\text{unités}}} = 17,8\,\dfrac{\text{mL}}{\text{h}}$

(La pompe volumétrique permet l'utilisation de dixièmes de millilitres.)

.......................................................................................................

## 5.13

**A.**
$$\dfrac{25\,000\;\text{unités}}{500\;\text{mL}} = \dfrac{1400\,\dfrac{\text{unités}}{\text{h}}}{x\,\dfrac{\text{mL}}{\text{h}}}$$

$$x\,\dfrac{\text{mL}}{\text{h}} = \dfrac{^2\cancel{500}\,\text{mL} \times 14\cancel{00}\,\dfrac{\cancel{\text{unités}}}{\text{h}}}{^1\cancel{25\,000}\;\cancel{\text{unités}}} = 28\,\dfrac{\text{mL}}{\text{h}}$$

.......................................................................................................

**B.**

$$\frac{20\ 000\ \text{unités}}{500\ \text{mL}} = \frac{1250\ \dfrac{\text{unités}}{\text{h}}}{x\ \dfrac{\text{mL}}{\text{h}}}$$

$$x\ \frac{\text{mL}}{\text{h}} = \frac{^1 500\ \text{mL} \times 1250\ \dfrac{\text{unités}}{\text{h}}}{^4 20\ 000\ \text{unités}} = 31{,}25\ \frac{\text{mL}}{\text{h}},\ \text{arrondi à 31,3 mL/h}$$

**C.**

$$\frac{25\ 000\ \text{unités}}{500\ \text{mL}} = \frac{800\ \dfrac{\text{unités}}{\text{h}}}{x\ \dfrac{\text{mL}}{\text{h}}}$$

$$x\ \frac{\text{mL}}{\text{h}} = \frac{^2 500\ \text{mL} \times 800\ \dfrac{\text{unités}}{\text{h}}}{^1 25\ 000\ \text{unités}} = 16\ \frac{\text{mL}}{\text{h}}$$

**D.**

$$\frac{25\ 000\ \text{unités}}{250\ \text{mL}} = \frac{1000\ \dfrac{\text{unités}}{\text{h}}}{x\ \dfrac{\text{mL}}{\text{h}}}$$

$$x\ \frac{\text{mL}}{\text{h}} = \frac{^1 250\ \text{mL} \times 1000\ \dfrac{\text{unités}}{\text{h}}}{^1 25\ 000\ \text{unités}} = \frac{10\ \text{mL}}{\text{h}}$$

**5.14**

**A.**

$$\frac{200\ \text{unités}}{100\ \text{mL}} = \frac{10\ \dfrac{\text{unités}}{\text{h}}}{x\ \dfrac{\text{mL}}{\text{h}}}$$

$$x\ \frac{\text{mL}}{\text{h}} = \frac{100\ \text{mL} \times 10\ \dfrac{\text{unités}}{\text{h}}}{200\ \text{unités}} = 5\ \frac{\text{mL}}{\text{h}}$$

**B.**

$$\frac{100 \text{ unités}}{200 \text{ mL}} = \frac{6 \frac{\text{unités}}{\text{h}}}{x \frac{\text{mL}}{\text{h}}}$$

$$x \frac{\text{mL}}{\text{h}} = \frac{200 \text{ mL} \times 6 \frac{\text{unités}}{\text{h}}}{100 \text{ unités}} = 12 \frac{\text{mL}}{\text{h}}$$

**C.**

$$\frac{100 \text{ unités}}{100 \text{ mL}} = \frac{5 \frac{\text{unités}}{\text{h}}}{x \frac{\text{mL}}{\text{h}}}$$

$$x \frac{\text{mL}}{\text{h}} = \frac{100 \text{ mL} \times 5 \frac{\text{unités}}{\text{h}}}{100 \text{ unités}} = 5 \frac{\text{mL}}{\text{h}}$$

**5.15**

**A.** $\quad x \frac{\text{mL}}{\text{h}} = 10 \frac{\text{unités}}{\text{h}} \times \frac{{}^{1}250 \text{ mL}}{{}^{2}500 \text{ unités}} = 5 \frac{\text{mL}}{\text{h}}$

**B.** $\quad x \frac{\text{mL}}{\text{h}} = 4 \frac{\text{unités}}{\text{h}} \times \frac{100 \text{ mL}}{200 \text{ unités}} = 2 \frac{\text{mL}}{\text{h}}$

**C.** $\quad x \frac{\text{mL}}{\text{h}} = 8 \frac{\text{unités}}{\text{h}} \times \frac{100 \text{ mL}}{100 \text{ unités}} = 8 \frac{\text{mL}}{\text{h}}$

### 5.16

$$1000 \, \cancel{mL} \times \frac{60 \text{ min}}{125 \, \cancel{mL}} = 480 \text{ min}$$

480 min, converti en 8 h 00

6 h 15 + 8 h 00 = 14 h 15

### 5.17

**A.** Convertissez les lb en kg = 74,09 kg

On obtient 5927,2 unités, mais la dose maximale est de 5000 unités.

$$\frac{10 \, 000 \text{ unités}}{1 \text{ mL}} = \frac{5000 \text{ unités}}{x \text{ mL}}$$

$$x \text{ mL} = \frac{1 \text{ mL} \times 5000 \, \cancel{\text{unités}}}{10 \, \cancel{000} \, \cancel{\text{unités}}} = 0,5 \text{ mL}$$

**B.**

$$\frac{25 \, 000 \text{ unités}}{250 \text{ mL}} = \frac{1300 \frac{\text{unités}}{\text{h}}}{x \frac{\text{mL}}{\text{h}}}$$

$$x \frac{\text{mL}}{\text{h}} = \frac{^1\cancel{250} \text{ mL} \times 13\cancel{00} \, \frac{\cancel{\text{unités}}}{\text{h}}}{^1\cancel{25 \, 000} \, \cancel{\text{unités}}} = \frac{13 \text{ mL}}{\text{h}}$$

### 5.18

$$\frac{250 \text{ mL}}{^1\cancel{20 \text{ min}}} \times \frac{^3\cancel{60 \text{ min}}}{1 \text{ heure}} = 750 \frac{\text{mL}}{\text{h}}$$

**5.19**

$$240\ \cancel{mL} \times \frac{^{1}\cancel{60}\ min}{^{2}\cancel{120\ mL}} = 120\ min\ restantes\ à\ la\ perfusion$$

Vous savez que la perfusion contient assez de liquide pour 2 h. Il reste 50 min à votre quart de travail. Vous savez que l'infirmière de nuit devra prendre son rapport à minuit. Puisqu'il ne restera qu'une heure 10 min de soluté à perfuser, vous devriez opter pour changer le sac afin de lui donner suffisamment de temps pour procéder à l'évaluation initiale de ses clients sans se soucier d'être interrompue par une pompe qui sonne.

**5.20**

Vous constatez que la valeur du TCA est trop élevée. Selon le protocole, vous devez diminuer le débit de perfusion de 100 unités/h.

Pour calculer le nouveau débit :

$$1200\ unités/h - 100\ unités/h = 1100\ unités/h$$

$$\frac{25\ 000\ unités}{500\ mL} = \frac{1100\ \frac{unités}{h}}{x\left(\frac{mL}{h}\right)}$$
(La concentration utilisée est de 25 000 unités/ 500 mL.)

$$x\ \frac{mL}{h} = \frac{^{2}\cancel{500}\ mL \times 11\cancel{00}\ \frac{\cancel{unités}}{h}}{^{1}\cancel{25\ 000}\ \cancel{unités}} = 22\ \frac{mL}{h}$$

Vous devez ajuster le nouveau débit à 22 mL/h et prévoir un prélèvement de contrôle pour mesurer le TCA, 6 heures après le moment où vous aurez modifié le débit.

**5.21**

**A.** L'intervention prioritaire est de calculer le débit actuel de la perfusion afin de le comparer à l'ordonnance pour s'assurer que l'apport liquidien est celui prescrit.

$$x\ \frac{gtt}{min} = \frac{125\ \cancel{mL}}{^{3}\cancel{60}\ min} \times \frac{^{1}\cancel{20}\ gtt}{\cancel{mL}} = 41,\overline{6}\ \frac{gtt}{min},\ arrondi\ à\ 42\ gtt/min$$

**B.** Le débit actuel est trop rapide pour l'ordonnance, il faut réduire le débit à 42 gtt/min.

**C.**

$$x \frac{\text{mL}}{\text{h}} = \frac{\cancel{1000}\,\text{mL}}{\cancel{10}\,\text{h}} = 100 \frac{\text{mL}}{\text{h}}$$

$$\frac{100\,\cancel{\text{mL}}}{\cancel{60}^{4}\,\text{min}} \times \frac{^{1}\cancel{15}\,\text{gtt}}{\cancel{\text{mL}}} = 25 \frac{\text{gtt}}{\text{min}}$$

## 5.22

**A.** Méthode utilisée dans ce calcul : rapport-proportion.

$$\frac{125\ \text{unités}}{250\ \text{mL}} = \frac{8 \dfrac{\text{unités}}{\text{h}}}{x \dfrac{\text{mL}}{\text{h}}}$$

$$x \frac{\text{mL}}{\text{h}} = \frac{^{2}\cancel{250}\,\text{mL} \times 8 \dfrac{\cancel{\text{unités}}}{\text{h}}}{^{1}\cancel{125\ \text{unités}}} = 16\ \text{mL/h}$$

**B.** Il reçoit maintenant l'insuline à un débit de 19 mL/h.

## 5.23

**A.** Vous savez que 1000 mg = 1g.

Vous devez administrer 2 g de l'antibiotique. Vous aurez besoin de 2 fioles puisque $\frac{1\ \text{g}}{1\ \text{fiole}} = \frac{2\ \text{g}}{x\ \text{fioles}}$. En faisant le produit croisé, vous obtenez la réponse recherchée.

**B.** Puisque chaque fiole reconstituée représente 10 mL et qu'il y a 2 fioles, on doit donc ajouter 2 × 10 mL = 20 mL dans le minisac de 50 mL.

Puisque 20 mL + 50 mL = 70 mL, le volume final recherché est de 70 mL.

**C.** $\dfrac{70 \text{ mL}}{\overset{1}{\cancel{30 \text{ min}}}} \times \dfrac{\overset{2}{\cancel{60 \text{ min}}}}{\text{h}} = 140 \dfrac{\text{mL}}{\text{h}}$

**D.** $\dfrac{140 \ \cancel{\text{mL}}}{\overset{4}{\cancel{60}} \text{ min}} \times \dfrac{\overset{1}{\cancel{15}} \text{ gtt}}{\cancel{\text{mL}}} = 35 \dfrac{\text{gtt}}{\text{min}}$

**5.24**

Il reste 700 mL à perfuser en 3 heures. La durée de la perfusion sera de 700 mL/3 h, soit un débit de 233,3 mL/h. Cela représente une vitesse de perfusion qui est presque le double de celle prescrite. Si vous ajustez le débit à 233 mL/h, vous risquez de porter un grave préjudice à M^me Larose.

Le débit prescrit est $\dfrac{1000 \text{ mL}}{8 \text{ h}} = 125 \dfrac{\text{mL}}{\text{h}}$.

Vous devez rétablir le débit de perfusion à 125 mL/h, tel qu'il a été prescrit, surveiller la vitesse d'écoulement et vérifier toutes les heures que le débit reste constant jusqu'à la fin de la perfusion.

## 6.1

**A.** 15 kg

. . . . . . . . . . . . . . . . . . . . . . . . . . . . . . . . . . . . . . . . . . . . . . . . . . . . . . . . . . . . . . . . . . . . . . . . . . . . . .

**B.** 27,27 kg, ou arrondi à 27,3 kg selon la balance utilisée

. . . . . . . . . . . . . . . . . . . . . . . . . . . . . . . . . . . . . . . . . . . . . . . . . . . . . . . . . . . . . . . . . . . . . . . . . . . . . .

**C.** 8,18 kg, ou arrondi à 8,2 kg selon la balance utilisée

. . . . . . . . . . . . . . . . . . . . . . . . . . . . . . . . . . . . . . . . . . . . . . . . . . . . . . . . . . . . . . . . . . . . . . . . . . . . . .

## 6.2

**A.**

$$\frac{1 \text{ kg}}{2,2 \text{ lb}} = \frac{3,677 \text{ kg}}{x \text{ lb}}$$

$$x \text{ lb} \times 1 \text{ kg} = 2,2 \text{ lb} \times 3,677 \text{ kg}$$

$$x \text{ lb} = \frac{2,2 \text{ lb} \times 3,677 \ \cancel{\text{kg}}}{1 \ \cancel{\text{kg}}}$$

$$x \text{ lb} = 8,0894 \text{ lb}$$

Conservez le 8 lb et transformez le 0,0894 lb en onces.

$$\frac{1 \text{ lb}}{16 \text{ onces}} = \frac{0,0894 \text{ lb}}{x \text{ onces}}$$

$$x \text{ onces} = \frac{16 \text{ onces} \times 0,0894 \ \cancel{\text{lb}}}{1 \ \cancel{\text{lb}}}$$

$$x \text{ onces} = 1,4304 \text{ once}$$

Arrondissez la réponse à l'once, donc 1,4304 once = 1 once.

Le poids de l'enfant est de 8 livres et 1 once.

. . . . . . . . . . . . . . . . . . . . . . . . . . . . . . . . . . . . . . . . . . . . . . . . . . . . . . . . . . . . . . . . . . . . . . . . . . . . . .

**B.** 8 livres et 15 onces

. . . . . . . . . . . . . . . . . . . . . . . . . . . . . . . . . . . . . . . . . . . . . . . . . . . . . . . . . . . . . . . . . . . . . . . . . . . . . .

**6.3**

**A.** 18 lb et 4 oz

$$\frac{1 \text{ lb}}{16 \text{ oz}} = \frac{x \text{ lb}}{4 \text{ oz}}$$

$$x \text{ lb} \times 16 \text{ oz} = 1 \text{ lb} \times 4 \text{ oz}$$

$$x \text{ lb} = \frac{1 \text{ lb} \times 4 \text{ oz}}{16 \text{ oz}}$$

$$x \text{ lb} = 0,25 \text{ lb}$$

Additionnez 18 lb + 0,25 lb = 18,25 lb

$$\frac{2,2 \text{ lb}}{1 \text{ kg}} = \frac{18,25 \text{ lb}}{x \text{ kg}}$$

$$x \text{ kg} \times 2,2 \text{ lb} = 18,25 \text{ lb} \times 1 \text{ kg}$$

$$x \text{ kg} = \frac{18,25 \text{ lb} \times 1 \text{ kg}}{2,2 \text{ lb}}$$

$$x \text{ kg} = 8,2954 \text{ kg}$$

Réponse : 8,3 kg

**B.** 23 lb et 9 oz

$$\frac{1 \text{ lb}}{16 \text{ oz}} = \frac{x \text{ lb}}{9 \text{ oz}}$$

$$x \text{ lb} = \frac{1 \text{ lb} \times 9 \text{ oz}}{16 \text{ oz}}$$

$$x \text{ lb} = 0,56 \text{ lb}$$

Additionnez 23 lb + 0,56 lb = 23,56 lb

$$\frac{2,2 \text{ lb}}{1 \text{ kg}} = \frac{23,56 \text{ lb}}{x \text{ kg}}$$

$$x \text{ kg} \times 2,2 \text{ lb} = 23,56 \text{ lb} \times 1 \text{ kg}$$

$$x \text{ kg} = \frac{23,56 \text{ lb} \times 1 \text{ kg}}{2,2 \text{ lb}}$$

$$x \text{ kg} = 10,7 \text{ kg}$$

Réponse : 10,7 kg

**6.4**

$$4180 \text{ g} - 3989 \text{ g} = 191 \text{ g}$$

$$\frac{191 \text{ g}}{4180 \text{ g}} \times 100 = 4,57 \text{ %}$$

Arrondir à 4,6 %

**6.5**

1,9 %

**6.6**

7,9 %

........................................................................

**6.7**

2,1 %

........................................................................

**6.8**

13,1 %. Il n'aura pas son congé, car le pourcentage de perte de poids est supérieur à 10 % et il n'a que 48 h. Il faudra déterminer la cause de sa perte de poids et s'assurer qu'il commence à regagner du poids avant de le laisser sortir de l'hôpital. Il y aura un suivi avec l'infirmière du CLSC par la suite.

........................................................................

**6.9**

Son poids étant plus petit ou égal à 10 kg, ses besoins hydriques quotidiens sont de 100 mL/kg :

$$\frac{100 \text{ mL} \times 6,4 \text{ kg}}{1 \text{ kg}} = 640 \text{ mL}$$

........................................................................

**6.10**

Oui, ses besoins sont comblés, car :

son poids étant plus petit ou égal à 10 kg, ses besoins liquidiens quotidiens sont de 100 mL/kg :

Convertissez : 7440 g = 7,440 kg

$$\frac{100 \text{ mL} \times 7{,}440 \text{ kg}}{1 \text{ kg}} = 744 \text{ mL}$$

Elle doit recevoir 744 mL/jour, et elle reçoit effectivement 744 mL/jour (31 mL/h = 744 mL/24 h).

**6.11**

Son poids étant supérieur à 20 kg, ses besoins hydriques sont de 60 mL/h + 1 mL/kg/h pour chaque kg > 20 kg

60 mL/h

35 kg − 20 kg = 15 kg

1 mL/h pour 15 kg = 15 mL/h

Additionnez 60 mL/h + 15 mL/h = 75 mL/h

**6.12**

Oui, ses besoins sont comblés, car :

son poids étant supérieur à 20 kg, il a besoin de 1500 mL + 20 mL/kg pour chaque kilo au-dessus de 20 kg = 27,5 kg − 20 kg = 7,5 kg

7,5 kg × 20 mL = 150 mL

Ses besoins hydriques sont donc de 1500 mL + 150 mL = 1650 mL.

Il devrait recevoir 1650 mL/jour. Il reçoit 64 mL × 24 h = 1536 mL par la perfusion et il a bu 125 mL de jus d'orange. Il a donc reçu 1651 mL. À un millilitre près, il a comblé ses besoins hydriques.

## 6.13

1000 mL + 50 mL/kg pour chaque kg > 10 kg

$$1000 \text{ mL}$$

$$18,1 \text{ kg} - 10 \text{ kg} = 8,1 \text{ kg}$$

$$50 \text{ mL} \times 8,1 \text{ kg} = 405 \text{ mL}$$

Les besoins hydriques quotidiens d'Émilie sont de 1405 mL. Elle reçoit 1200 mL IV, donc elle devra boire 205 mL de liquide pour combler ses besoins hydriques quotidiens.

## 6.14

(La solution est présentée selon la méthode du rapport-proportion. La réponse est la même si vous utilisez la méthode de la formule.)

### A. Dose minimale :

$$\frac{5 \text{ mg}}{1 \text{ kg}} = \frac{x \text{ mg}}{18 \text{ kg}}$$

$$x \text{ mg} \times 1 \text{ kg} = 18,0 \text{ kg} \times 5 \text{ mg}$$

$$x \text{ mg} = \frac{18,0 \cancel{\text{ kg}} \times 5 \text{ mg}}{1 \cancel{\text{ kg}}} \text{ (formule)}$$

$$x \text{ mg} = 90 \text{ mg}$$

Dose minimale : 90 mg toutes les 4 à 6 heures

### Dose maximale :

$$\frac{10 \text{ mg}}{1 \text{ kg}} = \frac{x \text{ mg}}{18 \text{ kg}}$$

$$x \text{ mg} \times 1 \text{ kg} = 18,0 \text{ kg} \times 10 \text{ mg}$$

$$x \text{ mg} = \frac{18,0 \cancel{\text{ kg}} \times 10 \text{ mg}}{1 \cancel{\text{ kg}}}$$

$$x \text{ mg} = 180 \text{ mg}$$

Dose maximale : 180 mg toutes les 4 à 6 heures

La dose prescrite indiquée dans la FADM est de 150 mg d'ibuprofène pour chaque dose, toutes les 6 à 8 heures. En vérifiant la dose thérapeutique calculée précédemment, l'infirmière constate que la dose prescrite se situe à l'intérieur de la fenêtre thérapeutique et qu'elle est sécuritaire pour un enfant de 18,0 kg.

**B. Dose thérapeutique :**

$$\frac{7,5 \text{ mg}}{1 \text{ kg}} = \frac{x \text{ mg}}{18,0 \text{ kg}}$$

$$x \text{ mg} \times 1 \text{ kg} = 18,0 \text{ kg} \times 7,5 \text{ mg}$$

$$x \text{ mg} = \frac{18,0 \cancel{\text{ kg}} \times 7,5 \text{ mg (formule)}}{1 \cancel{\text{ kg}}}$$

$$x \text{ mg} = 135 \text{ mg}$$

Dose thérapeutique : 135 mg toutes les 12 h

La dose prescrite indiquée dans la FADM est de 135 mg de clarithromycine pour chaque dose, toutes les 12 heures. En vérifiant la dose thérapeutique calculée ci-dessus, l'infirmière constate que la dose prescrite est exactement la dose recommandée et qu'elle est sécuritaire pour un enfant de 18,0 kg.

**6.15**

(La solution est présentée selon la méthode du rapport-proportion. La réponse est la même si vous utilisez la méthode de la formule.)

**A. Dose minimale :**

$$\frac{10 \text{ mg}}{1 \text{ kg}} = \frac{x \text{ mg}}{9,57 \text{ kg}}$$

$$x \text{ mg} \times 1 \text{ kg} = 9,57 \text{ kg} \times 10 \text{ mg}$$

$$x \text{ mg} = \frac{9,57 \cancel{\text{ kg}} \times 10 \text{ mg (formule)}}{1 \cancel{\text{ kg}}}$$

$$x \text{ mg} = 95,7 \text{ mg}$$

Dose minimale : 95,7 mg toutes les 4 à 6 heures

**Dose maximale**

$$\frac{15 \text{ mg}}{1 \text{ kg}} = \frac{x \text{ mg}}{9,57 \text{ kg}}$$

$$x \text{ mg} \times 1 \text{ kg} = 9,57 \text{ kg} \times 5 \text{ mg}$$

$$x \text{ mg} = \frac{9,57 \text{ kg} \times 15 \text{ mg (formule)}}{1 \text{ kg}}$$

$$x \text{ mg} = 143,55 \text{ mg}$$

Dose maximale : 143,55 mg toutes les 4 à 6 heures

La dose prescrite indiquée dans la FADM est de 120 mg d'acétaminophène pour chaque dose. En vérifiant la fenêtre thérapeutique calculée ci-dessus, l'infirmière constate que la dose prescrite se situe dans cet intervalle de la dose minimale et de la dose maximale et qu'elle est sécuritaire pour un enfant de 9,57 kg.

**B. Dose minimale :**

$$\frac{2 \text{ mg}}{1 \text{ kg}} = \frac{x \text{ mg}}{9,57 \text{ kg}}$$

$$x \text{ mg} \times 1 \text{ kg} = 9,57 \text{ kg} \times 2 \text{ mg}$$

$$x \text{ mg} = \frac{9,57 \text{ kg} \times 2 \text{ mg (formule)}}{1 \text{ kg}}$$

$$x \text{ mg} = 19,14 \text{ mg}$$

Dose minimale : 19,14 mg toutes les 8 heures

**Dose maximale :**

$$\frac{2,5 \text{ mg}}{1 \text{ kg}} = \frac{x \text{ mg}}{9,57 \text{ kg}}$$

$$x \text{ mg} \times 1 \text{ kg} = 9,57 \text{ kg} \times 2,5 \text{ mg}$$

$$x \text{ mg} = \frac{9,57 \text{ kg} \times 2,5 \text{ mg (formule)}}{1 \text{ kg}}$$

$$x \text{ mg} = 23,93 \text{ mg}$$

Dose maximale : 23,93 mg toutes les 8 heures

La dose prescrite indiquée dans la FADM est de 20 mg de gentamicine pour chaque dose. En vérifiant la fenêtre thérapeutique calculée ci-dessus, l'infirmière constate que la dose prescrite se situe dans cet intervalle de la dose minimale et de la dose maximale et qu'elle est sécuritaire pour un enfant de 9,57 kg.

**6.16**

**A. Dose minimale** :

$$\frac{0,03 \text{ mg}}{1 \text{ kg}} = \frac{x \text{ mg}}{43 \text{ kg}}$$

$$x \text{ mg} \times 1 \text{ kg} = 43,3 \text{ kg} \times 0,03 \text{ mg}$$

$$x \text{ mg} = \frac{43,3 \text{ kg} \times 0,03 \text{ mg (formule)}}{1 \text{ kg}}$$

$$x \text{ mg} = 1,299 \text{ mg}$$

Dose minimale : 1,299 mg toutes les 6 heures

**Dose maximale** :

$$\frac{0,08 \text{ mg}}{1 \text{ kg}} = \frac{x \text{ mg}}{43,3 \text{ kg}}$$

$$x \text{ mg} \times 1 \text{ kg} = 43,3 \text{ kg} \times 0,08 \text{ mg}$$

$$x \text{ mg} = \frac{43,3 \text{ kg} \times 0,08 \text{ mg (formule)}}{1 \text{ kg}}$$

$$x \text{ mg} = 3,464 \text{ mg}$$

Dose maximale : 3,464 mg toutes les 6 heures

La dose prescrite indiquée dans la FADM est de 1,5 mg d'hydromorphone pour chaque dose. En vérifiant la fenêtre thérapeutique calculée ci-dessus, l'infirmière constate que la dose prescrite se situe dans cet intervalle de la dose minimale et de la dose maximale et qu'elle est sécuritaire pour un enfant de 43,3 kg.

**B. Dose minimale** :

$$\frac{7,5 \text{ mg}}{1 \text{ kg}} = \frac{x \text{ mg}}{43,3 \text{ kg}}$$

$$x \text{ mg} \times 1 \text{ kg} = 43,3 \text{ kg} \times 7,5 \text{ mg}$$

$$x \text{ mg} = \frac{43,3 \text{ kg} \times 7,5 \text{ mg (formule)}}{1 \text{ kg}}$$

$$x \text{ mg} = 324,75 \text{ mg}$$

Dose minimale : 324,75 mg toutes les 6 heures

**Dose maximale :**

$$\frac{12,5 \text{ mg}}{1 \text{ kg}} = \frac{x \text{ mg}}{43,3 \text{ kg}}$$

$$x \text{ mg} \times 1 \text{ kg} = 43,3 \text{ kg} \times 12,5 \text{ mg}$$

$$x \text{ mg} = \frac{43,3 \text{ \sout{kg}} \times 12,5 \text{ mg (formule)}}{1 \text{ \sout{kg}}}$$

$$x \text{ mg} = 541,25 \text{ mg}$$

Dose maximale : 541,25 mg toutes les 6 heures

La dose prescrite indiquée dans la FADM est de 300 mg d'érythromycine pour chaque dose. En vérifiant la fenêtre thérapeutique calculée ci-dessus, l'infirmière constate que la dose prescrite se situe dans cet intervalle de la dose minimale et de la dose maximale et qu'elle est sécuritaire pour un enfant de 43,3 kg.

## 6.17

(La solution est présentée selon la méthode du rapport-proportion. La réponse est la même si vous utilisez la méthode de la formule.)

**A.** Calcul de la dose quotidienne maximale :

$$\frac{20 \text{ mg}}{1 \text{ kg}} = \frac{x \text{ mg}}{10,85 \text{ kg}}$$

$$x \text{ mg} \times 1 \text{ kg} = 10,85 \text{ kg} \times 20 \text{ mg}$$

$$x \text{ mg} = \frac{10,85 \text{ \sout{kg}} \times 20 \text{ mg}}{1 \text{ \sout{kg}}}$$

$$x \text{ mg} = 217 \text{ mg}$$

**Dose maximale quotidienne recommandée** pour cet enfant : 217 mg à donner toutes les 8 à 12 heures, donc en 3 ou 2 fois.

L'ordonnance indique q 8 h, donc vous devez diviser 217 mg par 3 = 72,3 mg.

**Dose prescrite :** la dose prescrite de 72 mg q 8 h respecte la dose maximale qui peut être administrée toutes les 8 heures pour respecter la dose quotidienne maximale. Cette dose ne dépasse pas les 2000 mg/jour puisque l'enfant recevra 216 mg/jour (72 mg × 3).

**B.** Calcul de la dose quotidienne maximale :

$$\frac{100 \text{ mg}}{1 \text{ kg}} = \frac{x \text{ mg}}{15 \text{ kg}}$$

$$x \text{ mg} \times 1 \text{ kg} = 15 \text{ kg} \times 100 \text{ mg}$$

$$x \text{ mg} = \frac{15 \cancel{\text{kg}} \times 100 \text{ mg}}{1 \cancel{\text{kg}}}$$

$$x \text{ mg} = 1500 \text{ mg}$$

**Dose maximale quotidienne recommandée** pour cet enfant : 1500 mg à donner en 3 ou 4 doses.

L'ordonnance indique q 8 h, donc vous devez diviser 1500 mg par 3 = 500 mg.

**Dose prescrite** : la dose prescrite de 450 mg respecte la dose maximale qui peut être administrée toutes les 8 heures pour respecter la dose quotidienne maximale. Cette dose ne dépasse pas les 3 g/jour puisque 450 mg × 3 = 1,350 g.

**C.** Calcul de la dose maximale par jour :

$$\frac{50 \text{ mg}}{1 \text{ kg}} = \frac{x \text{ mg}}{18,2 \text{ kg}}$$

$$x \text{ mg} \times 1 \text{ kg} = 18,2 \text{ kg} \times 50 \text{ mg}$$

$$x \text{ mg} = \frac{18,2 \cancel{\text{kg}} \times 50 \text{ mg}}{1 \cancel{\text{kg}}}$$

$$x \text{ mg} = 910 \text{ mg}$$

**Dose quotidienne maximale** permise pour cet enfant : 910 mg à donner en 3 doses.

L'ordonnance indique q 8 h, donc vous devez diviser 910 mg par 3 = 303,3 mg.

**Dose prescrite** : la dose prescrite de 200 mg respecte la dose maximale qui peut être administrée toutes les 8 heures pour respecter la dose quotidienne maximale. Cette dose ne dépasse pas les 910 mg/jour puisque 200 mg × 3 = 600 mg.

**D.** Calcul de la dose maximale par jour :

$$\frac{8 \text{ mg}}{1 \text{ kg}} = \frac{x \text{ mg}}{41,3 \text{ kg}}$$

$$x \text{ mg} \times 1 \text{ kg} = 41,3 \text{ kg} \times 8 \text{ mg}$$

$$x \text{ mg} = \frac{41,3 \text{ \sout{kg}} \times 8 \text{ mg}}{1 \text{ \sout{kg}}}$$

$$x \text{ mg} = 330,4 \text{ mg}$$

**Dose maximale** : 330,4 mg.

L'ordonnance indique q 12 h, donc vous devez diviser 330,4 mg par 2 = 165,2 mg.

L'infirmière doit cependant noter que, selon la posologie recommandée, la dose maximale ne doit pas dépasser 300 mg/jour.

Il faut donc diviser 300 mg par 2, car donner q 12 h = 150 mg

**Dose prescrite** : la dose prescrite de 165 mg ne respecte pas la dose maximale qui peut être administrée toutes les 12 h, soit 150 mg. Elle dépasse la dose quotidienne maximale recommandée de 300 mg (165 mg × 2 = 330 mg). L'infirmière n'administre pas la dose de phénytoïne prescrite et contacte le médecin afin de vérifier avec lui si c'est bien la bonne dose pour cet enfant. L'infirmière vérifiera aussi les résultats des prélèvements sanguins pour les concentrations sériques de phénytoïne. Elle s'assurera qu'ils ne sont pas supérieurs à la norme pour éviter un risque de toxicité et de surdosage.

---

**6.18**

**A.**

**1.**

$$\text{Surface corporelle en m}^2 = \sqrt{\frac{22 \text{ (\sout{kg})} \times 110 \text{ (\sout{cm})}}{3600 \text{ (\sout{kg}} \times \text{\sout{cm}}/\text{m}^4)}}$$

$$\text{Surface corporelle en m}^2 = \sqrt{\frac{2420 \text{ m}^4}{3600}}$$

$$\text{Surface corporelle} = 0,82 \text{ m}^2 \text{ (valeur arrondie)}$$

**2.** Dose thérapeutique

$$\frac{50 \text{ mg}}{1 \text{ m}^2} = \frac{x \text{ mg}}{0,82 \text{ m}^2}$$

$$x \text{ mg} \times 1 \text{ m}^2 = 0,82 \text{ m}^2 \times 50 \text{ mg}$$

$$x \text{ mg} = \frac{0,82 \cancel{\text{ m}^2} \times 50 \text{ mg}}{1 \cancel{\text{ m}^2}}$$

$$x \text{ mg} = 41 \text{ mg}$$

Dose thérapeutique : 41 mg, une fois par jour

**3.** La dose prescrite est de 41 mg de caspofongine pour chaque dose. Cette dose est sécuritaire puisque c'est exactement la dose recommandée. Elle est sécuritaire pour un enfant dont la surface corporelle est de 0,82 m$^2$.

**B.**

**1.**
$$\text{Surface corporelle en m}^2 = \sqrt{\frac{18,2 \cancel{\text{ (kg)}} \times 105 \cancel{\text{ (cm)}}}{3600 \text{ } (\cancel{\text{kg}} \times \cancel{\text{cm}}/\text{m}^4)}}$$

$$\text{Surface corporelle en m}^2 = \sqrt{\frac{1911 \text{ m}^4}{3600}}$$

$$\text{Surface corporelle} = 0,73 \text{ m}^2 \text{ (valeur arrondie)}$$

**2.** Dose thérapeutique :

$$\frac{50 \text{ mg}}{1 \text{ m}^2} = \frac{x \text{ mg}}{0,73 \text{ m}^2}$$

$$x \text{ mg} \times 1 \text{ m}^2 = 0,73 \text{ m}^2 \times 50 \text{ mg}$$

$$x \text{ mg} = \frac{0,73 \cancel{\text{ m}^2} \times 50 \text{ mg}}{1 \cancel{\text{ m}^2}}$$

$$x \text{ mg} = 36,5 \text{ mg}$$

Dose thérapeutique : 36,5 mg une fois par jour

**3.** La dose prescrite est de 36,5 mg de caspofongine pour chaque dose. Cette dose est sécuritaire puisque c'est exactement la dose recommandée. Elle est sécuritaire pour un enfant dont la surface corporelle est de 0,73 m$^2$.

**C.**

**1.**
$$\text{Surface corporelle en m}^2 = \sqrt{\frac{12,8\ (\cancel{kg}) \times 87\ (\cancel{cm})}{3600\ (\cancel{kg} \times \cancel{cm}/m^4)}}$$

$$\text{Surface corporelle en m}^2 = \sqrt{\frac{1113,6\ m^4}{3600}}$$

$$\text{Surface corporelle} = 0,31\ m^2$$

**2.** Dose thérapeutique :

$$\frac{50\ mg}{1\ m^2} = \frac{x\ mg}{0,31\ m^2}$$

$$x\ mg \times 1\ m^2 = 0,31\ m^2 \times 50\ mg$$

$$x\ mg = \frac{0,31\ \cancel{m^2} \times 50\ mg}{1\ \cancel{m^2}}$$

$$x\ mg = 15,5\ mg$$

Dose minimale/maximale : 15,5 mg une fois par jour

**3.** La dose prescrite est de 15,5 mg de caspofongine pour chaque dose. Cette dose est sécuritaire puisque c'est exactement la dose recommandée. Elle est sécuritaire pour un enfant dont la surface corporelle est de 0,31 m².

. . . . . . . . . . . . . . . . . . . . . . . . . . . . . . . . . . . . . . . . . . . . . . . . . . . . . . . . . . . . . . . . . . . . . . . . . . . . . . . . . . . . . . . . . . .

**6.19**

Voir le nomogramme à la page 340.

**A.**

**1.** Surface corporelle : 0,74 m² (ligne bleue sur le nomogramme)

**2.** Dose thérapeutique : 2,5 mg/m²

**Méthode du rapport-proportion**

$$\frac{2,5\ mg}{1\ m^2} = \frac{x\ mg}{0,74\ m^2}$$

$$x\ mg \times 1\ m^2 = 0,74\ m^2 \times 2,5\ mg$$

**Méthode de la formule**

$$x \text{ mg} = \frac{0,74 \ \cancel{m}^2 \times 2,5 \text{ mg}}{1 \ \cancel{m}^2}$$

$$x \text{ mg} = 1,85 \text{ mg}$$

Dose thérapeutique : 1,85 mg en une seule dose

3. La dose prescrite est de 1,85 mg de vinblastine pour chaque dose. Cette dose est une dose thérapeutique puisque c'est exactement la dose recommandée. Elle est sécuritaire pour un enfant dont la surface corporelle est de 0,74 m².

**B.**

1. Surface corporelle : 0,66 m² (ligne rouge sur le nomogramme)

2. Dose thérapeutique : 6000 unités/m²

$$\frac{6000 \text{ unités}}{1 \text{ m}^2} = \frac{x \text{ mg}}{0,66 \text{ m}^2}$$

$$x \text{ mg} \times 1 \text{ m}^2 = 0,66 \text{ m}^2 \times 6000 \text{ unités}$$

$$x \text{ mg} = \frac{0,66 \ \cancel{m}^2 \times 6000 \text{ unités}}{1 \ \cancel{m}^2}$$

$$x \text{ mg} = 3960 \text{ unités}$$

Dose thérapeutique : 3960 unités par jour IM 3 fois par semaine, pour un total de 9 doses.

3. La dose prescrite est de 3960 unités d'asparaginase par jour pour un total de 9 doses d'asparaginase. Cette dose est une dose thérapeutique puisque c'est exactement la dose recommandée. Elle est sécuritaire pour un enfant ayant une surface corporelle de 0,66 m².

**C.**

1. Surface corporelle : 1,2 m² (ligne verte sur le nomogramme)

2. Fenêtre thérapeutique :

Dose minimale : 3 mg/m²

$$\frac{3 \text{ mg}}{1 \text{ m}^2} = \frac{x \text{ mg}}{1,2 \text{ m}^2}$$

$$x \text{ mg} \times 1 \text{ m}^2 = 1,2 \text{ m}^2 \times 3 \text{ mg}$$

$$x \text{ mg} = \frac{1,2 \text{ m}^2 \times 3 \text{ mg}}{1 \text{ m}^2}$$

$$x \text{ mg} = 3,6 \text{ mg}$$

Dose minimale : 3,6 mg en perfusion IV pendant les 15 minutes précédant la chimiothérapie.

Dose maximale : 5 mg/m²

$$\frac{5 \text{ mg}}{1 \text{ m}^2} = \frac{x \text{ mg}}{1,2 \text{ m}^2}$$

$$x \text{ mg} \times 1 \text{ m}^2 = 1,2 \text{ m}^2 \times 5 \text{ mg}$$

$$x \text{ mg} = \frac{1,2 \text{ m}^2 \times 5 \text{ mg}}{1 \text{ m}^2}$$

$$x \text{ mg} = 6 \text{ mg}$$

Dose maximale : 6 mg en perfusion IV pendant les 15 minutes précédant la chimiothérapie.

3. La dose prescrite est de 4 mg d'ondansétron pour chaque dose. En vérifiant la fenêtre thérapeutique calculée ci-dessus, l'infirmière constate que la dose prescrite se situe dans cet intervalle de la dose minimale et de la dose maximale. Elle est sécuritaire pour un enfant dont la surface corporelle est de 1,2 m².

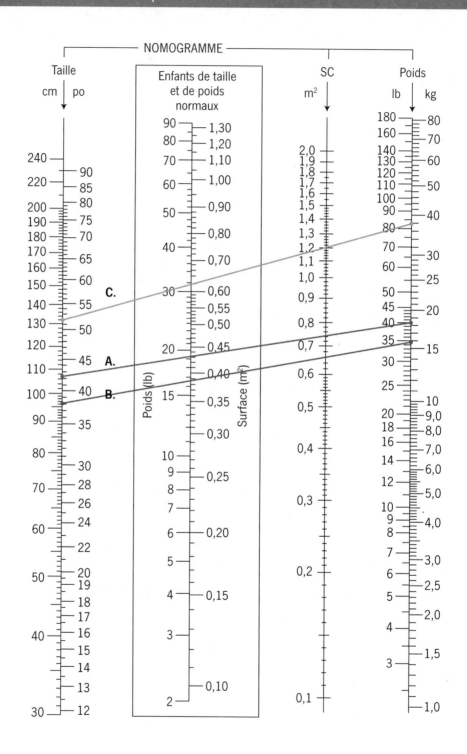

NOMOGRAMME

Taille

cm | po

Enfants de taille
et de poids
normaux

SC

m²

Poids

lb | kg

## 6.20

Dose prescrite : 135 mg de clarithromycine

Teneur du médicament disponible : 125 mg

Volume de médicament disponible : 5 mL

Quantité de médicament à administrer en mL : x mL

**Méthode de la formule**

$$\frac{135 \cancel{\text{mg}} \times 5 \text{ mL}}{125 \cancel{\text{mg}}} = 5,4 \text{ mL}$$

**Méthode du rapport-proportion**

$$\frac{125 \text{ mg}}{5 \text{ mL}} = \frac{135 \text{ mg}}{x \text{ mL}}$$

$$x \text{ mL} \times 125 \text{ mg} = 5 \text{ mL} \times 135 \text{ mg}$$

$$x \text{ mL} = \frac{5 \text{ mL} \times 135 \cancel{\text{mg}}}{125 \cancel{\text{mg}}}$$

$$x \text{ mL} = 5,4 \text{ mL}$$

Administrer 5,4 mL de clarithromycine à l'aide d'une seringue de 10 mL.

## 6.21

Dose prescrite : 120 mg d'acétaminophène

Teneur du médicament disponible : 80 mg

Volume de médicament disponible : 1 mL

Quantité de médicament à administrer en mL : x mL

**Méthode de la formule**

$$\frac{120 \cancel{\text{mg}} \times 1 \text{ mL}}{80 \cancel{\text{mg}}} = 1,5 \text{ mL}$$

**Méthode du rapport-proportion**

$$\frac{80 \text{ mg}}{1 \text{ mL}} = \frac{120 \text{ mg}}{x \text{ mL}}$$

$$x \text{ mL} \times 80 \text{ mg} = 1 \text{ mL} \times 120 \text{ mg}$$

$$x \text{ mL} = \frac{1 \text{ mL} \times 120 \text{ mg}}{80 \text{ mg}}$$

$$x \text{ mL} = 1,5 \text{ mL}$$

Administrer 1,5 mL d'acétaminophène à l'aide d'une seringue de 3 mL.

---

**6.22**

**A.** Dose prescrite : 1,5 mg d'hydromorphone

Teneur du médicament disponible : 1 mg

Volume de médicament disponible : 1 mL

Quantité de médicament à administrer en mL : x mL

**Méthode de la formule**

$$\frac{1,5 \text{ mg} \times 1 \text{ mL}}{1 \text{ mg}} = 1,5 \text{ mL}$$

**Méthode du rapport-proportion**

$$\frac{1 \text{ mg}}{1 \text{ mL}} = \frac{1,5 \text{ mg}}{x \text{ mL}}$$

$$x \text{ mL} \times 1 \text{ mg} = 1 \text{ mL} \times 1,5 \text{ mg}$$

$$x \text{ mL} = \frac{1 \text{ mL} \times 1,5 \text{ mg}}{1 \text{ mg}}$$

$$x \text{ mL} = 1,5 \text{ mL}$$

Administrer 1,5 mL d'hydromorphone à l'aide d'une seringue de 3 mL.

---

**B.** Dose prescrite : 300 mg d'érythromycine

Teneur du médicament disponible : 250 mg

Volume de médicament disponible : 5 mL

Quantité de médicament à administrer en mL : x mL

**Méthode de la formule**

$$\frac{300 \; \cancel{mg} \times 5 \; mL}{250 \; \cancel{mg}} = 6 \; mL$$

**Méthode du rapport-proportion**

$$\frac{250 \; mg}{5 \; mL} = \frac{300 \; mg}{x \; mL}$$

$$x \; mL \times 250 \; mg = 5 \; mL \times 300 \; mg$$

$$x \; mL = \frac{5 \; mL \times 300 \; \cancel{mg}}{250 \; \cancel{mg}}$$

$$x \; mL = 6 \; mL$$

Administrer 6 mL d'érythromycine à l'aide d'une seringue de 10 mL.

- - - - - - - - - - - - - - - - - - - - - - - - - - - - - - - - - - - - - - - - - - - - - - - - - - -

## 6.23

Dose prescrite : 72 mg de céfaclor

Teneur du médicament disponible : 125 mg

Volume de médicament disponible : 5 mL

Quantité de médicament à administrer en mL : x mL

**Méthode de la formule**

$$\frac{72 \; \cancel{mg} \times 5 \; mL}{125 \; \cancel{mg}} = 2,88 \; mL$$

**Méthode du rapport-proportion**

$$\frac{125 \text{ mg}}{5 \text{ mL}} = \frac{72 \text{ mg}}{x \text{ mL}}$$

$$x \text{ mL} = \frac{5 \text{ mL} \times 72 \text{ mg}}{125 \text{ mg}}$$

$$x \text{ mL} = 2{,}88 \text{ mL}$$

Administrer 2,88 mL de céfaclor. Il faudra arrondir à 2,9 mL afin de mesurer le volume à l'aide d'une seringue de 3 mL.

6.24

ÉTAPE 1   Collecter les données

L'infirmière valide l'ordonnance et recherche les informations pertinentes :

- Date et heure de la rédaction de l'ordonnance : **2020-04-09 à 12 h 00**
- Nom, prénom de l'enfant et date de naissance : **Montour, Mathieu né le 19 décembre 2006**
- Nom générique du médicament : **diphenhydramine**
- Dose du médicament : **50 mg**
- Voie d'administration du médicament : **voie orale**
- Fréquence de l'administration du médicament : **toutes les 4 à 6 h**
- Signature de la personne autorisée à prescrire le médicament : **D$^r$ Émile Cardin**

Les informations présentes permettent d'établir que l'ordonnance est conforme.

L'infirmière détermine le nom du médicament à administrer et recherche les informations importantes. La diphenhydramine est un antihistaminique, un hypnosédatif, un antiémétique, un antitussif et un anxiolytique. Dans la situation clinique, la diphenhydramine est prescrite pour soulager les symptômes d'allergie, soit la congestion nasale, les rougeurs aux yeux et les larmoiements. L'infirmière consulte un guide des médicaments pour connaître la dose de diphenhydramine recommandée chez les enfants. Elle lit l'information suivante :

**Voies d'administration et posologie :**

- PO (adultes et enfants > 12 ans) : antihistaminique, antiémétique et antivertigineux – de 25 mg à 50 mg, toutes les 6 heures. Hypnosédatif de 25 mg à 50 mg, de 20 à 30 minutes avant le coucher.

- PO (enfants de 6 à 12 ans) : de 12,5 mg à 25 mg, toutes les 4 à 6 heures ; au maximum 100 mg/jour

- PO (enfants de 2 à 5 ans) : 6,25 mg, toutes les 4 à 6 heures ; au maximum 4 doses/jour

- PO (enfants < 2 ans) : 3,13 mg, toutes les 4 à 6 heures ; au maximum 4 doses/jour

Vérifiez, selon la situation clinique, toutes les données pertinentes pour effectuer le calcul de la dose à préparer. Pour le calcul de la dose de diphenhydramine, il faut tenir compte du poids. Mathieu n'a pas d'allergie connue aux médicaments. Il est aussi important de considérer son âge puisqu'il faudra choisir la posologie recommandée pour les adultes et enfants de plus de 12 ans.

### ÉTAPE 2 Analyser les données

Repérez les données pertinentes qui serviront au calcul de la dose administrée : la dose prescrite, la teneur et la quantité du médicament disponible.

Mathieu a 13 ans, et la dose prescrite de 50 mg respecte la dose recommandée pour les enfants de 12 ans et plus.

Comparez la dose prescrite avec le médicament disponible afin de vous assurer que les unités de mesure sont les mêmes : la dose prescrite est en milligrammes et le médicament disponible est lui aussi en milligrammes. Les unités sont les mêmes, donc aucune conversion n'est requise.

### ÉTAPE 3 Planifier la préparation

Cette étape consiste à se préparer à réfléchir à la meilleure façon de calculer la fenêtre thérapeutique, la dose maximale par jour (si nécessaire) et la dose requise :

**Calcul de la dose** : selon la méthode de la formule ou du rapport-proportion

Sélectionnez les données nécessaires au calcul :

- Dose prescrite : 50 mg de diphenhydramine

- Teneur du médicament disponible : 25 mg

- Quantité de médicament disponible : 1 comprimé

- Âge de l'enfant : 13 ans

- Posologie recommandée : PO (adultes et enfants > 12 ans) : antihistaminique, antiémétique et antivertigineux – de 25 mg à 50 mg

### ÉTAPE 4 Calculer la dose

Transcrivez la formule et remplacez les inconnues par les données pertinentes en n'oubliant pas d'inscrire les unités de mesure.

### Méthode de la formule

$$\text{Quantité à administrer (co.)} = \frac{\text{Dose prescrite (mg)} \times \text{Quantité du médicament disponible (co.)}}{\text{Teneur du médicament disponible (mg)}}$$

$$\frac{50 \text{ mg} \times 1 \text{ co.}}{25 \text{ mg}} = 2 \text{ co.}$$

### Méthode du rapport-proportion

$$\frac{\text{Teneur du médicament disponible (mg)}}{\text{Quantité de médicament disponible (co.)}} = \frac{\text{Dose prescrite (mg)}}{x \text{ Quantité à administrer (co.)}}$$

$$\frac{25 \text{ mg}}{1 \text{ co.}} = \frac{50 \text{ mg}}{x \text{ co.}}$$

$$x \text{ co.} \times 25 \text{ mg} = 1 \text{ co.} \times 50 \text{ mg}$$

$$x \text{ co.} = \frac{1 \text{ co.} \times 50 \text{ mg}}{25 \text{ mg}}$$

$$x \text{ co.} = 2 \text{ co.}$$

**ÉTAPE 5** **Vérifier le résultat obtenu**

• Validez le résultat obtenu, le calcul est-il exact?

Si vous utilisez la méthode du rapport-proportion, vérifiez votre calcul en remplaçant la valeur de $x$ dans l'équation par la réponse obtenue.

$$\frac{25 \text{ mg}}{1 \text{ co.}} = \frac{50 \text{ mg}}{2 \text{ co.}}$$

$$2 \times 25 = 1 \times 50$$

$$50 = 50$$

• Utilisez votre jugement: le résultat est-il vraisemblable? Puisque chaque comprimé a une teneur de 25 mg, si on administre 2 comprimés, on administre 2 fois 25 mg, ce qui correspond à la dose prescrite de 50 mg. Il est vraisemblable pour un enfant de 13 ans de recevoir 2 comprimés de diphenhydramine. Il est capable d'avaler des comprimés. Cette dose est la dose recommandée lorsque le médicament est utilisé comme antihistaminique. Il est donc sécuritaire d'administrer 50 mg de diphenhydramine à Mathieu.

- Puisqu'il s'agit de comprimés à avaler, l'infirmière rassemblera le matériel suivant pour administrer le médicament à Mathieu.
  - Un gobelet en papier
  - 2 comprimés de diphenhydramine
  - Une étiquette pour identifier le médicament préparé (nom, dose, voie, heure) et portant le nom et le prénom du destinataire, ainsi que sa date de naissance ou son numéro de dossier (elle collera l'étiquette sur le gobelet en papier).

## 6.25

**A.** Dose minimale : 39,5 mg ; dose maximale : 79 mg

**B.** La dose de 40 mg de Lasix prescrite est sécuritaire puisqu'elle se trouve dans l'intervalle de la fenêtre thérapeutique.

**C.** 4 mL

## 6.26

**A.** Dose minimale/jour : 450 mg, donc 150 mg/dose
Dose maximale : 900 mg/jour, donc 300 mg/dose

**B.** La dose de 180 mg de céfazoline prescrite est sécuritaire puisqu'elle se trouve dans l'intervalle de la fenêtre thérapeutique.

**C.** 3,6 mL

**6.27**

**A.** Dose minimale : 1026 mg/jour, donc 256,5 mg/dose

Dose maximale : 2052 mg/jour, donc 513 mg/dose

**B.** La dose de 400 mg d'ampicilline prescrite est sécuritaire puisqu'elle se trouve dans l'intervalle de la fenêtre thérapeutique.

**C.** La fiole de 500 mg, car avec la dose de 400 mg, la fiole sera presque vide et il y aura moins de perte (gaspillage) de médicament.

**D.**
$$\frac{100 \text{ mg}}{1 \text{ mL}} = \frac{400 \text{ mg}}{x \text{ mL}}$$

$$x \text{ mL} = \frac{1 \text{ mL} \times 400 \text{ mg}}{100 \text{ mg}}$$

$$x \text{ mL} = 4 \text{ mL}$$

**E.** Ajouter 6 mL de NaCl 0,9 % pour injection pour obtenir un volume total de 10 mL.

## 6.28

Les besoins pour un enfant pesant 10 kg et moins sont de 100 mL/kg.

$$5200 \text{ g} = 5,2 \text{ kg}$$

$$\frac{5,2 \text{ kg}}{1 \text{ kg}} \times 100 \text{ mL} = 520 \text{ mL par jour}$$

Son soluté perfuse à 15 mL/h. Il y a 24 heures dans une journée, donc 15 mL × 24 = 360 mL. Son soluté ne couvre pas ses besoins liquidiens quotidiens, mais il a bu 160 mL. On doit additionner cette quantité aux 360 mL reçus de la perfusion, ce qui donne 360 mL + 160 mL = 520 mL. Ses besoins sont alors comblés.

## 6.29

Pourcentage de perte de poids :

Convertissez 62 livres en kilogrammes = 62 ÷ 2,2 = 28,2 kg

$$28,2 \text{ kg} - 27,4 \text{ kg} = 0,8 \text{ kg}$$

$$\frac{0,8 \text{ kg}}{28,2 \text{ kg}} \times 100 = 2,84 \text{ %}$$

Débit de la perfusion : formule à utiliser : 60 mL/h + 1 mL/kg/h pour chaque kg > 20 kg

$$27,4 \text{ kg} - 20 \text{ kg} = 7,4 \text{ kg}$$

$$\frac{1 \text{ mL} \times 7,4 \cancel{\text{ kg}}}{1 \cancel{\text{ kg}}} = 7,4 \text{ mL}$$

$$60 \text{ mL/h} + 7,4 \text{ mL/h} = 67,4 \text{ mL/h}$$

Débit horaire du soluté à 67,4 mL/h

**6.30**

Poids de Gabriel : 40 kg

Il faut considérer la formule suivante pour les besoins hydriques horaires 60 mL/h + 1 mL/kg/h pour chaque kg > 20 kg pour effectuer notre calcul.

60 mL/h pour les premiers 20 kilogrammes

1 mL/kg/h pour chaque kg > 20 kg

40 kg − 20 kg = 20 kg

$$\frac{1 \text{ kg}}{1 \text{ mL}} = \frac{20 \text{ kg}}{x \text{ mL}}$$

1 mL × 20 kg = x mL × 1 kg

$$\frac{1 \text{ mL} \times 20 \text{ kg}}{1 \text{ kg}} = \frac{1 \text{ mL} \times 20}{1} = 20 \text{ mL}$$

Additionnez 60 mL aux 20 mL pour un débit horaire total de 80 mL/h. Le débit de 80 mL/h comble ses besoins.

**6.31**

$$\sqrt{\frac{35 \text{ kg} \times 146,5 \text{ cm}}{3600 \text{ kg} \times \text{cm/m}^4}}$$

Surface corporelle : 1,4 m²

**6.32**

**A.** Dose minimale : 132,6 mcg

Dose maximale : 221 mcg

**B.** Préparer : 4 mL de digoxine

Convertissez 200 mcg en milligrammes.

$$200 \text{ mcg} = 0,2 \text{ mg}$$

$$\frac{0,05 \text{ mg}}{1 \text{ mL}} = \frac{0,2 \text{ mg}}{x \text{ mL}}$$

$$\frac{1 \text{ mL} \times 0,2 \text{ mg}}{0,05 \text{ mg}} = 4 \text{ mL}$$

---

### 6.33

**A.** L'infirmière décide d'administrer de l'acétaminophène sous forme liquide puisque l'enfant tolère bien les liquides et qu'il est trop jeune pour prendre des comprimés croquables. Si Tommy avait eu des vomissements ou était NPO, le suppositoire aurait été l'idéal.

---

**B.** Dose :

$$\frac{15 \text{ mg}}{1 \text{ kg}} = \frac{x \text{ mg}}{14,8 \text{ kg}}$$

$$\frac{14,8 \text{ kg} \times 15 \text{ mg}}{1 \text{ kg}} = 222 \text{ mg}$$

**Acétaminophène teneur 80 mg/mL**

$$\frac{222 \text{ mg} \times 1 \text{ mL}}{80 \text{ mg}} = 2,775 \text{ mL, arrondi à 2,8 mL}$$

**Acétaminophène teneur 160 mg/5 mL**

$$\frac{222 \text{ mg} \times 5 \text{ mL}}{160 \text{ mg}} = 6,9375 \text{ mL, arrondi à 6,9 mL}$$

---

**C.** L'infirmière administrera 2,8 mL, car il est préférable d'utiliser la dose avec le plus petit volume. Tommy, qui a 22 mois, pourra avaler cette quantité plus facilement que celle de 6,9 mL. Elle optimise ainsi l'efficacité de l'administration.

---

**D.** Pour administrer 2,8 mL d'acétaminophène à Tommy, il faut utiliser une seringue de 3 mL.

- - - - - - - - - - - - - - - - - - - - - - - - - - - - - - - - - - - - - - - - - - - - - - - - - - - - - - - - - - - - - - - -

**6.34**

ÉTAPE 1   **Collecter les données**

L'infirmière valide la FADM et recherche les informations pertinentes :

- Date et heure de la dernière dose : **2020-05-19 à 6 h 00**
- Nom, prénom de l'enfant et date de naissance : **Robert, Amélie, née le 5 février 2009**
- Nom générique du médicament : **tobramycine**
- Dose du médicament : **84 mg**
- Voie d'administration du médicament : **voie intraveineuse**
- Fréquence de l'administration du médicament : **toutes les 8 h**

Les informations présentes permettant d'établir que la FADM est conforme.

L'infirmière détermine le nom du médicament à administrer et recherche les informations importantes. La tobramycine est un antibiotique (aminosides) administré par voie intraveineuse pour traiter la péritonite. Les signes de toxicité sont les suivants : ototoxicité et néphrotoxicité. Il faut surveiller les creux et les pics de la concentration sérique pour éviter le surdosage et les signes de toxicité. Un échantillon de sang doit être prélevé juste avant l'administration du médicament pour déterminer le creux, et 30 minutes après la fin de la perfusion IV pour déterminer le pic. Ces prélèvements sanguins se font souvent lors de l'administration de la troisième dose. On doit aussi surveiller la fonction rénale. L'infirmière consulte un guide des médicaments pour connaître la dose recommandée de tobramycine chez les enfants. Elle note l'information suivante :

**Voies d'administration et posologie :**

- IM/IV (enfants et nourrissons plus âgés) : 6 à 7,5 mg/kg/jour en 3 ou 4 doses fractionnées aux 6 à 8 heures.

Vérifiez, selon la situation clinique, toutes les données pertinentes pour effectuer le calcul de la dose à préparer. Pour le calcul de la dose de tobramycine, il faut tenir compte du poids. Amélie est allergique au latex. Il n'y a pas de contre-indication à lui donner de la tobramycine, car elle ne contient pas de latex. L'infirmière retiendra cependant qu'il ne faudra pas utiliser de matériel en latex qui pourrait entrer en contact avec Amélie (exemple ; les gants propres ou stériles) ou lors de la préparation du médicament.

ÉTAPE 2  **Analyser les données**

Repérez les données pertinentes qui serviront au calcul de la dose administrée :
la dose prescrite, la teneur et la quantité du médicament disponible.

Comparez la dose prescrite avec le médicament disponible afin de vous assurer
que les unités de mesure sont les mêmes : la dose prescrite est en milligrammes
et le médicament disponible est lui aussi en milligrammes. Les unités sont les mêmes,
donc aucune conversion n'est requise.

ÉTAPE 3  **Planifier la préparation**

Cette étape consiste à se préparer et à réfléchir à la meilleure façon de calculer la
fenêtre thérapeutique, la dose maximale par jour (si nécessaire) et la dose requise :

**Calculs** : selon la méthode de la formule ou du rapport-proportion

Sélectionnez les données nécessaires aux calculs :

- Dose prescrite : 120 mg de tobramycine
- Teneur du médicament disponible : 40 mg
- Volume de médicament disponible : 1 mL
- Âge de l'enfant : 11 ans
- Poids de l'enfant : 35,3 kg
- Posologie recommandée : IM, IV (enfants et nourrissons plus âgés) :
  6 à 7,5 mg/kg/jour en 3 ou 4 doses fractionnées toutes les 6 à 8 heures.

ÉTAPE 4  **Calculer la dose**

Transcrivez la formule et remplacez les inconnues par les données pertinentes
en n'oubliant pas d'inscrire les unités de mesure.

**Fenêtre thérapeutique** (calculée ici avec la méthode de la formule, mais on obtient
la même réponse avec la méthode du rapport-proportion)

**Dose minimale** : 6 mg/kg/jour

$$x \text{ Dose minimale pour l'enfant (mg)} = \frac{\text{Dose minimale recommandée (mg)} \times \text{Poids de l'enfant (kg)}}{1 \text{ kg}}$$

$$x \text{ mg} = \frac{6 \text{ mg} \times 35,3 \, \cancel{\text{kg}}}{1 \, \cancel{\text{kg}}}$$

$$x \text{ mg} = 211,8 \text{ mg/jour}$$

Divisez par 3 pour obtenir la dose à administrer toutes les 8 heures = 70,6 mg/dose

Dose minimale : 70,6 mg toutes les 8 heures

**Dose maximale** : 7,5 mg/kg/jour

$$x \text{ Dose maximale pour l'enfant (mg)} = \frac{\text{Dose maximale recommandée (mg)} \times \text{Poids de l'enfant (kg)}}{1 \text{ kg}}$$

$$x \text{ mg} = \frac{7,5 \text{ mg} \times 35,3 \text{ kg}}{1 \text{ kg}}$$

$$x \text{ mg} = 264,75 \text{ mg/jour}$$

Divisez par 3 pour obtenir une dose à administrer toutes les 8 heures = 88,25 mg

Dose maximale : 88,25 mg toutes les 8 heures

La dose prescrite indiquée dans la FADM est de 84 mg de tobramycine pour chaque dose. En vérifiant la fenêtre thérapeutique calculée ci-dessus, l'infirmière constate que la dose prescrite se situe dans l'intervalle de la dose minimale et de la dose maximale et qu'elle est sécuritaire pour un enfant de 35,3 kg.

**Dose**
- **Méthode de la formule**

$$\text{Volume à administrer (mL)} = \frac{\text{Dose prescrite (mg)} \times \text{Volume du médicament disponible (mL)}}{\text{Teneur du médicament disponible (mg)}}$$

$$\text{Volume à administrer (mL)} = \frac{84 \text{ mg} \times 1 \text{ mL}}{40 \text{ mg}}$$

$$x \text{ mL} = 2,1 \text{ mL}$$

- **Méthode du rapport-proportion**

$$\frac{\text{Teneur du médicament disponible (mg)}}{\text{Volume du médicament disponible (mL)}} = \frac{\text{Dose prescrite (mg)}}{x \text{ Volume à administrer (mL)}}$$

$$\frac{40 \text{ mg}}{1 \text{ mL}} = \frac{84 \text{ mg}}{x \text{ mL}}$$

$$x \text{ mL} \times 40 \text{ mg} = 1 \text{ mL} \times 84 \text{ mg}$$

$$x \text{ mL} = \frac{1 \text{ mL} \times 84 \text{ mg}}{40 \text{ mg}}$$

$$x \text{ mL} = 2,1 \text{ mL}$$

**ÉTAPE 5** **Vérifier le résultat obtenu**

Validez le résultat obtenu. Le calcul est-il exact ?

Si vous utilisez la méthode du rapport-proportion, vérifiez votre calcul en remplaçant la valeur de x dans l'équation par la réponse obtenue.

$$\frac{40 \text{ mg}}{1 \text{ mL}} = \frac{84 \text{ mg}}{2,1 \text{ mL}}$$

$$2,1 \times 40 = 1 \times 84$$

$$84 = 84$$

Utilisez votre jugement : le résultat est-il vraisemblable ? La teneur de la tobramycine est de 40 mg dans un volume de 1 mL. La dose de 84 mg est supérieure à 40 mg donc le volume de la tobramycine sera probablement supérieur à 1 mL. La dose a été vérifiée préalablement et elle se situe à l'intérieur de la fenêtre thérapeutique recommandée. Il est donc sécuritaire d'administrer une dose de 55 mg de tobramycine à Amélie.

Puisqu'il s'agit d'un médicament à administrer par voie intraveineuse, l'infirmière rassemblera le matériel suivant pour préparer le médicament à Amélie.

- Une seringue de 3 mL
- Une aiguille de longueur et de calibre appropriés pour prélever la tobramycine dans la fiole
- La fiole de tobramycine 80 mg/2 mL
- Des tampons d'alcool
- Un minisac de 25 mL de D 5 % ou de NaCl 0,9 %
- Une étiquette pour identifier le médicament préparé (nom, dose, voie, heure) et portant le nom et le prénom du destinataire, ainsi que sa date de naissance ou son numéro de dossier (elle collera l'étiquette sur le minisac).

### 6.35

Avant de préparer le médicament, il faut vérifier si la dose prescrite est sécuritaire. Il faut d'abord vérifier la fenêtre thérapeutique.

Convertissez les livres en kilogrammes.

Rosalie pèse 32 lb et 7 oz.

Convertissez d'abord en fraction de livre la partie exprimée en onces.

$$\frac{16 \text{ oz}}{1 \text{ lb}} = \frac{7 \text{ oz}}{x \text{ lb}}$$

$$x \text{ lb} = \frac{1 \text{ lb} \times 7 \text{ oz}}{16 \text{ oz}}$$

$$x \text{ lb} = 0,4375 \text{ lb à ajouter à } 32 \text{ lb} = 32,4375 \text{ lb}$$

Convertissez les livres en kilogrammes.

$$\frac{1 \text{ kg}}{2,2 \text{ lb}} = \frac{x \text{ kg}}{32,4375 \text{ lb}}$$

$$x \text{ kg} = \frac{1 \text{ kg} \times 32,4375 \text{ lb}}{2,2 \text{ lb}}$$

$$x \text{ kg} = 14,7443 \text{ kg}$$

$$x \text{ kg} = 14,7 \text{ kg}$$

**Dose minimale** : 25 mg/kg/dose

$$\frac{25 \text{ mg}}{1 \text{ kg}} = \frac{x \text{ mg}}{14,7 \text{ kg}}$$

$$x \text{ mg} = \frac{14,7 \; \cancel{\text{kg}} \times 25 \text{ mg}}{1 \; \cancel{\text{kg}}}$$

$$x \text{ mg} = 367,5 \text{ mg}$$

Dose minimale : 367,5 mg

**Dose maximale** : 37,5 mg/kg/dose

$$\frac{37,5 \text{ mg}}{1 \text{ kg}} = \frac{x \text{ mg}}{14,7 \text{ kg}}$$

$$x \text{ mg} = \frac{14,7 \; \cancel{\text{kg}} \times 37,5 \text{ mg}}{1 \; \cancel{\text{kg}}}$$

$$x \text{ mg} = 551,25 \text{ mg}$$

Dose maximale : 551,25 mg

L'ordonnance indique 700 mg q 12 h et il est recommandé de donner jusqu'à 551,25 mg q 12 h de ceftriaxone. La dose prescrite n'est pas adéquate. L'infirmière décide de ne pas administrer la dose et avise le médecin. L'infirmière rapporte son constat et sa démarche dans ses notes d'évolution.

**6.36**

**A.** La fiole de 1000 mg, car la dose est de 450 mg.

**B.** Dose prescrite : 450 mg de ceftriaxone

Concentration 100 mg/mL

**Méthode de la formule**

$$\frac{450 \text{ mg} \times 1 \text{ mL}}{100 \text{ mg}} = \frac{45 \times 1 \text{ mL}}{10} = 4,5 \text{ mL}$$

**Méthode du rapport-proportion**

$$\frac{100 \text{ mg}}{1 \text{ mL}} = \frac{450 \text{ mg}}{x \text{ mL}}$$

$$\frac{1 \text{ mL} \times 450 \text{ mg}}{100 \text{ mg}} = 4,5 \text{ mL}$$

Volume : 4,5 mL

**C.** Diluer dans un minisac de 25 mL de D 5 % ou NS

**D.** 59 mL/h

Volume à perfuser :

Minisac de 25 mL de D 5 % ou NS + 4,5 mL de ceftriaxone = 29,5 mL

Durée de la perfusion : 30 minutes

$$1 \text{ heure} = 60 \text{ min}$$

$$\frac{29,5 \text{ mL}}{30 \text{ min}} = \frac{x \text{ mL}}{60 \text{ min}}$$

$$\frac{29,5 \text{ mL} \times 60 \text{ min}}{30 \text{ min}} = 59 \text{ mL}$$

Débit de la perfusion pour l'administration de l'antibiotique ceftriaxone : 59 mL/h

## 7.1

**Méthode de la formule**

**A.** $\dfrac{\dfrac{12\ mg}{h}}{250\ mg} \times 250\ mL = 12\dfrac{mL}{h}$

Réponse : 12 mL/h

**B.** $\dfrac{\dfrac{3\ mg}{h}}{100\ mg} \times 100\ mL = 3\dfrac{mL}{h}$

Réponse : 3 mL/h

**C.** $\dfrac{\dfrac{1\ g}{h}}{5\ g} \times 250\ mL = 50\dfrac{mL}{h}$

Réponse : 50 mL/h

**Méthode du rapport-proportion**

**A.** $\dfrac{250\ mg}{250\ mL} = \dfrac{\dfrac{12\ mg}{h}}{\dfrac{x\ mL}{h}}$

Réponse : 12 mL/h

**B.** $\dfrac{100\ mg}{100\ mL} = \dfrac{\dfrac{3\ mg}{h}}{\dfrac{x\ mL}{h}}$

Réponse : 3 mL/h

**C.** $\dfrac{5\ g}{250\ mL} = \dfrac{\dfrac{1\ g}{h}}{\dfrac{x\ mL}{h}}$

Réponse : 50 mL/h

## 7.2

**Méthode de la formule**

**A.** $\dfrac{\dfrac{2,1\ mg}{h}}{50\ mg} \times 100\ mL = x\dfrac{mL}{h}$

Réponse : 4,2 mL/h

**B.** $\dfrac{\dfrac{3\ mg}{h}}{50\ mg} \times 100\ mL = x\dfrac{mL}{h}$

Réponse : 6 mL/h

**C.** $\dfrac{\dfrac{0,5\ g}{h}}{1\ g} \times 50\ mL = x\dfrac{mL}{h}$

Réponse : 25 mL/h

**Méthode du rapport-proportion**

**A.** $\dfrac{50\ mg}{100\ mL} = \dfrac{\dfrac{2,1\ mg}{h}}{\dfrac{x\ mL}{h}}$

Réponse : 4,2 mL/h

**B.** $\dfrac{50\ mg}{100\ mL} = \dfrac{\dfrac{3\ mg}{h}}{\dfrac{x\ mL}{h}}$

Réponse : 6 mL/h

**C.** $\dfrac{1\ g}{50\ mL} = \dfrac{\dfrac{0,5\ g}{h}}{\dfrac{x\ mL}{h}}$

Réponse : 25 mL/h

**7.3**

**Méthode de la formule**

**A.** $\dfrac{\dfrac{200 \text{ mg}}{h}}{1000 \text{ mg}} \times 100 \text{ mL} = 20 \dfrac{\text{mL}}{h}$

ou $\dfrac{\dfrac{0,2 \text{ g}}{h}}{1 \text{ g}} \times 100 \text{ mL} = 20 \dfrac{\text{mL}}{h}$

Réponse : 20 mL/h

**B.** $\dfrac{\dfrac{0,8 \text{ mg}}{h}}{5 \text{ mg}} \times 50 \text{ mL} = 8 \dfrac{\text{mL}}{h}$

Réponse : 8 mL/h

**C.** $\dfrac{\dfrac{150 \text{ mg}}{h}}{300 \text{ mg}} \times 100 \text{ mL} = \dfrac{50 \text{ mL}}{h}$

Réponse : 50 mL/h

**Méthode du rapport-proportion**

**A.** $\dfrac{1000 \text{ mg}}{100 \text{ mL}} = \dfrac{\dfrac{200 \text{ mg}}{h}}{\dfrac{x \text{ mL}}{h}}$

Réponse : 20 mL/h

**B.** $\dfrac{5 \text{ mg}}{50 \text{ mL}} = \dfrac{\dfrac{0,8 \text{ mg}}{h}}{\dfrac{x \text{ mL}}{h}}$

Réponse : 8 mL/h

**C.** $\dfrac{300 \text{ mg}}{100 \text{ mL}} = \dfrac{\dfrac{150 \text{ mg}}{h}}{\dfrac{x \text{ mL}}{h}}$

Réponse : 50 mL/h

**7.4**

**Méthode de la formule**

**A.** $\dfrac{\dfrac{0,02 \text{ mg}}{\text{min}}}{50 \text{ mg}} \times 250 \text{ mL} \times 60 \dfrac{\text{min}}{h} = \dfrac{6 \text{ mL}}{h}$

Réponse : 6 mL

**B.** $\dfrac{\dfrac{3 \text{ mg}}{\text{min}}}{1000 \text{ mg}} \times 500 \text{ mL} \times 60 \dfrac{\text{min}}{h} = \dfrac{90 \text{ mL}}{h}$

Réponse : 90 mL/h

**C.** $\dfrac{\dfrac{150 \text{ mg}}{\text{min}}}{5000 \text{ mg}} \times 100 \text{ mL} \times 60 \dfrac{\text{min}}{h} = \dfrac{180 \text{ mL}}{h}$

Réponse : 180 mL/h

**Méthode du rapport-proportion**
(n'oubliez pas de convertir les mg/min en mg/h)

**A.** $\dfrac{50 \text{ mg}}{250 \text{ mL}} = \dfrac{\dfrac{1,2 \text{ mg}}{h}}{\dfrac{x \text{ mL}}{h}}$

Réponse : 6 mL

**B.** $\dfrac{1000 \text{ mg}}{500 \text{ mL}} = \dfrac{\dfrac{180 \text{ mg}}{h}}{\dfrac{x \text{ mL}}{h}}$

Réponse : 90 mL/h

**C.** $\dfrac{5000 \text{ mg}}{100 \text{ mL}} = \dfrac{\dfrac{9000 \text{ mg}}{h}}{\dfrac{x \text{ mL}}{h}}$

Réponse : 180 mL/h

**7.5**

**Méthode de la formule**

**A.** $\dfrac{\dfrac{0,5 \text{ mg}}{\text{min}}}{\dfrac{200 \text{ mg}}{250 \text{ mL}}} \times 60 \dfrac{\text{min}}{\text{h}} = \dfrac{37,5 \text{ mL}}{\text{h}}$

Réponse : 37,5 mL/h

**B.** $\dfrac{\dfrac{0,5 \text{ mg}}{\text{min}}}{\dfrac{20 \text{ mg}}{100 \text{ mL}}} \times 60 \dfrac{\text{min}}{\text{h}} = \dfrac{150 \text{ mL}}{\text{h}}$

Réponse : 150 mL/h

**C.** $\dfrac{\dfrac{50 \text{ mg}}{20 \text{ min}}}{\dfrac{50 \text{ mg}}{100 \text{ mL}}} \times 60 \dfrac{\text{min}}{\text{h}} = \dfrac{300 \text{ mL}}{\text{h}}$

Réponse : 300 mL/h

**Méthode du rapport-proportion**
(n'oubliez pas de convertir les mg/min en mg/h)

**A.** $\dfrac{200 \text{ mg}}{250 \text{ mL}} = \dfrac{\dfrac{30 \text{ mg}}{\text{h}}}{\dfrac{x \text{ mL}}{\text{h}}}$

Réponse : 37,5 mL/h

**B.** $\dfrac{20 \text{ mg}}{100 \text{ mL}} = \dfrac{\dfrac{30 \text{ mg}}{\text{h}}}{\dfrac{x \text{ mL}}{\text{h}}}$

Réponse : 150 mL/h

**C.** $\dfrac{50 \text{ mg}}{100 \text{ mL}} = \dfrac{\dfrac{150 \text{ mg}}{\text{h}}}{\dfrac{x \text{ mL}}{\text{h}}}$

Réponse : 300 mL/h

**7.6**

**Méthode de la formule**

**A.** $\dfrac{\dfrac{0,015 \text{ mg}}{\text{min}}}{50 \text{ mg}} \times 250 \text{ mL} \times 60 \dfrac{\text{min}}{\text{h}} = \dfrac{4,5 \text{ mL}}{\text{h}}$

Réponse : 4,5 mL/h

**B.** $\dfrac{\dfrac{2 \text{ mg}}{\text{min}}}{1000 \text{ mg}} \times 250 \text{ mL} \times 60 \dfrac{\text{min}}{\text{h}} = \dfrac{30 \text{ mL}}{\text{h}}$

Réponse : 30 mL/h

**C.** $\dfrac{\dfrac{4 \text{ mg}}{\text{min}}}{1000 \text{ mg}} \times 500 \text{ mL} \times 60 \dfrac{\text{min}}{\text{h}} = \dfrac{120 \text{ mL}}{\text{h}}$

Réponse : 120 mL/h

**Méthode du rapport-proportion**
(n'oubliez pas de convertir les mg/min en mg/h)

**A.** $\dfrac{50 \text{ mg}}{250 \text{ mL}} = \dfrac{\dfrac{0,9 \text{ mg}}{\text{h}}}{\dfrac{x \text{ mL}}{\text{h}}}$

Réponse : 4,5 mL/h

**B.** $\dfrac{1000 \text{ mg}}{250 \text{ mL}} = \dfrac{\dfrac{120 \text{ mg}}{\text{h}}}{\dfrac{x \text{ mL}}{\text{h}}}$

Réponse : 30 mL/h

**C.** $\dfrac{1000 \text{ mg}}{500 \text{ mL}} = \dfrac{\dfrac{240 \text{ mg}}{\text{h}}}{\dfrac{x \text{ mL}}{\text{h}}}$

Réponse : 120 mL/h

## 7.7

**A.** $\dfrac{^{1}\cancel{50}\text{ mg}}{^{10}\cancel{500\text{ mL}}} \times 12\,\dfrac{\cancel{mL}}{\cancel{h}} \times \dfrac{\cancel{h}}{60\text{ min}} = \dfrac{0,02\text{ mg}}{\text{min}}$ ou 20 mcg/min

**B.** $\dfrac{\cancel{1000}\text{ mg}}{\cancel{1000\text{ mL}}} \times \cancel{60}\,\dfrac{\cancel{mL}}{\cancel{h}} \times \dfrac{\cancel{h}}{\cancel{60}\text{ min}} = \dfrac{1\text{ mg}}{\text{min}}$ ou 1000 mcg/min

**C.** $\dfrac{^{1}\cancel{20}\text{ mg}}{^{5}\cancel{100\text{ mL}}} \times 1,5\,\dfrac{\cancel{mL}}{\cancel{h}} \times \dfrac{\cancel{h}}{60\text{ min}} = \dfrac{0,005\text{ mg}}{\text{min}}$ ou 5 mcg/min

## 7.8

**A.** $\dfrac{\cancel{1000}\text{ mg}}{\cancel{500\text{ mL}}} \times {}^{1}\cancel{30}\,\dfrac{\cancel{mL}}{\cancel{h}} \times \dfrac{\cancel{h}}{{}^{2}\cancel{60}\text{ min}} = \dfrac{1\text{ mg}}{\text{min}}$ ou 1000 mcg/min

**B.** $\dfrac{^{4}\cancel{1000}\text{ mg}}{\cancel{250\text{ mL}}} \times {}^{3}\cancel{45}\,\dfrac{\cancel{mL}}{\cancel{h}} \times \dfrac{\cancel{h}}{{}^{4}\cancel{60}\text{ min}} = \dfrac{3\text{ mg}}{\text{min}}$ ou 3000 mcg/min

**C.** $\dfrac{\cancel{200}\text{ mg}}{\cancel{250\text{ mL}}} \times {}^{1}\cancel{15}\,\dfrac{\cancel{mL}}{\cancel{h}} \times \dfrac{\cancel{h}}{{}^{4}\cancel{60}\text{ min}} = \dfrac{0,2\text{ mg}}{\text{min}}$ ou 200 mcg/min

## 7.9

**A.** $\dfrac{^{1}\cancel{50}\text{ mg}}{^{5}\cancel{250\text{ mL}}} \times {}^{1}\cancel{15}\,\dfrac{\cancel{mL}}{\cancel{h}} \times \dfrac{\cancel{h}}{{}^{4}\cancel{60}\text{ min}} = \dfrac{0,05\text{ mg}}{\text{min}}$ ou 50 mcg/min

**B.** $\dfrac{200\cancel{0}\text{ mg}}{250\cancel{\text{ mL}}} \times 22{,}5\dfrac{\cancel{\text{mL}}}{\cancel{\text{h}}} \times \dfrac{\cancel{\text{h}}}{60\text{ min}} = \dfrac{3\text{ mg}}{\text{min}}$ ou 3000 mcg/min

**C.** $\dfrac{100\cancel{0}\text{ mg}}{250\cancel{\text{ mL}}} \times {}^{3}\cancel{90}\dfrac{\cancel{\text{mL}}}{\cancel{\text{h}}} \times \dfrac{\cancel{\text{h}}}{{}^{2}\cancel{60}\text{ min}} = \dfrac{6\text{ mg}}{\text{min}}$ ou 6000 mcg/min

**7.10**

**A.**

$\dfrac{\dfrac{3\text{ mcg}}{\text{kg}}}{\text{min}} \times \dfrac{60\text{ min}}{\text{h}} \times 72\text{ kg} = 12\,960\,\dfrac{\text{mcg}}{\text{h}} = 12{,}96\text{ mg/h}$

$\dfrac{12{,}96\text{ mg}}{\text{h}} \times \dfrac{1000\text{ mL}}{50\text{ mg}} = 259{,}2\dfrac{\text{mL}}{\text{h}}$, arrondi à 259 mL/h

**B.**

$\dfrac{\dfrac{0{,}005\text{ mg}}{\text{kg}}}{\text{min}} \times \dfrac{60\text{ min}}{\text{h}} \times 101\text{ kg} = 30{,}3\text{ mg/h}$

$\dfrac{30{,}3\text{ mg}}{\text{h}} \times \dfrac{100\text{ mL}}{1000\text{ mg}} = 3{,}03\dfrac{\text{mL}}{\text{h}}$, arrondi à 3,0 mL/h

**C.** $\dfrac{250\text{ mL}}{15\text{ min}} \times \dfrac{60\text{ min}}{\text{h}} = 1000\text{ mL/h}$

La dose sera de 10 200 mg, mais pour répondre à ce numéro, vous n'avez pas besoin de tenir compte du poids, puisque le volume de 250 mL doit être administré complètement en 15 minutes. C'est la teneur qui va varier avec le poids et non pas le volume. Certaines pompes volumétriques devront être programmées à 999 mL/h, car c'est le débit maximal possible.

**7.11**

**A.**

$$\dfrac{\dfrac{5 \text{ mcg}}{\text{kg}}}{\text{min}} \times 82 \text{ kg} \times \dfrac{60 \text{ min}}{\text{h}} = 24\,600 \dfrac{\text{mcg}}{\text{h}} = 24{,}6 \text{ mg/h}$$

$$\dfrac{24{,}6 \text{ mg}}{\text{h}} \times \dfrac{500 \text{ mL}}{400 \text{ mg}} = 30{,}75 \text{, arrondi à } 30{,}8 \text{ mL/h}$$

**B.**

$$\dfrac{\dfrac{50 \text{ mcg}}{\text{kg}}}{\text{min}} \times 98 \text{ kg} \times \dfrac{60 \text{ min}}{\text{h}} = 294\,000 \dfrac{\text{mcg}}{\text{h}} = 294 \text{ mg/h}$$

$$\dfrac{294 \text{ mg}}{\text{h}} \times \dfrac{500 \text{ mL}}{800 \text{ mg}} = 183{,}75 \text{, arrondi à } 183{,}8 \text{ mL/h}$$

Avec certaines pompes volumétriques, il peut être nécessaire d'arrondir aux unités lorsque le débit est supérieur à 100 mL/h. La réponse arrondie serait alors 184 mL/h.

**C.**

$$\dfrac{\dfrac{0{,}5 \text{ mcg}}{\text{kg}}}{\text{min}} \times 88 \text{ kg} \times \dfrac{60 \text{ min}}{\text{h}} = 2640 \dfrac{\text{mcg}}{\text{h}} = 2{,}64 \text{ mg/h}$$

$$\dfrac{2{,}64 \text{ mg}}{\text{h}} \times \dfrac{50 \text{ mL}}{50 \text{ mg}} = 2{,}64 \text{ mL/h, arrondi à } 2{,}6 \text{ mL/h}$$

**7.12**

**A.**

$$\dfrac{\dfrac{7{,}5 \text{ mcg}}{\text{kg}}}{\text{min}} \times 102 \text{ kg} \times \dfrac{60 \text{ min}}{\text{h}} = 45\,900 \dfrac{\text{mcg}}{\text{h}} = 45{,}9 \text{ mg/h}$$

$$\dfrac{45{,}9 \text{ mg}}{\text{h}} \times \dfrac{^2 500 \text{ mL}}{^1 250 \text{ mg}} = 91{,}8 \text{ mL/h}$$

**B.**

$$\dfrac{\dfrac{50 \text{ mcg}}{\cancel{kg}}}{\cancel{min}} \times 54,5 \ \cancel{kg} \times \dfrac{60 \ \cancel{min}}{h} = \dfrac{163\ 500 \text{ mcg}}{h} = \dfrac{163,5 \text{ mg}}{h}$$

$$\dfrac{163,5 \ \cancel{mg}}{h} \times \dfrac{^1\cancel{500} \text{ mL}}{^{10}\cancel{5000} \text{ mg}} = 16,35 \text{ mL/h, arrondi à } 16,4 \text{ mL/h}$$

On ne tient pas compte des 4 minutes, car ceci représente la durée de perfusion.

**C.**

$$\dfrac{\dfrac{0,375 \text{ mcg}}{\cancel{kg}}}{\cancel{min}} \times 78 \ \cancel{kg} \times \dfrac{60 \ \cancel{min}}{h} = 1755 \dfrac{\text{mcg}}{h} = \dfrac{1,755 \text{ mg}}{h}$$

$$\dfrac{1,755 \ \cancel{mg}}{h} \times \dfrac{^{10}\cancel{200} \text{ mL}}{^1\cancel{20} \ \cancel{mg}} = 17,55 \text{ mL/h, arrondi à } 17,6 \text{ mL/h}$$

**7.13**

**A.**

$$\dfrac{50 \text{ mg}}{1000 \text{ mL}} = \dfrac{0,05 \text{ mg}}{\text{mL}}$$

$$\left( \dfrac{0,05 \text{ mg}}{\cancel{mL}} \times \dfrac{^1\cancel{6} \ \cancel{mL}}{\cancel{h}} \times \dfrac{1 \ \cancel{h}}{^{10}\cancel{60} \text{ min}} \right) \div 75 \text{ kg} = 0,000\ 066\ 7 \dfrac{\dfrac{\text{mg}}{\text{kg}}}{\text{min}} = 0,0\overline{6} \text{ mcg/kg/min,}$$

arrondi à 0,07 mcg/kg/min

**B.**

$$\dfrac{1000 \text{ mg}}{100 \text{ mL}} = \dfrac{10 \text{ mg}}{\text{mL}}$$

$$\left( \dfrac{10 \ \cancel{mg}}{\cancel{mL}} \times \dfrac{26 \ \cancel{mL}}{\cancel{h}} \times \dfrac{1 \ \cancel{h}}{60 \text{ min}} \right) \div 109 \text{ kg} = 0,039\ 755\ 4 \dfrac{\dfrac{\text{mg}}{\text{kg}}}{\text{min}},$$

arrondi à 0,04 mg/kg/min ou 39,76 mcg/kg/min

C.
$$\frac{2900 \text{ mg}}{500 \text{ mL}} = \frac{5,8 \text{ mg}}{\text{mL}}$$

$$\left(\frac{5,8 \text{ mg}}{\text{mL}} \times \frac{125 \text{ mL}}{\text{h}} \times \frac{1 \text{ h}}{60 \text{ min}}\right) \div 58 \text{ kg} = 0,208\overline{3} \frac{\frac{\text{mg}}{\text{kg}}}{\text{min}},$$

arrondi à 0,21 mg/kg/min ou 208,33 mcg/kg/min

7.14

A.
$$\frac{800 \text{ mg}}{500 \text{ mL}} = \frac{1,6 \text{ mg}}{\text{mL}}$$

$$\left(\frac{1,6 \text{ mg}}{\text{mL}} \times \frac{126 \text{ mL}}{\text{h}} \times \frac{1 \text{ h}}{60 \text{ min}}\right) \div 84 \text{ kg} = 0,04 \text{ mg/kg/min ou } 40 \text{ mcg/kg/min}$$

B.
$$\frac{400 \text{ mg}}{500 \text{ mL}} = \frac{0,8 \text{ mg}}{\text{mL}}$$

$$\left(\frac{0,8 \text{ mg}}{\text{mL}} \times \frac{36 \text{ mL}}{\text{h}} \times \frac{1 \text{ h}}{60 \text{ min}}\right) \div 96 \text{ kg} = 0,005 \text{ mg/kg/min ou } 5 \text{ mcg/kg/min}$$

C.
$$\frac{50 \text{ mg}}{50 \text{ mL}} = \frac{1 \text{ mg}}{\text{mL}}$$

$$\left(\frac{1 \text{ mg}}{\text{mL}} \times \frac{12 \text{ mL}}{\text{h}} \times \frac{1 \text{ h}}{60 \text{ min}}\right) \div 118 \text{ kg} = 0,001 \text{ } 694 \text{ mg/kg/min ou } 1,69 \text{ mcg/kg/min}$$

**7.15**

**A.**
$$\frac{250 \text{ mg}}{1000 \text{ mL}} = \frac{0,25 \text{ mg}}{\text{mL}}$$

$$\left(\frac{0,25 \text{ mg}}{\text{mL}} \times \frac{86 \text{ mL}}{\text{h}} \times \frac{1 \text{ h}}{60 \text{ min}}\right) \div 72 \text{ kg} = 0,004\ 976 \text{ mg/kg/min ou } 4,976 \text{ mcg/kg/min}$$

Arrondissez la réponse à 0,004 98 mg/kg/min ou 4,98 mcg/kg/min

**B.**
$$\frac{5000 \text{ mg}}{500 \text{ mL}} = \frac{10 \text{ mg}}{\text{mL}}$$

$$\left(\frac{10 \text{ mg}}{\text{mL}} \times \frac{27 \text{ mL}}{\text{h}} \times \frac{1 \text{ h}}{60 \text{ min}}\right) \div 60 \text{ kg} = 0,075 \text{ mg/kg/min ou } 75 \text{ mcg/kg/min}$$

**C.**
$$\frac{20 \text{ mg}}{100 \text{ mL}} = \frac{0,2 \text{ mg}}{\text{mL}}$$

$$\left(\frac{0,2 \text{ mg}}{\text{mL}} \times \frac{15 \text{ mL}}{\text{h}} \times \frac{1 \text{ h}}{60 \text{ min}}\right) \div 85,5 \text{ kg} = 0,000\ 584\ 8 \text{ mg/kg/min ou } 0,5848 \text{ mcg/kg/min}$$

Arrondissez la réponse à 0,000 58 mg/kg/min ou 0,58 mcg/kg/min

**7.16**

**A.** $\dfrac{30 \text{ mL}}{15 \text{ min}} = \dfrac{120 \text{ mL}}{60 \text{ min}}$ = 30 mL transfusés à 12 h 15

**B.** $\dfrac{120 \text{ mL}}{60 \text{ min}} \times 16 \text{ min}$ = 32 mL transfusés à 10 h 26

**C.** $\dfrac{100 \text{ mL}}{60 \text{ min}} \times 14 \text{ min}$ = $23,\overline{3}$ mL, arrondi à 23,3 mL, transfusés à 11 h 16

**7.17**

**A.** $\dfrac{32,5 \text{ mL}}{15 \text{ min}} = \dfrac{130 \text{ mL}}{60 \text{ min}}$ = 32,5 mL transfusés à 9 h 09

**B.** $\dfrac{60 \text{ mL}}{60 \text{ min}} \times 16 \text{ min} = 16$ mL transfusés à 2 h 48

**C.** $\dfrac{75 \text{ mL}}{60 \text{ min}} \times 17 \text{ min} = 21,25$ mL transfusés à 6 h 15, arrondi à 21,3 mL

**7.18**

**A.** $\dfrac{25 \text{ mL}}{15 \text{ min}} = \dfrac{100 \text{ mL}}{60 \text{ min}} \quad \dfrac{100 \text{ mL}}{30 \text{ min}} = \dfrac{200 \text{ mL}}{60 \text{ min}}$

100 + 25 = 125 mL transfusés à 00 h 30

**B.** $\dfrac{75 \text{ mL}}{60 \text{ min}} \times 10 \text{ min} = 12,5 \text{ mL} \quad \dfrac{100 \text{ mL}}{60 \text{ min}} \times 5 \text{ min} = 8,\overline{3} \text{ mL}$

12,5 + 8,33 = 20,83 mL transfusés à 22 h 51, arrondi à 20,8 mL

**C.** $\dfrac{60 \text{ mL}}{60 \text{ min}} \times 15 \text{ min} = 15 \text{ mL} \quad \dfrac{200 \text{ mL}}{60 \text{ min}} \times 60 \text{ min} = 200 \text{ mL}$

15 + 200 = 215 mL à 7 h 17

**7.19**

A.  $290 \text{ mL} \times \dfrac{60 \text{ min}}{200 \text{ mL}} = 87 \text{ min}$ **La transfusion se terminera à 23 h 37.**

B.  $298 \text{ mL} \times \dfrac{60 \text{ min}}{200 \text{ mL}} = 89,4 \text{ min}$ **La transfusion se terminera à 9 h 43.**

C.  $\dfrac{100 \text{ mL}}{60 \text{ min}} = \dfrac{15 \text{ mL}}{x \text{ min}} \ x = 9 \text{ min}$ **La transfusion se terminera à 17 h 18.**

**7.20**

A.  $308 \text{ mL} - \left( \dfrac{100 \text{ mL}}{60 \text{ min}} \times 15 \text{ min} \right) = 283 \text{ mL}$

$283 \text{ mL} \times \dfrac{60 \text{ min}}{200 \text{ mL}} = 84,9 \text{ min restantes, soit } 1 \text{ h } 24 + 15 \text{ minutes} = 1 \text{ h et } 39 \text{ min}$
**La transfusion se terminera à 11 h 49.**

B.  $13 \text{ mL} \times \dfrac{60 \text{ min}}{100 \text{ mL}} = 7,8 \text{ min}$ Tronquez à 7 min. **La transfusion se terminera à 00 h 05.**

C.  $\dfrac{200 \text{ mL}}{60 \text{ min}} = \dfrac{275 \text{ mL}}{82,5 \text{ min}}$ Tronquez à 82 min. **La transfusion se terminera à 22 h 44.**

## 7.21

**A.** $328 \text{ mL} \times \dfrac{60 \text{ min}}{200 \text{ mL}} = 98,4$ min, auxquelles on ajoute 15 minutes ; la durée totale de

la perfusion est de 113,4 min soit 1 h 53. **La transfusion se terminera à 01 h 41.**

**B.** $170 \text{ mL} \times \dfrac{60 \text{ min}}{200 \text{ mL}} = 51$ min plus tard, auxquelles on ajoute 15 minutes,

pour un total de 66 min. **La perfusion se terminera à 5 h 28.**

**C.** $\dfrac{100 \text{ mL}}{60 \text{ min}} = \dfrac{341 \text{ mL}}{204,6 \text{ min}}$ La durée de perfusion sera de 204,6 min,

donc de 3 h 24 min. **La transfusion se terminera à 13 h 42.**

## 7.22

**A.** 75 mL/h + 8 mL/h + 120 mL/h = 203 mL/h

**B.** 66 mL/h + 6 mL/h = 72 mL/h

## 7.23

**A.** 125 mL/h − (80 mL/h + 10 mL/h) = 35 mL/h

**B.** 125 mL/h − (75 mL/h) = 50 mL/h

**7.24**

**A.** 150 mL/h – (12 mL/h + 75 mL/h) = 63 mL/h jusqu'à 8 h 00

**B.** 150 mL/h – (75 mL/h) = 75 mL/h jusqu'à 20 h 00

**C.** 150 mL/h – (8 mL/h + 85 mL/h) = 57 mL/h jusqu'à 8 h 00

**7.25**

**A. Méthode de la formule**

$$\frac{0,9 \text{ g} \times 75\cancel{0 \text{ mL}}}{10\cancel{0 \text{ mL}}} = 6,75 \text{ g de NaCl à administrer}$$

**Méthode du rapport-proportion**

$$\frac{0,9 \text{ g}}{100 \text{ mL}} = \frac{x \text{ g de NaCl à administrer}}{750 \text{ mL}}$$

$$x \text{ g} = \frac{0,9 \text{ g} \times 750 \text{ mL}}{100 \text{ mL}}$$

Réponse : **6,75 g de NaCl pour 750 mL de NaCl à 0,9 %**

**B. Méthode de la formule**

$$\frac{5 \text{ g} \times 10\cancel{00 \text{ mL}}}{1\cancel{00 \text{ mL}}} = 50 \text{ g de dextrose à administrer}$$

**Méthode du rapport-proportion**

$$\frac{5 \text{ g}}{100 \text{ mL}} = \frac{x \text{ g de dextrose à administrer}}{1000 \text{ mL}}$$

Réponse : **50 g de dextrose pour 1000 mL de dextrose 5 % dans l'eau**

## C. Méthode de la formule

$$\frac{0,45 \text{ g} \times 1000 \text{ mL}}{100 \text{ mL}} = 4,5 \text{ g de NaCl à administrer}$$

### Méthode du rapport-proportion

$$\frac{0,45}{100 \text{ mL}} = \frac{x \text{ g de NaCl à administrer}}{1000 \text{ mL}}$$

Réponse : **4,5 g de NaCl pour 1000 mL de NaCl 0,45 %**

### 7.26

## A. Méthode de la formule

$$\frac{5 \text{ g} \times 1000 \text{ mL}}{100 \text{ mL}} = 50 \text{ g de dextrose}$$

### Méthode du rapport-proportion

$$\frac{5 \text{ g}}{100 \text{ mL}} = \frac{x \text{ de dextrose à administrer}}{1000 \text{ mL}}$$

Il y a 50 g de dextrose pour 1000 mL de dextrose 5 % dans NaCl 0,225 %.

### Méthode de la formule

$$\frac{0,225 \text{ g} \times 1000 \text{ mL}}{100 \text{ mL}} = 2,25 \text{ g de NaCl à administrer}$$

### Méthode du rapport-proportion

$$\frac{0,225 \text{ g}}{100 \text{ mL}} = \frac{x \text{ g de NaCl à administrer}}{1000 \text{ mL}}$$

Il y a 2,25 g de NaCl pour 1000 mL de dextrose 5 % dans NaCl 0,225 %.

Réponse : **50 g de dextrose et 2,25 g de NaCl pour 1000 mL de dextrose 5 % dans NaCl 0,225 %**

**B. Méthode de la formule**

$$\frac{10 \text{ g} \times 10\cancel{00} \text{ } \cancel{mL}}{\cancel{100} \text{ } \cancel{mL}} = 100 \text{ g de dextrose dans l'eau à administrer}$$

**Méthode du rapport-proportion**

$$\frac{10 \text{ g}}{100 \text{ mL}} = \frac{x \text{ g de dextrose à administrer}}{1000 \text{ mL}}$$

Réponse : **100 g de dextrose pour 1000 mL de dextrose 10 % dans NaCl 0,45 %**

**Méthode de la formule**

$$\frac{0,45 \text{ g} \times 10\cancel{00} \text{ } \cancel{mL}}{\cancel{100} \text{ } \cancel{mL}} = 4,5 \text{ g de NaCl à administrer}$$

**Méthode du rapport-proportion**

$$\frac{0,45 \text{ g}}{100 \text{ mL}} = \frac{x \text{ g de NaCl à administrer}}{1000 \text{ mL}}$$

Réponse : **100 g de dextrose et 4,5 g de NaCl pour 1000 mL de dextrose 10 % dans NaCl à 0,45 %**

......................................................................................

**C. Méthode de la formule**

$$\frac{10 \text{ g} \times 20\cancel{00} \text{ } \cancel{mL}}{\cancel{100} \text{ } \cancel{mL}} = 200 \text{ g de dextrose à administrer}$$

**Méthode du rapport-proportion**

$$\frac{10 \text{ g}}{100 \text{ mL}} = \frac{x \text{ g de dextrose à administrer}}{2000 \text{ mL}}$$

Réponse : **200 g de dextrose pour 2000 mL de dextrose 10 % dans NaCl 0,9 %**

**Méthode de la formule**

$$\frac{0,9 \text{ g} \times 20\cancel{00} \text{ } \cancel{mL}}{\cancel{100} \text{ } \cancel{mL}} = 18 \text{ g de NaCl à administrer}$$

**Méthode du rapport-proportion**

$$\frac{0,9 \text{ g}}{100 \text{ mL}} = \frac{x \text{ g de NaCl à administrer}}{2000 \text{ mL}}$$

Réponse : **200 g de dextrose et 18 g de NaCl pour 2000 mL de dextrose 10 % dans NaCl 0,9 %**

---

### 7.27

**A. Méthode de la formule**

$$\frac{5 \text{ g} \times 30\cancel{00 \text{ mL}}}{\cancel{100 \text{ mL}}} = 150 \text{ g de dextrose à administrer}$$

**Méthode du rapport-proportion**

$$\frac{5 \text{ g}}{100 \text{ mL}} = \frac{x \text{ g de dextrose à administrer}}{3000 \text{ mL}}$$

**Méthode de la formule**

$$\frac{0,45 \text{ g} \times 30\cancel{00 \text{ mL}}}{\cancel{100 \text{ mL}}} = 13,5 \text{ g de NaCl à administrer}$$

**Méthode du rapport-proportion**

$$\frac{0,45 \text{ g}}{100 \text{ mL}} = \frac{x \text{ g de NaCl à administrer}}{3000 \text{ mL}}$$

Réponse : **150 g de dextrose et 13,5 g de NaCl pour 3 L de dextrose 5 % dans NaCl 0,45 %**

---

**B. Méthode de la formule**

$$\frac{0,225 \text{ g} \times 15\cancel{00 \text{ mL}}}{\cancel{100 \text{ mL}}} = 3,375 \text{ g de NaCl à administrer}$$

**Méthode du rapport-proportion**

$$\frac{0{,}225 \text{ g}}{100 \text{ mL}} = \frac{x \text{ g de NaCl à administrer}}{1500 \text{ mL}}$$

Réponse : **3,375 g de NaCl pour 1,5 L de NaCl 0,225 %**

. . . . . . . . . . . . . . . . . . . . . . . . . . . . . . . . . . . . . . . . . . . . . . . . . . . . . . . . . . . . . . . . . . . . . . . . . . . . . . . . . . . . . . . .

**C. Méthode de la formule**

$$\frac{50 \text{ g} \times 20\cancel{00 \text{ mL}}}{1\cancel{00 \text{ mL}}} = 1000 \text{ g de dextrose à administrer}$$

**Méthode du rapport-proportion**

$$\frac{50 \text{ g}}{100 \text{ mL}} = \frac{1000 \text{ g de dextrose à administrer}}{2000 \text{ mL}}$$

**Méthode de la formule**

$$\frac{0{,}9 \text{ g} \times 20\cancel{00 \text{ mL}}}{1\cancel{00 \text{ mL}}} = 18 \text{ g de NaCl à administrer}$$

**Méthode du rapport-proportion**

$$\frac{0{,}9 \text{ g}}{100 \text{ mL}} = \frac{18 \text{ g de NaCl à administrer}}{2000 \text{ mL}}$$

Réponse : **100 g de dextrose et 18 g de NaCl pour 2000 mL de dextrose 50 % dans NaCl 0,9 %**

. . . . . . . . . . . . . . . . . . . . . . . . . . . . . . . . . . . . . . . . . . . . . . . . . . . . . . . . . . . . . . . . . . . . . . . . . . . . . . . . . . . . . . . .

**7.28**

**A.** $\dfrac{0{,}03\dfrac{\text{mg}}{\text{kg}}}{\text{h}} \times 41{,}82 \text{ kg} \times 24 \text{ h} = 30{,}11\dfrac{\text{mg}}{24 \text{ h}}$, arrondi : 30 mg/24 h

On arrondit afin d'être en mesure de préparer le médicament à partir de la concentration disponible.

. . . . . . . . . . . . . . . . . . . . . . . . . . . . . . . . . . . . . . . . . . . . . . . . . . . . . . . . . . . . . . . . . . . . . . . . . . . . . . . . . . . . . . . .

**B.** $\dfrac{0,1\dfrac{\text{mg}}{\text{kg}}}{\text{h}} \times 90 \text{ kg} \times 24 \text{ h} = 216\dfrac{\text{mg}}{24 \text{ h}}$

**C.** $\dfrac{1 \text{ mg}}{\text{h}} \times 24 \text{ h} = 24\dfrac{\text{mg}}{24 \text{ h}}$

## 7.29

**A.** $\dfrac{0,02\dfrac{\text{mg}}{\text{kg}}}{\text{h}} \times 88 \text{ kg} \times 24 \text{ h} = 42,24\dfrac{\text{mg}}{24 \text{ h}}$, arrondi à 42 mg/24 h

**B.** $\dfrac{0,8 \text{ mg}}{\text{h}} \times 24 \text{ h} = 19,2\dfrac{\text{mg}}{24 \text{ h}}$, arrondi à 19 mg/24 h

**C.** $\dfrac{0,015\dfrac{\text{mg}}{\text{kg}}}{\text{h}} \times 114,09 \text{ kg} \times 24 \text{ h} = 41,07\dfrac{\text{mg}}{24 \text{ h}}$, arrondi à 41 mg/24 h

## 7.30

**A.** $\dfrac{0,5 \text{ mg}}{\text{h}} \times 24 \text{ h} = 12\dfrac{\text{mg}}{24 \text{ h}}$

**B.** $0,3 \text{ mg} \times 4 = 1,2\dfrac{\text{mg}}{24 \text{ h}}$

**C.** $\dfrac{0,1\dfrac{mg}{kg}}{h} \times 44,55 \text{ kg} \times 24 \text{ h} = 106,92\dfrac{mg}{24 \text{ h}}$, arrondi 106 mg/24 h

**7.31**

**A.** 0,4 mL/h × 24 h = 9,6 mL de solution à préparer

La concentration en kétamine pour cette solution : $\dfrac{120 \text{ mg}}{9,6 \text{ mL}} = 12,5\dfrac{mg}{mL}$

$\dfrac{12,5 \text{ mg}}{mL} \times 4 \text{ mL} = 50$ mg supplémentaires de kétamine

**B.** 0,5 mL/h × 24 h = 12 mL de solution à préparer

La concentration en midazolam pour cette solution : $\dfrac{12 \text{ mg}}{12 \text{ mL}} = \dfrac{1 \text{ mg}}{mL}$

$\dfrac{1 \text{ mg}}{mL} \times 5 \text{ mL} = 5$ mg supplémentaires de midazolam

**C.** 0,4 mL/h × 24 h = 9,6 mL de solution à préparer

$\dfrac{4,8 \text{ mg}}{9,6 \text{ mL}} = \dfrac{4 \text{ mg}}{8 \text{ mL}} = 4$ mg supplémentaires de morphine

**7.32**

**A.** 1 mL/h × 24 h = 24 mL de solution à préparer

La concentration d'hydromorphone dans la solution : $\dfrac{24 \text{ mg}}{24 \text{ mL}} = \dfrac{1 \text{ mg}}{mL}$

$\dfrac{1 \text{ mg}}{mL} \times 6 \text{ mL} = 6$ mg supplémentaires d'hydromorphone

**B.** $0{,}4\dfrac{mL}{h} \times 24\ h = 9{,}6\ mL$ de solution à préparer

La concentration en midazolam dans cette solution : $\dfrac{48\ mg}{9{,}6\ mL} = 5\dfrac{mg}{mL}$

$\dfrac{5\ mg}{mL} \times 4\ mL = 20\ mg$ supplémentaires de midazolam

**C.** $0{,}4\ mL/h \times 24\ h = 9{,}6\ mL$ de solution à préparer

La concentration en hydromorphone de cette solution : $\dfrac{48\ mg}{9{,}6\ mL} = 5\dfrac{mg}{mL}$

$\dfrac{5\ mg}{mL} \times 5\ mL = 25\ mg$ supplémentaires d'hydromorphone

**7.33**

**A.** $\dfrac{\dfrac{0{,}03\ mg}{kg}}{h} \times 70\ kg \times 24\ h = 50{,}4\ mg$ de morphine à perfuser en 24 h

La concentration en morphine de la solution : $\dfrac{50{,}4\ mg}{9{,}6\ mL} = 5{,}25\dfrac{mg}{mL}$

$\dfrac{5{,}25\ mg}{mL} \times 6\ mL = 31{,}5\ mg$ supplémentaires de morphine

**B.** $\dfrac{\dfrac{0{,}05\ mg}{kg}}{h} \times 88\ kg \times 24\ h = 105{,}6\ mg$ de kétamine à perfuser en 24 h

$\dfrac{105{,}6\ mg}{12\ mL} \times 10\ mL = 88\ mg$ supplémentaires de kétamine

**C.** $\dfrac{\dfrac{0,02 \text{ mg}}{\text{kg}}}{\text{h}} \times 74 \text{ kg} \times 24 \text{ h} = 35,52 \text{ mg d'hydromorphone à perfuser en 24 h}$

$\dfrac{35,52 \text{ mg}}{9,6 \text{ mL}} \times 6 \text{ mL} = 22,2 \text{ mg supplémentaires}$

**7.34**

**A.** Il faudra 50 mg supplémentaires de kétamine.

120 mg + 50 mg = 170 mg de kétamine représentent $\dfrac{170 \text{ mg}}{\dfrac{50 \text{ mg}}{\text{mL}}} = 3,4 \text{ mL}$

$0,4 \dfrac{\text{mL}}{\text{h}} \times 24 \text{ h} = 9,6 \text{ mL}$ auxquels on ajoute 4 mL pour le vide d'air = 13,6 mL

13,6 mL − 3,4 mL = 10,2 mL de NS 0,9 %

**B.** Il faudra 5 mg supplémentaires de midazolam.

48 mg + 5 mg = 53 mg de midazolam représentent $\dfrac{53 \text{ mg}}{\dfrac{5 \text{ mg}}{\text{mL}}} = 10,6 \text{ mL}$

$0,5 \dfrac{\text{mL}}{\text{h}} \times 24 \text{ h} = 12 \text{ mL}$ auxquels on ajoute 5 mL pour le vide d'air = 17 mL

17 mL − 10,6 = 6,4 mL de NaCl 0,9 %

**C.** Il faudra 4 mg supplémentaires de morphine.

240 mg + 4 mg = 244 mg morphine représentent $\dfrac{244 \text{ mg}}{\dfrac{50 \text{ mg}}{\text{mL}}} = 4,88 \text{ mL}$

$0,4 \dfrac{\text{mL}}{\text{h}} \times 24 \text{ h} = 9,6 \text{ mL}$ auxquels on ajoute 8 mL pour le vide d'air = 17,6 mL

17,6 mL − 4,88 = 12,72 mL de NaCl 0,9 %

### 7.35

**A.** Il faudra 6 mg supplémentaires d'hydromorphe.

24 mg + 6 mg = 30 mg d'hydromorphone représentent $\dfrac{30\ mg}{\dfrac{2\ mg}{mL}}$ = 15 mL

$1\dfrac{mL}{h}$ × 24 h = 24 mL auxquels on ajoute 6 mL pour le vide d'air = 30 mL

30 mL − 15 mL = 15 mL de NaCl 0,9 %

**B.** Il faudra 20 mg supplémentaires de midazolam.

48 mg + 20 mg = 68 mg de midazolam représentent $\dfrac{68\ mg}{\dfrac{5\ mg}{mL}}$ = 13,6 mL

$0,4\dfrac{mL}{h}$ × 24 h = 9,6 mL auxquels on ajoute 4 mL pour le vide d'air = 13,6 mL

13,6 mL − 13,6 = 0 mL de NaCl 0,9 %, il n'y aura pas de dilution.

**C.** Il faudra 25 mg supplémentaires d'hydromorphone.

48 mg + 25 mg = 73 mg d'hydromorphone représentent $\dfrac{73\ mg}{\dfrac{20\ mg}{mL}}$ = 3,65 mL

$0,4\dfrac{mL}{h}$ × 24 h = 9,6 mL auxquels on ajoute 5 mL pour le vide d'air = 14,6 mL

14,6 mL − 3,65 mL = 10,95 mL de NaCl 0,9 %

**7.36**

**A.** Il faudra 31,5 mg supplémentaires de morphine.

50,4 mg + 31,5 mg = 81,9 mg de morphine représentent $\dfrac{81,9 \text{ mg}}{\dfrac{10 \text{ mg}}{\text{mL}}}$ = 8,19 mL

$0,4 \dfrac{\text{mL}}{\text{h}} \times 24$ h = 9,6 mL auxquels on ajoute 6 mL pour le vide d'air = 15,6 mL

15,6 mL − 8,19 mL = 7,41 mL de NaCl 0,9 %

**B.** Il faudra 88 mg supplémentaires de kétamine.

105,6 mg + 88 mg = 193,6 mg de kétamine représentent $\dfrac{193,6 \text{ mg}}{\dfrac{50 \text{ mg}}{\text{mL}}}$ = 3,872 mL

$0,5 \dfrac{\text{mL}}{\text{h}} \times 24$ h = 12 mL auxquels on ajoute 10 mL pour le vide d'air = 22 mL

22 mL − 3,87 = 18,13 mL de NaCl 0,9 %

**C.** Il faudra 22,2 mg supplémentaires d'hydromorphone.

35,52 mg + 22,2 mg = 57,72 mg d'hydromorphone représentent

$\dfrac{57,72 \text{ mg}}{\dfrac{10 \text{ mg}}{\text{mL}}}$ = 5,772 mL

$0,4 \dfrac{\text{mL}}{\text{h}} \times 24$ h = 9,6 mL auxquels on ajoute 6 mL pour le vide d'air = 15,6 mL

15,6 mL − 5,77 mL = 9,83 mL de NaCl 0,9 %

## 7.37

La bonne réponse est c), car : $\dfrac{50 \text{ g}}{100 \text{ mL}} \times 50 \text{ mL} = 25 \text{ g}$

Si vous avez répondu b) ou d), vous arrivez à une force de 25 g. Ce ne serait pas un bon choix puisque la quantité de liquide qu'il faudrait administrer pour atteindre 25 g serait trop grande pour procéder dans le temps prescrit. En effet, à 1000 mL/h, il faudrait 15 minutes pour administrer la dose de 250 mL. Pour calculer la force de la solution, rappelez-vous que 1 g de solution/100 mL = 1 % de force.

## 7.38

$243 \text{ mL} \times \dfrac{60 \text{ min}}{200 \text{ mL}} = 72,9 \text{ min}$. La transfusion prendra fin dans 1 h 12 min. Il sera alors 17 h 48. De ce fait, il est possible de reprendre la transfusion puisque celle-ci se terminera avant 18 h 20, soit avant que soit écoulé le délai de 4 heures. En effet, passé ce délai, il faut cesser la perfusion et retirer le sac. L'infirmière doit documenter la situation au dossier.

La dame ne présente aucun malaise. Puisque le sang est à la température ambiante depuis moins de 4 heures, on peut poursuivre la transfusion à condition de respecter ce paramètre. On peut reprendre la transfusion au même débit puisque la transfusion était tolérée.

## 7.39

$\dfrac{100 \text{ mL}}{60 \text{ min}} = \dfrac{x \text{ mL}}{15 \text{ min}}$

$x = 25 \text{ mL}$ de culot globulaire perfusés

**7.40**

$$\frac{100 \text{ mL}}{10 \text{ min}} \times \frac{60 \text{ min}}{1 \text{ h}} = 600 \frac{\text{mL}}{\text{h}}$$

**7.41**

**A.** $\dfrac{100 \text{ mg}}{100 \text{ mL}} = \dfrac{15 \text{ mg}}{x \text{ mL}}$

$x = 15 \text{ mL}$

**B.** $\dfrac{15 \text{ mL}}{2 \text{ \cancel{min}}} \times 60 \dfrac{\cancel{\text{min}}}{\text{h}} = 450 \text{ mL/h}$ ou $\dfrac{15 \text{ mL}}{2 \text{ min}} = \dfrac{450 \text{ mL}}{60 \text{ min}}$

**C.** La première infirmière a raison.

$0,75 \dfrac{\text{mg}}{\text{kg}} \times 82 \text{ kg} = 61,5 \text{ mg}$. Cette dose dépasse le maximum de 50 mg.

Il faudra tenir compte du maximum prescrit de 50 mg qui équivaut à 50 mL.

$\dfrac{50 \text{ mL}}{30 \text{ min}} = \dfrac{100 \text{ mL}}{60 \text{ min}}$

**7.42**

Les acides aminés perfusent à 70 mL/h.

Les lipides sont arrêtés.

L'insuline perfusait à 6 mL/h avant la prise de la glycémie, qui demande un ajustement de + 2 unités/h. La concentration du sac d'insuline est de 1 unité/mL. La perfusion sera donc augmentée à 8 mL/h.

**A.** 125 mL/h − (70 mL/h + 6 mL/h) = 49 mL/h

**B.** 125 mL/h − (70 mL/h + 8 mL/h) = 47 mL/h

................................................................................

**7.43**

**A.** $\dfrac{0,3 \text{ mg}}{\text{kg}} \times 90,9 \text{ kg} = 27,27 \text{ mg}$

................................................................................

**B.** $\dfrac{20 \text{ mg}}{10 \text{ mL}} = \dfrac{27,27 \text{ mg}}{x \text{ mL}}$

$x$ = 13,635 mL, arrondi à 13,6 mL en fonction de la graduation sur la seringue

................................................................................

**C.** $\dfrac{1,5 \text{ mg}}{\text{kg}} \times 90,9 \text{ kg} = 136,35 \text{ mg}$

................................................................................

**D.** $\dfrac{200 \text{ mg}}{10 \text{ mL}} = \dfrac{136,35 \text{ mg}}{x \text{ mL}}$  $x$ = 6,8175 mL, arrondi à 6,8 mL en fonction
de la graduation de la seringue

................................................................................

**7.44**

$$\dfrac{50 \text{ mg}}{500 \text{ mL}} = \dfrac{0,1 \text{ mg}}{\text{mL}} = \dfrac{100 \text{ mcg}}{\text{mL}}$$

**A.** $\dfrac{\dfrac{0,3 \text{ mcg}}{\text{kg}}}{\text{min}} \times 84,1 \text{ kg} \times \dfrac{60 \text{ min}}{\text{h}} = 1513,8 \dfrac{\text{mcg}}{\text{h}}$

$$\dfrac{1513,8 \text{ mcg}}{\text{h}} \times \dfrac{500 \text{ mL}}{50\,000 \text{ mcg}}$$

$x$ = 15,138 mL, arrondi à 15,1 mL/h

................................................................................

**B.** L'infirmière a pris la bonne décision en accélérant le débit de perfusion du nitroprusside. Par contre, elle doit d'abord et avant tout calculer la dose que la personne reçoit quand la solution perfuse à 403 mL/h.

$$\left(\frac{50\,000\ \text{mcg}}{500\ \text{mL}} \times \frac{403\ \text{mL}}{\text{h}} \times \frac{1\ \text{h}}{60\ \text{min}}\right) \div 84,1\ \text{kg} = x\frac{\frac{\text{mcg}}{\text{kg}}}{\text{min}}$$

$x$ = 7,986 mcg/kg/min, arrondi à 8 mcg/kg/min

$$\left(\frac{50\,000\ \text{mcg}}{500\ \text{mL}} \times \frac{505\ \text{mL}}{\text{h}} \times \frac{1\ \text{h}}{60\ \text{min}}\right) \div 84,1\ \text{kg} = x\frac{\frac{\text{mcg}}{\text{kg}}}{\text{min}}$$

$x$ = 10 mcg/kg/min. Cette dernière augmentation correspond à la dose maximale de ce médicament qu'il est possible d'administrer. S'il fallait augmenter à nouveau le débit de la perfusion pour abaisser la TA, l'infirmière devrait appeler le médecin avant de procéder à cet ajustement.

**7.45**

**A.** $\dfrac{0,25\ \text{mg}}{\frac{\text{kg}}{\text{h}}} \times 69\ \text{kg} \times 24\ \text{h} = x\ \text{mg}$    $x$ = 414 mg de morphine

$\dfrac{0,75\ \text{mg}}{\text{h}} \times 24\ \text{h} = x\ \text{mg}$    $x$ = 18 mg de midazolam

La scopolamine n'est pas ajoutée au sac. Ce médicament est administré au besoin.

**B.** morphine : $\dfrac{414\ \text{mg}}{24\ \text{mL}} = 17{,}25\ \text{mg/mL}$    $\dfrac{17{,}25\ \text{mg}}{\text{mL}} \times 6\ \text{mL} = 103{,}5\ \text{mg}$ à ajouter

midazolam : $\dfrac{18\ \text{mg}}{24\ \text{mL}} = 0{,}75\dfrac{\text{mg}}{\text{mL}}$    $\dfrac{0{,}75\ \text{mg}}{\text{mL}} \times 6\ \text{mL} = 4{,}5\ \text{mg}$ à ajouter

**C.** 414 mg + 103,5 mg = 517,5 mg de morphine $\dfrac{517,5 \text{ mg}}{x \text{ mL}} = \dfrac{50 \text{ mg}}{\text{mL}}$

$x$ = 10,35 mL, arrondi à la baisse à 10,3 mL

18 mg + 4,5 mg = 22,5 mg de midazolam $\dfrac{22,5 \text{ mg}}{x \text{ mL}} = \dfrac{10 \text{ mg}}{\text{mL}}$

$x$ = 2,25 mL, arrondi à la baisse à 2,2 mL

**D.** 24 + 6 = 30 mL (volume total)
30 mL − 2,2 mL − 10,3 mL = 17,5 mL de NaCl 0,9 %

# SOURCES DES PHOTOGRAPHIES ET DES ILLUSTRATIONS

Couverture : Andrew Brooke/Getty Images.

## Chapitre 3
**Pages 42** à **44** : Michel Rouleau. **Page 60** : Michel Rouleau ; Jasmin Tremblay.

## Chapitre 4
**Pages 66** à **72** : Michel Rouleau. **Page 96** : Jasmin Tremblay. **Pages 105 (B)** et **106 (B)** : Michel Rouleau. **Page 110** : Michel Rouleau. **Pages 112** à **114** : Michel Rouleau. **Page 117** : Michel Rouleau.